Le **Routard**
Montréal

Directeur de collection et auteur
Philippe GLOAGUEN

Cofondateurs
**Philippe GLOAGUEN
et Michel DUVAL**

Rédacteur en chef
Pierre JOSSE

Rédacteurs en chef adjoints
**Amanda KERAVEL
et Benoît LUCCHINI**

Directrice de la coordination
Florence CHARMETANT

Directrice administrative
Bénédicte GLOAGUEN

Direction éditoriale
Catherine JULHE

Rédaction
**Isabelle AL SUBAIHI
Mathilde de BOISGROLLIER
Thierry BROUARD
Marie BURIN des ROZIERS
Véronique de CHARDON
Gavin's CLEMENTE-RUÏZ
Fiona DEBRABANDER
Anne-Caroline DUMAS
Géraldine LEMAUF-BEAUVOIS
Olivier PAGE
Alain PALLIER
Anne POINSOT
André PONCELET**

Administration
**Carole BORDES
Solenne DESCHAMPS**

2013/2014

hachet

Remarque importante aux hôteliers et restaurateurs

Les enquêteurs du *Routard* travaillent dans le plus strict anonymat. Aucune réduction, aucun avantage quelconque, aucune rétribution n'est jamais demandé en contre-partie. Face aux aigrefins, la loi autorise les hôteliers et restaurateurs à porter plainte.

Avis aux lecteurs

Le *Routard*, ce n'est pas comme le bon vin, il vieillit mal. On ne veut pas pousser à la consommation, mais évitez de partir avec une édition ancienne. Les modifications sont souvent importantes.

Les réductions accordées à nos lecteurs ne sont jamais demandées par nos rédacteurs afin de préserver leur anonymat. Les hôteliers et restaurateurs sont sollicités par une société de mailing, totalement indépendante de la rédaction, qui reste donc libre de ses choix. De même pour les autocollants et plaques émaillées.

routard.com, le voyage à portée de clics !

✓ Rejoignez la plus grande communauté francophone de voyageurs : plus de **2 millions** de visiteurs !

✓ Échangez avec les routarnautes : forums, photos, avis sur les hôtels...

✓ Retrouvez aussi toutes les informations actualisées pour choisir et préparer vos voyages : plus de 200 fiches pays, une centaine de dossiers pratiques et un magazine en ligne pour découvrir tous les secrets de votre destination.

✓ Enfin, comparez les offres pour organiser et réserver votre voyage au meilleur prix.

Pictogrammes du *Routard*

Établissements

- 🏠 Hôtel, auberge, chambres d'hôtes
- ⛺ Camping
- 🍴 Restaurant
- Brunch
- Boulangerie, sandwicherie
- Glacier
- Café, salon de thé
- Café, bar
- Bar musical
- Club, boîte de nuit
- Salle de spectacle
- Office de tourisme
- ✉ Poste
- Boutique, magasin, marché
- @ Accès internet
- Hôpitaux, urgences

Sites

- Plage
- Site de plongée
- 🚲 Piste cyclable, parcours à vélo

Transports

- ✈ Aéroport
- Gare ferroviaire
- Gare routière, arrêt de bus
- Ⓜ Station de métro
- Ⓣ Station de tramway
- Ⓟ Parking
- Taxi
- Taxi collectif
- Bateau
- Bateau fluvial

Attraits et équipements

- 🚶 Présente un intérêt touristique
- Recommandé pour les enfants
- Adapté aux personnes handicapées
- Ordinateur à disposition
- 📶 Connexion wifi
- ◉ Inscrit au Patrimoine mondial de l'Unesco

Mille excuses, on ne peut plus répondre individuellement aux centaines de CV reçus chaque année.

Le *Routard* est imprimé sur un papier issu de forêts gérées.

© **HACHETTE LIVRE (Hachette Tourisme), 2013**
Tous droits de traduction, de reproduction et d'adaptation réservés pour tous pays.
© **Cartographie** Hachette Tourisme.
I.S.B.N. 978-2-01-240861-6

TABLE DES MATIÈRES

MONTRÉAL

LES ENVIRONS DE MONTRÉAL

QUITTER MONTRÉAL

NOUVEAU ET IMPORTANT : DERNIÈRE MINUTE

Sauf exception, le *Routard* bénéficie d'une parution annuelle à date fixe. Entre deux dates, des événements fortuits (formalités, taux de change, catastrophes natu-relles, conditions d'accès aux sites, fermetures inopinées, etc.) peuvent modifier vos projets de voyage. Pour éviter les déconvenues, nous vous recommandons de consulter la rubrique « Guide » par pays de notre site ● *routard.com* ● et plus particulièrement les dernières *Actus voyageurs*.

Remerciements

– **Nathalie Thivierge,** guide à Montréal.
– **Jérémie Gabourg,** de Tourisme Montréal.
– **Camille Veillard.**

Nous tenons à remercier tout particulièrement Loup-Maëlle Besançon, Thierry Bessou, Gérard Bouchu, François Chauvin, Grégory Dalex, Stéphanie Déro, Fabrice Doumergue, Cédric Fischer, Carole Fouque, Michelle Georget, David Giason, Claude Hervé-Bazin, Emmanuel Juste, Dimitri Lefèvre, Sacha Lenormand, Fabrice de Lestang, Romain Meynier, Éric Milet, Pierre Mitrano, Jean-Sébastien Petitdemange, Thomas Rivallain, Dominique Roland et Solange Vivier pour leur collaboration régulière.

Et pour cette nouvelle collection, nous remercions aussi:

Emmanuelle Bauquis
Jean-Jacques Bordier-Chêne
Michèle Boucher
Lisa Buchter
Stéphanie Condis
Agnès Debiage
Laurie Decaillon
Jérôme Denoix
Tovi et Ahmet Diler
Clélie Dudon
Sophie Duval
Clara Favini
Alain Fisch
Mathilde Fonteneau
Adrien et Clément Gloaguen

Xavier Haudiquet
Bernard Hilaire
Sébastien Jauffret
Anaïs Kerdraon
Jacques Lemoine
Béatrice Macé de Lépinay
Jacques Muller
Caroline Ollion
Nicolas et Benjamin Pallier
Martine Partrat
Odile Paugam et Didier Jehanno
Prakit Saiporn
Jean-Luc et Antigone Schilling
Camille Veillard

Direction: Nathalie Bloch-Pujo
Contrôle de gestion: Héloïse Morel d'Arleux et Virginie Laurent-Arnaud
Secrétariat: Catherine Maîtrepierre
Direction éditoriale: Catherine Julhe
Édition: Matthieu Devaux, Géraldine Péron, Olga Krokhina, Gia-Quy Tran, Julie Dupré, Pauline Fiot, Julien Hunter, Camille Loiseau, Emmanuelle Michon, Julia Nannicelli, Marion Sergent et Clémence Toublanc
Préparation-lecture: Élisabeth Bernard
Cartographie: Frédéric Clémençon et Aurélie Huot
Fabrication: Nathalie Lautout et Audrey Detournay
Relations presse France: COM'PROD, Fred Papet. ☎ 01-70-69-04-69.
● *info@comprod.fr* ●
Direction marketing: Adrien de Bizemont, Lydie Firmin et Laure Illand
Contacts partenariats: André Magniez (EMD). ● *andremagniez@gmail.com* ●
Édition des partenariats: Élise Ernest
Informatique éditoriale: Lionel Barth
Couverture: Clément Gloaguen et Seenk
Maquette intérieure : *le-bureau-des-affaires-graphiques.com*, Thibault Reumaux et npeg.fr
Relations presse: Martine Levens (Belgique) et Maureen Browne (Suisse)
Régie publicitaire: Florence Brunel-Jars

LE CANADA (CARTE GÉNÉRALE)

Quels sont les papiers indispensables pour se rendre à Montréal ?
Un passeport individuel en cours de validité, même pour les enfants.

Quelle est la meilleure saison pour y aller ?
À chaque saison ses plaisirs. L'été est la période des festivals, mais les hébergements sont souvent complets (penser à réserver bien à l'avance), et il peut faire très chaud. L'automne, le fameux été indien, est la saison la plus douce et les arbres affichent leurs plus belles couleurs. En hiver, on peut skier dans de très bonnes conditions au mont Tremblant, à 2h de Montréal.

Quel est le décalage horaire ?
Six fuseaux horaires de moins à Montréal. Quand il est 12h en France, il est donc 6h à Montréal.

La vie est-elle chère ?
Les prix sont un peu plus élevés qu'en France concernant l'hébergement et la restauration, un peu moins pour les achats divers et le carburant. Cela dit, tout dépend bien sûr du taux de change et de la force de l'euro...

Peut-on y aller avec des enfants ?
Avec un accueil aussi chaleureux, c'est l'fun ! Montréal est une ville à taille humaine, verdoyante et dotée de musées instructifs et ludiques à la fois. Ne manquez pas l'ancien Parc olympique des Jeux de 1976, où sont rassemblés Jardin botanique, Insectarium, Planétarium...

Comment se déplacer ?
À pied, en transports en commun (métro et bus) mais aussi à vélo (pistes cyclables bien aménagées). Voiture éventuellement pour les environs.

Combien de jours faut-il prévoir sur place ?
Compter 3-4 jours pour visiter l'essentiel, mais évidemment il faut plus de temps pour s'imprégner de l'esprit de la ville, de son animation, de sa douceur de vivre...

Que rapporter de Montréal ?
Du sirop d'érable, bien évidemment, et à toutes les sauces : en sirop, en sucette, en bonbons, en beurre... Toujours au rayon culinaire, des canneberges séchées, des bleets enrobés de chocolat, des bagels, des bières de microbrasseries, du vin ou du cidre de glace. Pensez aussi aux vêtements en général (jeans et autres), souvent moins chers qu'en France, et à tout ce qui est équipement d'hiver : doudounes, polaires et compagnie.

LES COUPS DE CŒUR DU ROUTARD

ITINÉRAIRES CONSEILLÉS

1 jour

Si vous ne faites que passer en coup de vent, concentrez-vous d'abord sur le quartier du Vieux-Montréal : le musée de Pointe-à-Callière et le Centre d'histoire vous donneront les clés pour comprendre la fondation de la ville. Puis flânez dans les rues anciennes du quartier, toujours très animées, où vous trouverez quelques bonnes tables pour déjeuner (« dîner » en version locale), avant une petite balade digestive le long des quais du Vieux-Port. Un saut de puce en métro vous mènera ensuite jusqu'à la station Berri-Uqam, au cœur du Quartier latin, pour humer l'air populaire et dynamique du Montréal d'aujourd'hui. Vous pourrez finir cette journée chargée en écumant les bars du quartier ou en faisant route vers le Plateau Mont-Royal, pour fréquenter les cafés-concerts et les boîtes à la mode.

3 jours

Une durée suffisante pour avoir un bon aperçu de la ville.
– *1er jour :* promenade le long des ruelles pavées du Vieux-Montréal et sur le port, sans oublier la visite du musée de Pointe-à-Callière et/ou du Centre d'histoire. Finir la journée dans la bonne humeur en se mêlant à la faune joyeuse et bigarrée du Quartier latin et du Village.
– *2e jour :* remonter la fameuse rue Sainte-Catherine via la place des Arts. Si vous êtes amateur, prenez un moment pour visiter le musée d'Art contemporain. Continuer vers l'ouest sur « la Catherine », en direction du Dowtown, afin de lécher quelques vitrines et d'admirer le Montréal des gratte-ciel. Pousser jusqu'au musée des Beaux-Arts, et mettre ensuite le cap sur le parc du Mont-Royal pour un moment relaxant. Le soleil ne devrait pas tarder à se coucher, et le sommet du mont Royal est l'endroit idéal au crépuscule. Finissez donc la soirée dans un bar ou un café-concert de Mile-End : vous avez bien mérité le réconfort d'une pinte de bière artisanale !
– *3e jour :* de bon matin, filez parcourir les allées du Jardin botanique, l'un des plus grands au monde. Halte plaisante et instructive au Biodôme voisin, afin de découvrir les écosystèmes d'Amérique. Puis retour en milieu urbain, pour une flânerie dans les rues typiques du Plateau Mont-Royal, avec leurs maisons de brique à escaliers de fer en colimaçon. Ensuite, descendre au choix la rue Saint-Denis ou le boulevard Saint-Laurent pour humer l'air du temps, et profiter encore un peu de la vie nocturne montréalaise.

1 semaine

Après une semaine ici, vous connaîtrez Montréal comme votre poche !
– *1er jour :* commencez là où la ville elle-même a commencé : le quartier du Vieux-Montréal. À votre rythme, visitez les musées historiques (Pointe-à-Callière, Centre d'histoire, Château Ramezay) et partez le nez en l'air à la découverte de traces architecturales du passé. Pour respirer entre deux bouffées de culture, profitez des animations de la place Jacques-Cartier et arpentez les quais du Vieux-Port. Une belle mise en bouche !

– *2e jour :* pour bien démarrer la journée, s'offrir un gros brunch dans le Quartier latin ou le Village. Remonter ensuite la très longue rue Sainte-Catherine en direction du Downtown, ses magasins et vastes centres commerciaux au pied des gratte-ciel et sa ville souterraine, la plus grande du monde. Les fans de hockey feront un pèlerinage au Centre Bell, les autres iront directement visiter le musée des Beaux-Arts. On peut finir la journée dans un pub de la rue Crescent ou Bishop.

– *3e jour :* direction le Plateau Mont-Royal pour découvrir le dynamisme et la variété de ce quartier à l'esprit chaleureux. Un peu de lèche-vitrines, quelques bonnes pâtisseries ou un bagel plus tard, faire la grimpette jusqu'en haut du mont Royal pour embrasser la ville d'un regard à l'heure du coucher de soleil.

– *4e jour :* allez flairer les étals du marché Jean-Talon, au nord de la ville. Descendez ensuite (en vous aidant du métro !) le fameux boulevard Saint-Laurent, jusqu'au quartier branché et néanmoins décontracté de Mile-End. Tout au long de la journée, possibilité de haltes gastronomiques pour goûter aux cuisines du monde entier, *magasinage* (shopping en français !) et pauses méritées dans les bars cosmopolites du quartier.

– *5e jour :* parcourir à la fraîche le Jardin botanique et son Insectarium, et compléter le trip « écolo » par la visite du Biodôme. Puis prendre l'ascenseur pour le haut de la Tour de Montréal et s'offrir une virée au cœur du site olympique des Jeux de 1976. Retour vers le Quartier latin, pour se mêler à la foule estudiantine dans les bars et cafés-concerts de ce quartier alternatif.

– *6e jour :* louer un vélo et faire une longue balade en bordure du canal Lachine. Pause au marché Atwater afin de déguster quelques spécialités locales. Faire un détour par le Centre canadien d'architecture avant de revenir vers le centre et de rendre la bécane.

– *7e jour :* détente et verdure dans le vaste parc Jean-Drapeau, qui occupe deux îles au milieu du Saint-Laurent. Lors de cette balade, détour par le musée Stewart et la Biosphère. Pourquoi ne pas en profiter pour pique-niquer devant le superbe panorama sur Montréal et le fleuve ? Après quoi, on peut improviser une nouvelle séance de shopping dans le Vieux-Montréal ou Downtown, histoire de ramener quelques souvenirs avant le retour.

À ne pas rater si vous êtes...

... *culture :* un choix de qualité parmi les musées montréalais, notamment le musée d'Archéologie et d'Histoire de Pointe-à-Callière, le musée des Beaux-Arts, le Château Ramezay et le musée d'Art contemporain. Si vous êtes de passage en période estivale, vous profiterez aussi de nombreux festivals de théâtre, musique, humour, ainsi que des animations de rue du Vieux-Montréal, du Quartier latin ou de la place des Arts.

... *avec des enfants :* le centre des Sciences et le Cosmodôme intéresseront les enfants les plus curieux. Le Biodôme, le Jardin botanique et l'Insectarium passionneront sans aucun doute les naturalistes en herbe. Et une séance d'amusement dans l'immense parc d'attractions de la Ronde mettra tout le monde d'accord.

... *en amoureux :* la balade le long du port de Montréal, que l'on peut prolonger par une promenade au bord du Saint-Laurent. La grimpette bras dessus, bras dessous jusqu'en haut du mont Royal pour admirer le plus beau panorama qui soit sur l'ensemble de la ville. Enfin, une virée dans les bars et boîtes du Plateau et de Mile-End, pour un grain de folie.

... *plutôt nature :* les vastes parcs de la ville, au premier rang desquels le parc du Mont-Royal et le parc Jean-Drapeau, où l'on peut apporter son pique-nique (mais gare aux écureuils affamés !). Le magnifique Biodôme et le Jardin botanique raviront les amateurs de belles plantes. Le canal Lachine et les rives du Saint-Laurent sont à ne pas manquer, ainsi qu'une excursion dans le parc des Laurentides ou le parc de la Mauricie, si vous avez le temps.

... *plutôt sportifs :* l'été, une descente en rafting des rapides de Lachine s'impose. Les forcenés de la course à pied se mêleront aux joggeurs du Vieux-Port ou feront le tour du circuit Gilles-Villeneuve, sur l'île Notre-Dame. En hiver, profitez des nombreuses patinoires de plein air de la ville et réservez votre billet pour assister à un match des mythiques Canadiens de Montréal au Centre Bell.

COMMENT Y ALLER ?

LES LIGNES RÉGULIÈRES
::

▲ AIR FRANCE
Rens et résas au ☎ 36-54 (0,34 €/mn – tlj 6h30/22h), sur ● airfrance.fr ●, dans les agences Air France et dans ttes les agences de voyages. Fermées dim. Numéro gratuit valable au Canada : ☎ 1-800-667-2747.
➤ La compagnie dessert Montréal en vol direct 2 fois/j.
Air France propose toute l'année une gamme de tarifs accessibles à tous. Pour les moins de 25 ans, Air France offre des tarifs spécifiques, ainsi qu'une carte de fidélité *(Flying Blue Jeune)* gratuite et valable sur l'ensemble des compagnies membres de *Skyteam.* Cette carte permet de cumuler des *miles.*
Sur Internet, possibilité de consulter les meilleurs tarifs du moment directement sur la page d'accueil, rubrique « Nos meilleures offres ».

▲ AIR CANADA
Rens : ☎ 0825-880-881 (0,15 €/mn). ● aircanada.com ● Lun-ven 9h-18h.
➤ Au départ de Roissy-Charles-de-Gaulle, Air Canada assure 1-2 vols/j. vers Montréal. Puis, correspondances possibles pour Québec, Halifax et Ottawa. Au départ de la province, les correspondances sont assurées grâce à leur partenaire Lufthansa via Francfort et Munich.

▲ AIR TRANSAT
Rens et résas : ☎ 0825-120-248 (0,15 €/mn ; lun-ven 9h-19h, sam 9h-18h). ● airtransat.com ● Représenté en France par Vacances Air Transat.
➤ Vols directs à destination de Montréal toute l'année. De mai à octobre, à destination de Montréal, également des vols au départ de Bordeaux, Lyon, Marseille, Nantes, Nice et Toulouse.

▲ CORSAIRFLY
Rens : ☎ 0820-042-042 (0,12 €/mn). ● corsairfly.com ● (paiement en ligne sécurisé). Et dans ttes les agences de voyages.
➤ Compagnie aérienne régulière, Corsairfly dessert Montréal avec 3 vols directs/sem de mai à octobre.

LES ORGANISMES DE VOYAGES
::

– Ne pas croire que les vols à tarif réduit sont tous au même prix pour une même destination à une même époque : loin de là. On a déjà vu, dans un même avion partagé par deux organismes, des passagers qui avaient payé 40 % plus cher que les autres. De plus, une agence bon marché ne l'est pas forcément toute l'année (elle peut n'être compétitive qu'à certaines dates bien précises). Donc, contactez tous les organismes et jugez vous-même.
– Les organismes cités sont classés par ordre alphabétique, pour éviter les jalousies et les grincements de dents.

EN FRANCE

▲ BACK ROADS
– Paris : 14, pl. Denfert-Rochereau, 75014. ☎ 01-43-22-65-65. ● backroads. fr ● Ⓜ ou RER B : Denfert-Rochereau. Lun-ven 10h-19h ; sam 10h-18h.
Depuis 1975, Jacques Klein et son équipe sillonnent chaque année les rou-

NOUVEAUTÉ

NORD-PAS DE CALAIS, LA RÉGION DES MUSÉES (paru)

Le saviez-vous ? La région Nord-Pas de Calais est la seconde région française en nombre de musées. Plus de 100 musées sont implantés sur les 2 départements. Ce guide présente les plus importants d'entre eux. Des musées riches, dynamiques, originaux, dans une région qui accueille désormais le Louvre-Lens. Et qui fait aussi la part belle à l'art contemporain à travers une série de structures permettant aux nouvelles disciplines et aux jeunes créateurs de se faire connaître. Une région fière de son histoire, riche d'un patrimoine industriel qu'elle a su, avec intelligence, reconvertir en lieux culturels de qualité. Alors pour découvrir l'art dans tous ses états et sous toutes ses formes, ne perdez pas le nord.

tes canadiennes, ce qui fait de ces fous d'Amérique des grands connaisseurs de la destination. Pour cette raison, ils ne vendent leurs produits qu'en direct. Ils vous feront partager leurs expériences et vous conseilleront sur les circuits les plus adaptés à vos centres d'intérêt. En été, ils proposent de nombreuses activités de plein air comme le canoë-kayak, le rafting, l'observation des baleines, l'équitation ou la randonnée pédestre, tandis qu'en hiver ce sont des programmes variés de motoneige, ski, pêche blanche, traîneaux à chien, randonnées à raquettes et enfin, au printemps, l'observation des bébés phoques.

De plus, Back Roads représente deux centraux de réservation américains lui permettant d'offrir des tarifs très compétitifs pour la réservation. D'abord *Amerotel*, des hôtels sur tout le territoire, des *Hilton* aux *gîtes chez l'habitant*. Ensuite *Car Discount* : un courtier en location de voitures.

▲ BOURSE DES VOLS / BOURSE DES VOYAGES

Rens et résas : ● *bdv.fr* ● *ou au* ☎ 01-42-61-66-61. Lun-sam 9h-20h. Agence de voyages en ligne, BDV.fr propose une vaste sélection de vols secs, séjours et circuits à réserver en ligne ou par téléphone. Pour bénéficier des meilleurs tarifs aériens, même à la dernière minute, le service de Bourse des Vols référence en temps réel un large panel de vols réguliers, charters et dégriffés au départ de Paris et de nombreuses villes de province. Bourse des Voyages propose des promotions toute l'année sur une large sélection de destinations (séjours, circuits...).

▲ CANADA CONSEIL

Devis et brochures sur demande, réception sur rdv, agence Paris XVIᵉ. Rens : ☎ 01-45-46-51-75. ● *info@ usaconseil.net* ● *usaconseil.com* ● *canadaconseil.com* ●
Spécialiste des voyages en Amérique du Nord, USA et Canada Conseil s'adressent particulièrement aux familles ainsi qu'à toutes les personnes désireuses de visiter et de découvrir les États-Unis et le Canada en maintenant un bon rapport qualité-prix. Canada Conseil propose une gamme complète de prestations adaptées à

chaque demande et en rapport avec le budget de chacun : vols, location de voitures, hôtels, motels, bungalows, circuits individuels et accompagnés, itinéraires adaptés aux familles, excursions, motorhomes, motos, bureau d'assistance téléphonique francophone tout l'été avec numéro vert USA et Canada. Sur demande sur le site internet, par téléphone, e-mail ou fax, Canada Conseil adresse un devis gratuit et détaillé pour tout projet de voyage.

▲ COMPAGNIE DES ÉTATS-UNIS & DU CANADA

● *compagniesdumonde.com* ● – Paris : 5, av. de l'Opéra, 75001. ☎ 08-92-234-430 (0,34 €/mn). Ⓜ Palais-Royal-Musée-du-Louvre ou Pyramides. Lun-ven 9h-19h ; sam 10h-19h.
Compagnie des États-Unis et du Canada est depuis 15 ans la plus importante compagnie du groupe Compagnies du Monde, qui a ouvert à Paris un *concept store* offrant tous les voyages sur mesure sur le continent, une galerie d'art contemporain exposant des artistes de tout le continent américain, et un salon de café avec des variétés en provenance directe des meilleures plantations situées sur ses destinations.

D'un côté, la compagnie propose des vols négociés sur les États-Unis et le Canada. De l'autre, une brochure très complète qui propose de nombreuses formules de voyages sur mesure : du camping aux circuits les plus luxueux ou la mythique route 66 (en Harley-Davidson ou en voiture).

Les circuits et les séjours individuels sur mesure sont la spécificité de ce voyagiste avec son espace tourné vers le « Beau ». La meilleure façon de respecter et de découvrir le monde. C'est pourquoi la Compagnie est aussi spécialisée dans les séjours tournés vers l'art, les grands musées, les expositions et l'architecture. Elle propose de nombreux séjours à New York, Philadelphie, Boston, Chicago, Las Vegas et toutes les grandes villes de l'Ouest, sans oublier chaque année deux forfaits de 7 jours pour les réveillons de Noël et du Jour de l'an à New York.

Compagnie des États-Unis & du Canada fait partie du groupe Compagnies du Monde, comme Compagnie d'Amérique latine & des Caraïbes, Compagnie des Indes & de l'Extrême-Orient, Compagnie des plages, Compagnie de la Polynésie et Compagnie de l'Afrique australe & de l'océan Indien.

Une envie de croisière ? Consultez le site le plus complet : ● *mondeetcroisieres.com* ●

▲ COMPTOIR DU CANADA

● *comptoir.fr* ●
– *Paris : 6, rue Saint-Victor, 75005.* ☎ *0892-238-438 (0,34 €/mn).* Ⓜ *Cardinal-Lemoine. Lun-ven 9h30-18h30 ; sam 10h-18h30.*
– *Lyon : 10, quai Tilsitt, 69002.* ☎ *0892-230-465.* Ⓜ *Bellecour. Lun-sam 9h30-18h30.*
– *Marseille : 12, rue Breteuil, 13001.* ☎ *0892-236-636.* Ⓜ *Estrangin. Lun-sam 9h30-18h30.*
– *Toulouse : 43, rue Peyrolières, 31000.* ☎ *0892-232-236 (0,34 €/mn).* Ⓜ *Esquirol. Lun-sam 9h30-18h30.*

21 Comptoirs, plus de 60 destinations, des idées de voyage au Canada : le Comptoir propose une large palette de séjours et d'autotours du Québec et des Provinces maritimes à Vancouver. Si vous souhaitez partir en hiver, l'équipe vous fera découvrir toutes les activités neige typiques du Canada. Quelles que soient vos envies, des spécialistes du Canada vous aideront à créer et à organiser votre voyage sur mesure.

Comptoir des Voyages s'impose depuis 20 ans comme une référence incontournable pour les voyages sur mesure, accessible à tous les budgets. Membre de l'association ATR (Agir pour un Tourisme Responsable), le Comptoir des Voyages a obtenu en 2010, pour la seconde année, la certification Tourisme responsable AFAQ AFNOR.

▲ DIRECTOURS

– *Paris : 90, av. des Champs-Élysées, 75008.* ☎ *01-45-62-62-62. Depuis la province :* ☎ *0811-90-62-62 (prix d'un appel local)* ou *04-78-30-36-80 (appel gratuit).* ● *directours.com* ● Ⓜ *George-V. Lun-ven 9h-19h ; sam 11h-18h.*

Ce spécialiste du voyage à la carte présente la particularité de s'adresser directement au public, en vendant ses voyages haut de gamme, par Internet et téléphone, ou encore à son agence. Cette politique de « vente directe » permet à Directours d'offrir des prix extrêmement compétitifs. Directours est l'un des principaux spécialistes des États-Unis et propose une très large gamme de circuits, séjours et voyages à la carte sur une centaine d'autres destinations.

▲ ÉQUINOXIALES

Rens : ☎ *01-77-48-81-00.* ● *equinoxiales.fr* ●

25 ans d'expérience et une passion inépuisable sont les clés de l'expertise d'Équinoxiales pour les voyages sur mesure au long cours à prix *low-cost*, assortis des meilleurs conseils. Un simple appel, juste un e-mail, et les conseillers Équinoxiales sont à l'écoute pour élaborer avec les candidats au voyage le périple qui leur convient au meilleur prix.

▲ NOUVELLES FRONTIÈRES

Rens et résas dans tte la France : ☎ *0825-000-747 (0,15 €/mn).* ● *nouvelles-frontieres.fr* ● *Les brochures Nouvelles Frontières sont disponibles gratuitement dans les 300 agences du réseau, par tél et sur Internet.*

Nombreuses formules : vols sur Corsair International, la compagnie de Nouvelles Frontières au départ de Paris et de province, et sur toutes les compagnies aériennes régulières, circuits aventure ou organisés ; séjours en hôtels, en hôtels-clubs et en résidences ; weekends, formules à la carte...

▲ VACANCES CANADA

– *Paris : 4, rue Gomboust (angle 31, av. de l'Opéra), 75001.* ☎ *01-40-15-15-15.* ● *vacancescanada.com* ● *Lun-ven 8h30-20h ; sam 10h-18h30.*

Vacances Canada fait partie du groupe Le Cercle des Vacances.

Voyagiste spécialiste du Canada, Vacances Canada propose des voyages à la carte à travers tout le pays, des plus simples (vols secs) aux plus élaborés, pour tous les types de budgets, pour les individuels comme pour les groupes, grâce à des conseillers de vente ayant vécu sur place. Découverte ou aventure, plusieurs formules sont proposées dans leur brochure et sur leur site. Au programme : vols sur toutes les compagnies régulières, circuits accompagnés, séjours multi-activités, voyages à la carte, circuits aventure, hébergements variés, location de voitures, week-ends thématiques à prix très attractifs...

▲ VACANCES FABULEUSES

– *Paris : 54-56, av. Bosquet, 75007.* ☎ *0820-300-382.* • *vacancesfabuleuses.fr* • Ⓜ *École-Militaire. Lun-ven 10h-18h.*
– *Et dans ttes les agences de voyages.*
Vacances Fabuleuses, c'est « l'Amérique à la carte ». Ce spécialiste de l'Amérique du Nord (États-Unis, Canada) et de l'Amérique centrale propose de découvrir le Canada de l'intérieur, avec un large choix de formules allant de la location de voitures aux circuits individuels à thème ou accompagnés. Vacances Fabuleuses, c'est aussi les hôtels de villégiature, ranchs, gîtes. Le transport est assuré sur compagnies régulières. Le tout proposé par une équipe de spécialistes.

▲ VOYAGEURS DU MONDE

• *voyageursdumonde.com* •
– *Paris : La Cité des Voyageurs, 55, rue Sainte-Anne, 75002.* ☎ *01-42-86-16-30.* Ⓜ *Opéra ou Pyramides. Lun-sam 9h30-19h.*
– *Également des agences à Bordeaux, Grenoble, Lille, Lyon, Marseille, Montpellier, Nantes, Nice, Rennes, Rouen, Strasbourg et Toulouse ainsi qu'à Bruxelles et Genève.*
Le spécialiste du voyage en individuel sur mesure. Parce que chaque voyageur est différent, que chacun a ses rêves et ses idées pour les réaliser, Voyageurs du Monde conçoit, depuis plus de 30 ans, des projets sur mesure. Les séjours proposés à travers 120 destinations sont des suggestions élaborées par leurs 180 conseillers voyageurs. Spécialistes de leur pays, ils vous aideront à personnaliser les voyages présentés à travers une trentaine de brochures d'un nouveau type et sur le site internet où vous pourrez également découvrir leurs hébergements exclusifs et consulter votre espace personnalisé. Chacune des 15 Cités des Voyageurs est une invitation au voyage : librairies spécialisées, accessoires de voyage, expositions-ventes d'artisanat et conférences. Voyageurs du Monde est membre de l'association ATR (Agir pour un Tourisme Responsable) et a obtenu sa certification Tourisme responsable AFAQ AFNOR.

Comment aller à Roissy et à Orly ?

Bon à savoir :
– Le **pass Navigo** est valable pour Roissy-Rail (RER B, zones 1-5) et Orly-Rail (RER C, zones 1-4).
– Le **billet Orly-Rail** permet d'accéder sans supplément aux réseaux métro et RER.

À Roissy-Charles-de-Gaulle 1, 2 et 3

Attention : si vous partez de Roissy, pensez à vérifier de quelle aérogare votre avion décolle car la durée du trajet peut considérablement varier en fonction de cette donnée.

En transports collectifs

🚌 **Les cars Air France :** ☎ *0892-350-820 (0,34 €/mn).* • *lescarsairfrance.com* • *Paiement par CB possible à bord.*
Le site internet diffuse les informations essentielles sur le réseau (lignes, horaires, tarifs...) permettant de connaître en temps réel des infos sur le trafic afin de mieux planifier son départ. Il propose également une boutique en ligne, qui permet d'acheter et d'imprimer les billets électroniques pour accéder aux bus.
➤ *Paris-Roissy :* départ pl. de l'Étoile (1, av. Carnot), avec un arrêt pl. de la Porte-Maillot (bd Gouvion-Saint-Cyr). Départs ttes les 20 mn, 5h45-23h. Durée du trajet : 35-50 mn env. Tarifs : 15,50 € l'aller simple, 26 € l'A/R ; réduc enfants 2-11 ans.
Autre départ depuis la gare Montparnasse (arrêt rue du Commandant-Mouchotte, face à l'hôtel *Pullman*), ttes les 30 mn, 6h-21h30, avec un arrêt gare de

Lyon (20 bis, bd Diderot). Tarifs : 17 €
l'aller simple, 26 € l'A/R ; réduc enfants
2-11 ans.

➤ *Roissy-Paris :* les cars *Air France*
desservent la pl. de la Porte-Maillot,
avec un arrêt bd Gouvion-Saint-Cyr,
et se rendent ensuite au terminus de
l'av. Carnot. Départs ttes les 20-30 mn,
5h45-23h des terminaux 2A et 2C
(porte C2), 2E et 2F (niveau « Arrivées », porte 3 de la galerie), 2B et 2D
(porte B1), et du terminal 1 (porte 34,
niveau « Arrivées »).
À destination de la gare de Lyon et de
la gare Montparnasse, départs ttes
les 30 mn, 6h-21h30 des mêmes terminaux. Durée du trajet : 1 h env.

🚌 *Roissybus :* ☎ 32-46 (0,34 €/mn).
● *ratp.fr* ● Départs de la pl. de l'Opéra
(angle rues Scribe et Auber) ttes les
15 mn (20 mn à partir de 20h), 5h45-
23h. Durée du trajet : 1h. De Roissy,
départs 6h-23h des terminaux 1, 2A,
2B, 2C, 2D et 2F, et à la sortie du hall
d'arrivée du terminal 3. Tarif : 10 €.

🚌 *Bus RATP n° 351 :* de la pl. de la
Nation, 5h35-20h20. Solution la moins
chère mais la plus lente. Compter 3 tickets ou 5,70 € et 1h40 de trajet. Ou *bus
n° 350,* de la gare de l'Est (1h15 de trajet). Arrivée Roissypôle-gare RER.

🚆 *RER ligne B + navette :* ☎ 32-46
(0,34 €/mn). Départs ttes les 15 mn
(4h53-0h20) depuis la gare du Nord
et à partir de 5h26 depuis Châtelet.
À Roissy-Charles-de-Gaulle, descendre à la station (il y en a 2) qui dessert le bon terminal. De là, prendre la
navette adéquate. Compter 50 mn de
la gare du Nord à l'aéroport (navette
comprise). Tarif : 10,90 €.

Si vous venez du nord, de l'ouest ou du
sud de la France en train, vous pouvez
rejoindre les aéroports de Roissy sans
passer par Paris, la gare SNCF Paris-
Charles-de-Gaulle étant reliée aux
réseaux TGV.

En taxi

Compter au moins 50 € du centre de
Paris, en tarif de jour.

En voiture

Chaque terminal a son propre parking.
Compter 34 € par tranche de 24h. Également des parkings longue durée (PR
et PX), plus éloignés des terminaux, qui
proposent des tarifs plus avantageux
(forfait 24h 25 €, forfait 7 j. pour 151 €).
Possibilité de réserver sa place de parking via le site ● *aeroportsdeparis.fr* ●
Stationnement au parking Vacances
(longue durée) dans le P3 Résa (terminaux 1 et 3) situé à 2 mn du terminal 3 à
pied ou le PAB (terminal 2). Formules de
stationnement 1-30 j. (120-205 €) pour le
P3 Résa. De 2 à 5 j. dans le PAB 13 € par
tranche de 12h et de 6 à 14 j. 24 € par
tranche de 24h. Réservation sur Internet
uniquement. Les P1, PAB et PEF accueillent les deux-roues : 15 € pour 24h.

Comment se déplacer entre Roissy-Charles-de-Gaulle 1, 2 et 3 ?

Les rames du CDG-VAL font le lien
entre les 3 terminaux en 8 mn. Fonctionne tlj, 24h/24. Gratuit. Accessible aux personnes à mobilité réduite.
Départs ttes les 4 mn, et ttes les 20 mn,
minuit-4h. Desserte gratuite vers certains hôtels, parkings, gares RER et
gares TGV. *Infos au :* ☎ 39-50.

À Orly-Sud et Orly-Ouest

En transports collectifs

🚌 *Les cars Air France :* ☎ 0892-
350-820 (0,34 €/mn). ● *lescarsair
france.com* ● Tarifs : 11 € l'aller simple,
18 € l'A/R ; réduc 2-11 ans. Paiement
par CB possible dans le bus.
➤ *Paris-Orly :* départs de l'Étoile, 1,
av. Carnot, ttes les 30 mn 5h-22h40.
Arrêts au terminal des Invalides, rue
Esnault-Pelterie (Ⓜ Invalides), gare
Montparnasse (rue du Commandant-
Mouchotte, face à l'hôtel *Pullman* ;
Ⓜ Montparnasse-Bienvenüe, sortie
« Gare SNCF ») et porte d'Orléans (arrêt
facultatif uniquement dans le sens
Orly-Paris). Compter env 1h.
➤ *Orly-Paris :* départs ttes les
20 mn, 6h-23h40 d'Orly-Sud, porte L,
et d'Orly-Ouest, porte H, niveau
« Arrivées ».

🚆 *RER C + navette :* ☎ 01-60-11-
46-20. ● *parisparletrain.fr* ● Prendre

le RER C jusqu'à Pont-de-Rungis (un RER ttes les 15-30 mn). Compter 25 mn depuis la gare d'Austerlitz. Ensuite, navette pdt 15-20 mn pour Orly-Sud et Orly-Ouest. Compter 6,50 €. Très recommandé les jours où l'on piétine sur l'autoroute du Sud (w-e et jours de grands départs) : on ne sera jamais en retard. Pour le retour, départs de la navette ttes les 15 mn depuis la porte G à Orly-Ouest (5h40-23h14) et la porte F à Orly-Sud (4h45-0h55).

➡ **Bus RATP Orlybus :** ☎ 08-92-68-77-14 *(0,34 €/mn).* ● *ratp.fr* ●
➤ *Paris-Orly :* départs ttes les 15-20 mn de la pl. Denfert-Rochereau. Compter 20-30 mn pour rejoindre Orly (Ouest ou Sud). Orlybus fonctionne tlj 5h35-23h, jusqu'à minuit ven, sam et veilles de fêtes dans le sens Paris-Orly ; et tlj 6h-23h20, jusqu'à 0h20 ven, sam et veilles de fêtes dans le sens Orly-Paris.
➤ *Orly-Paris :* départ d'Orly-Sud, porte H, quai 4, ou d'Orly-Ouest, porte J, niveau « Arrivées ». Compter 7 € l'aller simple.

➡ **Orlyval :** ☎ 32-46 *(0,34 €/mn).* ● *ratp.fr* ● Compter 10,90 € l'aller simple entre Orly et Paris. Ce métro automatique est facilement accessible à partir de n'importe quel point de la capitale ou de la région parisienne (RER, stations de métro, gare SNCF). La jonction se fait à Antony (ligne B du RER) sans aucune attente. Permet d'aller d'Orly à Châtelet et vice versa en 40 mn env, sans se soucier de la densité de la circulation automobile.
➤ *Paris-Orly :* départs pour Orly-Sud et Ouest ttes les 6-8 mn, 6h-22h15.
➤ *Orly-Paris :* départ d'Orly-Sud, porte K, zone livraison des bagages, ou d'Orly-Ouest, porte W, niveau 1.

En taxi

Compter au moins 35 € en tarif de jour du centre de Paris, selon circulation et importance des bagages.

En voiture

À proximité d'Orly-Ouest, parkings P0 et P2. À proximité d'Orly-Sud, P1, P2 et P3 (à 50 m du terminal, accessible par tapis roulant). Compter 28,50 € pour 24h de stationnement. Les parkings P0 et P2, à proximité immédiate des terminaux, proposent des forfaits intéressants dont le *week-end*. Forfaits disponibles aussi pour les P4, P5 et P7 : 15,50 € pour 24h et 1 € par jour supplémentaire au-delà de 8 j. (45 j. de stationnement max). Il existe pour le P7 des forfaits Vacances 1 à 30 j. (15-130 €).

Les P4, P7 (en extérieur) et P5 (couvert) sont des parkings longue durée, plus excentrés, reliés par navettes gratuites aux terminaux. *Rens :* ☎ 01-49-75-56-50. Comme à Roissy, possibilité de réserver en ligne sa place de parking (P0 et P7) sur ● *aeroportsdeparis.fr* ● Les frais de résa (en sus du parking) sont de 8 € pour 1 j., de 12 € pour 2-3 j. et de 20 € pour 4-10 j. de stationnement pour le P0. Les parkings P0-P2 à Orly-Ouest et P1-P3 à Orly-Sud accueillent les deux-roues : 6,20 € pour 24h.

Liaisons entre Orly et Roissy-Charles-de-Gaulle

➡ **Les cars Air France :** ☎ 0892-350-820 *(0,34 €/mn).* ● *lescarsairfrance.com* ● Départs de Roissy-Charles-de-Gaulle depuis les terminaux 1 (porte 32), 2A et 2C, 2B et 2D, 2E et 2F (galerie de liaison entre les terminaux 2E et 2F) vers Orly 5h55-22h30. Départs d'Orly-Sud (porte K) et d'Orly-Ouest (porte H) vers Roissy-Charles-de-Gaulle 6h30 (7h le w-e)-22h30. Ttes les 30-45 mn (dans les 2 sens). Durée du trajet : 50 mn env. Tarif : 18 € ; réduc.

➡ **RER B + Orlyval :** ☎ 32-46 *(0,34 €/mn).* Depuis Roissy, navette puis RER B jusqu'à Antony et enfin Orlyval entre Antony et Orly, 6h-22h15. Tarif : 19,50 €.

– **En taxi :** compter 50-55 € en journée.

EN BELGIQUE

▲ **AIRSTOP**
Pour ttes les adresses Airstop, un seul numéro de tél : ☎ 070-233-188. ● *airstop.be* ● *Lun-ven 9h-18h30, sam 10h-17h.*
– *Bruxelles : bd E.-Jacquemain, 76, 1000.*

– Anvers : Jezusstraat, 16, 2000.
– Bruges : Dweersstraat, 2, 8000.
– Gand : Maria Hendrikaplein, 65, 9000.
– Louvain : Tiensestraat, 5, 3000.
Airstop offre une large gamme de prestations, du vol sec au séjour tout compris à travers le monde.

▲ CONNECTIONS

Rens et résas : ☎ 070-233-313.
● connections.be ● *Lun-ven 9h-19h ; sam 10h-17h.*
Fort d'une expérience de plus de 20 ans dans le domaine du voyage, Connections dispose d'un réseau de 30 *travel shops* dont un à Brussels Airport. Connections propose des vols dans le monde entier à des tarifs avantageux et des voyages destinés à des voyageurs désireux de découvrir la planète de façon autonome et de vivre des expériences uniques. Connections propose une gamme complète de produits : vols, hébergements, location de voitures, autotours, vacances sportives, excursions, assurances « protection »...

▲ CONTINENTS INSOLITES

– *Bruxelles : rue César-Franck, 44 A, 1050.* ☎ 02-218-24-84. ● continents-insolites.com ● *Lun-ven 10h-18h ; sam 10h-13h.*
Continents Insolites, organisateur de voyages lointains sans intermédiaire, propose une gamme étendue de formules de voyages détaillées dans leur guide annuel gratuit sur demande.
– *Voyages découverte sur mesure :* à partir de 2 personnes. Un grand choix d'hébergements soigneusement sélectionnés : du petit hôtel simple à l'établissement luxueux et de charme.
– *Circuits découverte en minigroupes :* de la grande expédition au circuit accessible à tous. Des circuits à dates fixes dans plus de 60 pays en petits groupes francophones de 7 à 12 personnes. Avant chaque départ, une réunion est organisée. Voyages encadrés par des guides francophones, spécialistes des régions visitées.

▲ GLOBE-TROTTERS

– *Bruxelles : rue Victor-Hugo, 179 (angle av. E.-Plasky), 1030.* ☎ 02-732-90-70.
● globe-trotters.be ● *Lun-ven 9h30-13h30, 15h-18h ; sam 10h-13h.*

En travaillant avec des prestataires exclusifs, cette agence permet de composer chaque voyage selon ses critères : de l'auberge de jeunesse au lodge de luxe isolé, du *B & B* à l'hôtel de charme, de l'autotour au circuit accompagné, d'une descente de fleuve en pirogue à un circuit à vélo... Moto-neige, héliski, multi-activités estivales ou hivernales, équitation... Spécialiste du Québec, du Canada, des États-Unis, Globe-Trotters propose aussi des formules dans le Sud-Est asiatique et en Afrique. Assurances voyages, cartes d'auberges de jeunesse (IYHF), location de voitures, motorhomes, et motos.

▲ NOUVELLES FRONTIÈRES

● *nouvelles-frontieres.be* ●
– *Nombreuses agences dans le pays dont Bruxelles, Charleroi, Liège, Mons, Namur, Waterloo, Wavre et au Luxembourg.*
Voir texte dans la partie « En France ».

▲ SERVICE VOYAGES ULB

● *servicevoyages.be* ● *22 agences dont 11 à Bruxelles.*
– *Bruxelles : campus ULB, av. Paul-Héger, 22, CP 166, 1000.* ☎ 02-650-40-20.
– *Bruxelles : rue Abbé-de-l'Épée, 1, Woluwe, 1200.* ☎ 02-742-28-80.
– *Bruxelles : hôpital universitaire Érasme, route de Lennik, 808, 1070.* ☎ 02-555-38-63.
– *Bruxelles : chaussée d'Alsemberg, 815, 1180.* ☎ 02-332-29-60.
– *Ciney : rue du Centre, 46, 5590.* ☎ 083-216-711.
– *Wepion : chaussée de Dinant, 1137, 5100.* ☎ 081-46-14-37.
– *Marche (Luxembourg) : 11, av. de France, 6900.* ☎ 084-31-40-33.
Service Voyages ULB, c'est le voyage à l'université. Billets d'avion sur vols charters et sur compagnies régulières à des prix compétitifs.

▲ TAXISTOP

Pour ttes les adresses Taxistop : ☎ 070-222-292. ● *taxistop.be* ●
– *Bruxelles : rue Thérésienne, 7a, 1000.*
– *Gent : Maria Hendrikaplein, 65, 9000.*
– *Ottignies : bd Martin, 27, 1340.*
Taxistop propose un système de covoiturage, ainsi que d'autres services

comme l'échange de maisons ou le gardiennage.

▲ VOYAGEURS DU MONDE
● *voyageursdumonde.com* ●
– *Bruxelles : chaussée de Charleroi, 23, 1060.* ☎ *0900-44-500 (0,45 €/mn).*
Le spécialiste du voyage en individuel sur mesure.
Voir texte dans la partie « En France ».

EN SUISSE

▲ TUI – NOUVELLES FRONTIÈRES
– *Genève : rue Chantepoulet, 25, 1201.* ☎ *022-716-15-70.*
– *Lausanne : bd de Grancy, 19, 1006.* ☎ *021-616-88-91.*
Voir texte dans la partie « En France ».

▲ STA TRAVEL
Rens : ☎ *058-450-49-49.* ● *statravel. ch* ●
– *Fribourg : rue de Lausanne, 24, 1701.* ☎ *058-450-49-80.*
– *Genève : rue de Rive, 10, 1204.* ☎ *058-450-48-00.*
– *Genève : rue Vignier, 3, 1205.* ☎ *058-450-48-30.*
– *Lausanne : bd de Grancy, 20, 1006.* ☎ *058-450-48-50.*
– *Lausanne : à l'université, Anthropole, 1015.* ☎ *058-450-49-20.*
Agences spécialisées notamment dans les voyages pour jeunes et étudiants. 150 bureaux STA et plus de 700 agents du même groupe répartis dans le monde entier sont là pour donner un coup de main *(Travel Help)*.
STA propose des voyages avantageux : vols secs *(Blue Ticket)*, hôtels, écoles de langues, *work & travel*, circuits d'aventure, voitures de location, etc. Délivre la carte internationale d'étudiant et la carte Jeune.
STA est membre du fonds de garantie de la branche suisse du voyage ; les montants versés par les clients pour les voyages forfaitaires sont assurés.

AU CANADA

▲ KARAVANIERS
– *Montréal : 104, rue du Square-Gallery, (Québec) H3C 3R3.* ☎ *(514) 281-0799.* ● *karaviniers.com* ● *detournature. com* ● *Lun-ven 9h-18h ; sam 10h-16h.*

L'agence québécoise Karavaniers du Monde a pour but de rendre accessibles des expéditions aux quatre coins de la planète. Toujours soucieuse de respecter les populations locales et l'environnement, Karavaniers favorise la découverte d'une quarantaine de destinations à pied, et en kayak de mer, en petits groupes accompagnés d'un guide francophone et d'un guide local, avec hébergement en auberge ou sous la tente. Dans le cadre de son école de montagne, l'agence propose aussi des formations d'alpinisme, d'escalade et de campings d'hiver au Québec et dans le nord-est des États-Unis. Pour sa part, Détours Nature propose sur de nombreuses destinations au Québec et en Amérique du Nord, des excursions d'une journée ainsi que des voyages de 2 à 14 jours à pied, à vélo, en kayak mais aussi à raquettes et ski de fond. Le transport est assuré au départ de Montréal.

▲ TOURS CHANTECLERC
● *tourschanteclerc.com* ●
Tours Chanteclerc est un tour-opérateur qui publie différentes brochures de voyages : Europe, Amérique du Nord, Amérique du Sud, Asie et Pacifique Sud, Afrique et le Bassin méditerranéen en circuits ou en séjours. Il s'adresse aux voyageurs indépendants qui réservent un billet d'avion, un hébergement (dans toute l'Europe), des excursions ou une location de voiture. Également spécialiste de Paris, le tour-opérateur offre une vaste sélection d'hôtels et d'appartements dans la Ville lumière.

▲ TOURSMAISON
Spécialiste des vacances sur mesure, ce voyagiste sélectionne plusieurs « Évasions soleil » (plus de 600 hôtels ou appartements dans quelque 45 destinations), offre l'Europe à la carte toute l'année (plus de 17 pays) et une vaste sélection de compagnies de croisières (11 compagnies au choix). Toursmaison concocte par ailleurs des forfaits escapades à la carte aux États-Unis et au Canada. Au choix : transport aérien, hébergement (variété d'hôtels de toutes catégories ; appartements dans le sud de la France ; maisons de location et condos en Floride), location de voitures pratiquement partout dans le monde.

Des billets pour le train, les attractions, les excursions et les spectacles peuvent également être achetés avant le départ.

▲ VOYAGES CAMPUS/TRAVEL CUTS
● *voyagescampus.com* ●

Voyages Campus/Travel Cuts est un réseau national d'agences de voyages spécialisées pour les étudiants et les voyageurs qui disposent de petits budgets. Le réseau existe depuis 40 ans et compte plus de 50 agences, dont 6 au Québec. Voyages Campus propose des produits exclusifs comme l'assurance « Bon voyage », le programme de Vacances-Travail (SWAP), la carte d'étudiant internationale (ISIC) et plus. Ils peuvent vous aider à planifier votre séjour autant à l'étranger qu'au Canada et même au Québec.

UNITAID
::

UNITAID a été créé pour lutter contre le VIH/sida, le paludisme et la tuberculose, principales maladies meurtrières dans les pays en développement. UNITAID intervient dans 94 pays en facilitant l'accès aux médicaments et aux diagnostics, et en en baissant les prix, dans les pays en développement. Le financement d'UNITAID provient principalement d'une contribution de solidarité sur les billets d'avion, mise en place par six pays membres, dont la France où la taxe est de 1 € sur les vols intérieurs et de 4 € sur les vols internationaux (ce qui représente le traitement d'un enfant séropositif pour 1 an). Depuis 2006, UNITAID a réuni plus d'un milliard de dollars. Les financements d'UNITAID ont permis à près d'un million de personnes atteintes du VIH/sida de bénéficier d'un traitement et de délivrer plus de 19 millions de traitements contre le paludisme. Moins de 5 % des fonds sont utilisés pour le fonctionnement du programme, 95 % sont utilisés directement pour les médicaments et les tests. Pour en savoir plus : ● *unitaid.eu* ●

MONTRÉAL UTILE

▶ Pour les plans de la ville et celui du métro, se reporter au plan détachable en fin de guide.

ABC
DE MONTRÉAL

▶ *Superficie :* 365 km² (3,5 fois plus grand que Paris).
▶ *Population :* 1,65 million d'habitants (agglomération : 3,8 millions).
▶ *Densité :* 4 520 hab./km².
▶ *Langues :* le français et l'anglais.
▶ *Monnaie :* le dollar canadien (1 $ = 0,80 €).
▶ *Statut :* métropole du Québec et 2ᵉ ville du Canada.
▶ *Maire :* Michael Applebaum, maire intérimaire de novembre 2012 à novembre 2013.

AVANT LE DÉPART

Adresses utiles

En France

– *Site officiel du tourisme au Canada :* ● canada.travel ●
🛈 *Tourisme Québec et Tourisme Montréal :* nº gratuit d'accès direct à l'office de tourisme de Québec et au Centre Infotouriste de Montréal 15h (16h mer)-23h (heure française) : ☎ 0800-907-777 depuis la France, ou 0800-78-532 depuis la Belgique. Brochures à télécharger sur ● bonjour quebec.com ● et ● tourisme-montreal. org ● En lien avec la *Délégation générale du Québec :* 66, rue Pergolèse, 75116 Paris. ☎ 01-40-67-85-00. ● gouv.qc.ca ● Ⓜ Porte-Dauphine. Services à vocation politique et commerciale.

■ *Ambassade du Canada :* 35, av. Montaigne, 75008 Paris. ☎ 01-44-43-29-00. ● canadainternational.gc.ca/ France ● Ⓜ Franklin-D.-Roosevelt ou Alma-Marceau. Lun-ven 9h-12h, 14h-17h. Pour tout ce qui concerne les visas, les bureaux sont situés au 37, av. Montaigne ; ☎ 01-44-43-29-02, lun-ven 8h30-10h30. Messagerie vocale automatisée (infos sur les visas) : ☎ 01-44-43-29-16.

– *Antennes consulaires* à Lille (☎ 03-20-14-05-78), Lyon (☎ 04-72-77-64-07), Nice (☎ 04-93-92-93-22) et Toulouse (☎ 05-61-52-19-06).

■ *Centre culturel canadien :* 5, rue de Constantine, 75007 Paris. ☎ 01-44-43-21-90. ● canada-culture. org ● Ⓜ ou RER C : Invalides. Lun-ven 10h-18h (19h jeu). Galerie d'art et centre de documentation. Événements culturels variés : musique, poésie, théâtre, cinéma, etc.

■ *Office franco-québécois pour la jeunesse (OFQJ) :* *11, passage de l'Aqueduc, 93200 Saint-Denis.* ☎ *01-49-33-28-50.* ● *ofqj.org* ● Ⓜ *Basilique-de-Saint-Denis. Standard téléphonique lun-ven 9h30-12h30, 14h-17h30. Centre de documentation : slt sur rdv, lun-ven 14h-17h.* Soutient des projets d'échanges professionnels de jeunes Français et Québécois (voir la rubrique « Travail au Québec » ci-dessous).

■ *France-Québec :* *24, rue Modigliani, 75015 Paris.* ☎ *01-45-54-35-37.* ● *francequebec.fr* ● *Bureaux fermés au public. Accueil téléphonique lun-ven 9h30-13h, 14h-17h30. Env 65 antennes régionales.* Concerne les demandes de jobs d'été. Propose une aide administrative pour les 18 à 30 ans dans leur recherche d'emplois saisonniers dans des municipalités au Québec.

En Belgique

■ *Ambassade du Canada :* *av. de Tervuren, 2, Bruxelles 1040.* ☎ *02-741-06-11.* ● *ambassade-canada.be* ● *Lun-ven 9h-12h30, 13h30-17h. Section consulaire 9h-12h slt.*

■ *Délégation générale du Québec :* *av. des Arts, 46, 7ᵉ étage, Bruxelles 1000.* ☎ *02-512-00-36.* ● *gouv.qc.ca/ portail/quebec/international/belgique* ● *Lun-ven 9h-12h30, 14h-17h30.*

En Suisse

■ *Ambassade du Canada :* *Kirchenfeldstr, 88, 3005 Berne.* ☎ *031-357-32-00.* ● *canadainternational.gc.ca/ switzerland-suisse* ● *Lun-jeu 8h-12h et 13h-17h ; ven 8h-13h. Section consulaire lun-jeu 13h-16h ; ven 9h-12h30.*

Formalités

– *Passeport individuel en cours de validité pour tous, y compris les enfants.* Toutefois, les enfants jusqu'à 14 ans déjà inscrits sur le passeport des parents – uniquement si celui-ci a été délivré *avant le 12 juin 2006* – n'ont pas besoin de passeport individuel. Un billet de retour ou de continuation sera également exigé, ainsi que des preuves de solvabilité (carte de paiement, chèques de voyage...). Avant le départ, on conseille de vérifier ces formalités (notamment pour les enfants voyageant avec un seul de leurs parents) sur le site de l'ambassade du Canada : ● *canadainternational.gc.ca/ france* ●

Attention, si vous vous rendez ensuite aux États-Unis depuis le Canada, les formalités d'entrée sont plus strictes : consultez impérativement le site de l'ambassade des États-Unis avant votre voyage : ● *france.usembassy.gov* ●

– *Pas de vaccination obligatoire.*

– *Interdiction d'importer des denrées périssables non stérilisées* (charcuterie, fromage, biscuits...) *et des végétaux.* Seules les conserves sont tolérées. Une bouteille d'alcool par personne est autorisée.

– *Aucun objet coupant autorisé en cabine.* Même les ciseaux à bout rond des enfants seront confisqués !

– *Les liquides, gels, crèmes, pâtes dentifrices sont restreints en cabine* (sauf aliments pour bébés). Ils doivent être conditionnés dans des flacons ou tubes de 100 ml maximum et placés dans une pochette plastique transparente (type sac de congélation). Si, à la dernière minute, vous décidez d'acheter un flacon de sirop d'érable à l'aéroport, achetez-le dans la zone d'embarquement *(duty-free),* et pas avant. Et si vous rapportez une bouteille d'un vignoble, il faudra obligatoirement la passer en soute...

Pensez à scanner passeport, visa, carte de paiement, billet d'avion et *vouchers* d'hôtel. Ensuite, envoyez-les-vous par e-mail, en pièces jointes. En cas de perte ou de vol, rien de plus facile pour les récupérer dans un cybercafé. Les démarches administratives seront bien plus rapides. Merci tonton *Routard* !

Assurances voyage

■ *Routard Assurance :* c/o AVI International, 106, rue La Boétie, 75008 Paris. ☎ 01-44-63-51-00. ● avi-international.com ● Ⓜ Saint-Philippe-du-Roule ou Franklin-D.-Roosevelt. Depuis 1995, *Routard Assurance,* en collaboration avec *AVI International,* spécialiste de l'assurance voyage, propose aux routards un tarif à la semaine qui inclut une assurance bagages de 2 000 € dont 300 € pour les appareils photo. Pour les séjours longs (2 mois à 1 an), il existe le contrat *Marco Polo.* Ces 2 contrats sont également disponibles à un prix forfaitaire pour les familles en court ou long séjour. Les seniors ont aussi leur contrat *Routard Assurance Senior. Routard Assurance* est aussi disponible en version *light* (durée adaptée aux week-ends et courts séjours en Europe). Vous trouverez un bulletin de souscription dans les dernières pages de chaque guide.

■ *AVA :* 25, rue de Maubeuge, 75009 Paris. ☎ 01-53-20-44-20. ● ava.fr ● Ⓜ Cadet. Un autre courtier fiable pour ceux qui souhaitent s'assurer en cas de décès, d'invalidité ou d'accident lors d'un voyage à l'étranger, mais surtout pour bénéficier d'une assistance rapatriement, perte de bagages et annulation. Attention, franchises pour leurs contrats d'assurance voyage.

■ *Pixel Assur :* 18, rue des Plantes, 78600 Maisons-Laffitte. ☎ 01-39-62-28-63. ● pixel-assur.com ● RER A : Maisons-Laffitte. Assurance de matériel photo et vidéo tous risques dans le monde entier. Devis basé sur le prix d'achat de votre matériel. Garantie à l'année.

Carte internationale d'étudiant (carte ISIC)

Elle prouve le statut d'étudiant dans le monde entier et permet de bénéficier de tous les avantages, services, réductions étudiants du monde dans les domaines du transport, de l'hébergement, de la culture, des loisirs, du shopping... C'est la clé de la mobilité étudiante !

La carte ISIC permet aussi d'accéder à des avantages exclusifs sur le voyage (billets d'avion spécial étudiants, hôtels et auberges de jeunesse, assurances, cartes SIM internationales, location de voitures...).

Pour plus d'informations sur la carte ISIC et pour la commander en ligne, rendez-vous sur les sites ● isic.fr ● statravel.fr ●

Renseignements supplémentaires : ☎ 01-40-49-01-01.

Pour l'obtenir en France

– Commandez-la en ligne.
– Rendez-vous dans la boutique ISIC (2, rue de Cicé, Paris 75006), muni de votre certificat de scolarité, d'une photo d'identité et de 13 € (12 € + 1 € de frais de traitement).
Émission immédiate sur place ou envoi à domicile le jour même de la commande en ligne.

En Belgique

La carte coûte 12 € (+ 1 € de frais d'envoi) et s'obtient sur présentation de la carte d'identité, de la carte d'étudiant et d'une photo auprès de :
■ *Connections :* rens au ☎ 070-23-33-13 ou 479-807-129. ● isic.be ●

En Suisse

La carte s'obtient dans toutes les agences *STA Travel* (☎ 058-450-40-00 ou 49-49), sur présentation de la carte d'étudiant, d'une photo et de 20 Fs. Commande de la carte en ligne : ● isic.ch ● statravel.ch ●

Au Canada

La carte coûte 20 $Ca (+ 1,50 $Ca de frais d'envoi). Disponible dans les agences *TravelCuts/Voyages Campus,* mais aussi dans les bureaux d'associations d'étudiants. Pour plus d'infos : ● voyagescampus.com ●

Carte d'adhésion internationale aux auberges de jeunesse (carte FUAJ)

Cette carte, valable dans plus de 90 pays, vous ouvre les portes des 4 000 auberges de jeunesse du réseau *Hostelling International* réparties dans le monde entier. Les périodes d'ouverture varient selon les pays et les AJ. À noter, la carte est souvent obligatoire pour séjourner en auberge de jeunesse, nous vous conseillons donc de vous la procurer avant votre départ. Adhérer en France vous reviendra moins cher qu'à l'étranger.

Vous pouvez adhérer

– En ligne, avec un paiement sécurisé, sur le site ● *fuaj.org* ●
– Dans toutes les auberges de jeunesse, points d'informations et de réservations en France.
 – Auprès de l'antenne nationale : *27, rue Pajol, 75018 Paris.* ☎ *01-44-89-87-27.* ● *fuaj.org* ● Ⓜ *Marx-Dormoy ou La Chapelle. Horaires d'ouverture du point accueil sur le site internet rubrique « Nous contacter ».*
– Par correspondance, en envoyant la photocopie d'une pièce d'identité et un chèque à l'ordre de la FUAJ du montant correspondant à l'adhésion. Ajoutez 2 € pour les frais d'envoi. Vous recevrez votre carte sous 15 jours.

Les tarifs de l'adhésion 2013

– Carte internationale FUAJ - de 26 ans : 7 €.
Pour les mineurs, une autorisation parentale et la carte d'identité du parent tuteur sont nécessaires pour l'inscription.
– Carte internationale FUAJ + de 26 ans : 11 €.
– Carte internationale FUAJ Famille : 20 €.

Seules les familles ayant un ou plusieurs enfants de moins de 16 ans peuvent bénéficier de la carte Famille sur présentation du livret de famille. Les enfants de plus de 16 ans devront acquérir une carte individuelle.

– La carte donne également droit à des réductions sur les transports, les musées et les attractions touristiques dans plus de 90 pays mais ces avantages varient d'un pays à l'autre, ce qui n'empêche pas de la présenter à chaque occasion. Liste de ces réductions disponible sur ● *hihostels.com* ● et pour les réductions en France sur ● *fuaj.org* ●

En Belgique

La carte d'adhésion est obligatoire. Son prix varie selon l'âge : entre 3 et 15 ans, 3 € ; entre 16 et 25 ans, 9 € ; après 25 ans, 15 €.

Renseignements et inscriptions
■ *À Bruxelles :* LAJ, rue de la Sablonnière, 28, 1000. ☎ 02-219-56-76. ● *info@laj.be* ● *laj.be* ●
■ *À Anvers :* Vlaamse Jeugdherbergcentrale (VJH), Van Stralenstraat, 40, B 2060 Antwerpen. ☎ 03-232-72-18. ● *info@vjh.be* ● *vjh.be* ●
– Votre carte de membre vous permet d'obtenir de 3 à 20 € de réduction sur votre première nuit dans les réseaux LAJ, VJH et CAJL (Luxembourg), ainsi que des réductions auprès de nombreux partenaires en Belgique.

En Suisse (SJH)

Le prix de la carte dépend de l'âge : 22 Fs pour les moins de 18 ans, 33 Fs pour les adultes et 44 Fs pour une famille avec des enfants de moins de 18 ans.

Renseignements et inscriptions
■ *Schweizer Jugendherbergen (SJH), service des membres :* Schaffhauserstr. 14, 8006 Zurich. ☎ 41-44-360-14-14. ● *booking@youthhostel. ch* ● *et* ● *contact@youthhostel.ch* ● *youthhostel.ch* ●

Au Canada

La carte coûte 35 $Ca pour une durée de 16 à 28 mois et 175 $Ca pour une validité à vie. Gratuit pour les enfants de moins de 18 ans qui accompagnent leurs parents.

■ *Auberges de jeunesse du Saint-Laurent / St Laurent Youth Hostels :*
– *À Montréal :* 3514, av. Lacombe, Montréal (Québec) H3T 1M1. ☎ (514) 731-10-15. N° gratuit (au Canada) : ☎ 1-800-663-5777.
– *À Ottawa : Canadian Hostelling Association,* 205 Catherine Street, bureau 400, Ottawa (Ontario) K2P 1C3. ☎ (613) 237-78-84. ● info@hihostels. ca ● hihostels.ca ●

– Il n'y a pas de limite d'âge pour séjourner en AJ. Il faut simplement être adhérent.
– La FUAJ offre à ses adhérents la possibilité de réserver en ligne grâce à son système de réservation international ● hihostels.com ● jusqu'à 12 mois à l'avance, dans plus de 1 600 auberges de jeunesse dans le monde. Et si vous prévoyez un séjour itinérant, vous pouvez réserver plusieurs auberges en une seule fois.
Ce système permet d'obtenir toutes les informations utiles sur les auberges reliées au système, de vérifier les disponibilités, de réserver et de payer en ligne.

ARGENT, BANQUES, CHANGE

– Le *dollar canadien* ($) est différent du dollar américain. Fin 2012, il valait autour de 0,80 €. Il est divisé en cents. Les Québécois ont tendance à dire piastre (un terme qui a survécu depuis la Nouvelle-France ; prononcez « piass ») pour dollar, sous et cennes pour cents.
– *Pour les grosses dépenses* (hôtels, restos, essence, etc.), le plus pratique est de régler avec une carte de paiement, même si une commission variable est prélevée par votre banque à chaque opération. En outre, le seuil d'argent que l'on peut retirer chaque semaine étant limité (vérifiez le montant autorisé avant de partir), si vous payez tout en liquide, il risque d'être vite atteint. On peut payer par carte quasi partout à Montréal.

– *Pour disposer d'argent liquide,* le plus simple est d'en retirer sur place avec sa carte de paiement internationale, aux nombreux *distributeurs automatiques de billets* (« guichets automatiques » ou, en territoire anglophone, « *ATM* » ou « *cash machine* »), qu'on trouve un peu partout. Avant le départ, pensez à bien *vérifier la date d'expiration de votre carte* ! Une commission fixe étant prélevée par votre banque pour chaque retrait, en plus d'une commission variable, il est préférable de retirer de grosses sommes plutôt que de multiplier les opérations. Des commissions supplémentaires (généralement 2 ou 3 $) sont désormais appliquées par la plupart des banques canadiennes et des commerces chez qui on peut retirer de l'argent. Mais, à part ça, l'opération s'effectue au taux de change officiel, plus avantageux que dans les bureaux de change. Certains *ATM* ne prennent ni les Visa ni les MasterCard, mais vous finirez toujours par en trouver un qui marche. La Caisse Populaire Desjardins (au réseau très étendu) accepte toujours la Visa, et la MasterCard peut être utilisée partout où est apposé l'autocollant Cirrus, ainsi qu'à la Banque Nationale et à la BMO (Banque de Montréal). Par mesure de précaution, utilisez de préférence les distributeurs attenants à une agence bancaire. En cas de pépin avec votre carte (carte avalée...), vous aurez un interlocuteur dans l'agence aux heures ouvrables.
– Ceux qui ne possèdent pas de carte de paiement seront bien embêtés pour la *location de voitures* : elle est exigée par toutes les grandes compagnies.
– Vous pouvez aussi emporter des *chèques de voyage,* sécurisants puisqu'on peut se les faire rembourser en cas de perte ou de vol. Veillez à les acheter en dollars canadiens et non américains ! Pour changer des chèques de voyage dans une banque (toutes ne font pas cette opération), une commission est généralement perçue, parfois assez élevée. En revanche, de nombreux commerçants acceptent les chèques sans

commission et vous rendent même la monnaie dessus.

– On peut **changer de l'argent,** de préférence dans les bureaux de change, que l'on trouve plutôt dans les quartiers touristiques (évitez celui de l'aéroport !). C'est également possible dans certaines banques, mais attention aux horaires restreints. En cas de panne de distributeur, elles peuvent délivrer de l'argent liquide sur présentation d'une carte de retrait et de 1 ou 2 pièces d'identité. On trouve même quelques machines qui changent les billets étrangers. À noter toutefois que la commission perçue (en général 5 $ maximum dans les banques) et le taux de change varient d'un endroit à l'autre. Voir plus loin la rubrique « Argent » dans « Adresses utiles ».

– Dans les magasins, on vous demandera souvent si vous voulez payer « cash » ou « comptant », c'est-à-dire en argent liquide. Si vous souhaitez marchander, c'est préférable !

En cas de perte ou vol de cartes de paiement

Quelle que soit la carte, chaque banque gère elle-même le processus d'opposition et le numéro de téléphone correspondant ! Avant de partir, notez donc bien le numéro d'opposition propre à votre banque en France (il figure souvent au dos des tickets de retrait, sur votre contrat ou à côté des distributeurs de billets), ainsi que le numéro à 16 chiffres de votre carte. Bien entendu, conserver ces informations en lieu sûr et séparément de votre carte. Par ailleurs, l'assistance médicale se limite aux 90 premiers jours du voyage et l'assistance véhicule aux cartes haut de gamme (renseignez-vous auprès de votre banque).

– **Carte Visa :** *assistance médicale incluse ; numéro d'urgence (Europ Assistance) au* ☎ *(00-33) 1-41-85-85-*

85. ● *visa-europe.fr* ● *Pour faire opposition, contactez le numéro communiqué par votre banque.*

– **Carte MasterCard :** *assistance médicale incluse ; numéro d'urgence au* ☎ *(00-33) 1-45-16-65-65.* ● *master cardfrance.com* ● *En cas de perte ou de vol, composez le numéro communiqué par votre banque pour faire opposition.*

– **Carte American Express :** *téléphonez en cas de pépin au* ☎ *(00-33) 1-47-77-72-00, tlj 24h/24.* ● *america nexpress.fr* ●

– **Pour toutes les cartes émises par La Banque Postale :** *composez le* ☎ *0825-809-803 (0,15 €/mn) depuis la France métropolitaine ou les DOM, et depuis les TOM ou l'étranger le* ☎ *(00-33) 5-55-42-51-96.*

– **Également un numéro d'appel valable quelle que soit votre carte de paiement pour faire opposition :** ☎ *0892-705-705 (serveur vocal à 0,34 €/mn). Ne fonctionne ni en PCV ni depuis l'étranger.*

Dépannage d'urgence

– En cas de **besoin urgent d'argent liquide** (perte ou vol de billets, chèques de voyage, cartes de paiement), vous pouvez être dépanné rapidement grâce au système *Western Union Money Transfer.* Pour cela, demandez à quelqu'un de déposer pour vous de l'argent en euros auprès de l'un des bureaux *Western Union.* En France, les correspondants de *Western Union* sont *La Banque Postale* (☎ 0825-009-898 ; 0,15 €/mn ; fermée sam ap-m) et la *Société financière de paiements* (SFDP ; ☎ 0825-825-842 ; 0,15 €/mn ; lun-sam 9h-19h). L'argent est transféré en 10 à 15 mn. La commission, assez élevée, est payée par l'expéditeur. Possibilité d'effectuer un transfert en ligne 24h/24 par carte de paiement (*Visa* ou *MasterCard* émise en France) : ● *westernunion.fr* ●

ACHATS

::

– **Le sirop d'érable :** vous n'y couperez pas, c'est l'achat incontournable par excellence, et c'est délicieux ! Parfait pour les cadeaux et souvenirs, que ce soit sous la forme de sirop ou de ses dérivés, comme le sucre, les bonbons et le beurre à tartiner. Le plus sympa est de l'acheter dans une érablière, après la visite de la « cabane à sucre ». L'agglomération de Montréal en compte plusieurs dizaines, même si ce n'est pas la région la plus réputée en la matière. De toute façon, on peut acheter du sirop d'érable en bouteille ou en *canne* (boîte de conserve) dans presque tous les magasins d'alimentation, mais les connaisseurs vous diront que ça n'a rien à voir avec le vrai ! Sachez qu'il existe une classification du sirop d'érable. En gros, disons que le sirop de catégorie n° 1 est celui de meilleure qualité. Il peut être ensuite extra clair, clair, médium, ambré ou foncé selon son âge et la force de son goût (les sirops clairs sont plus légers, les ambrés plus forts et mieux adaptés à la cuisine).

– **L'artisanat indien :** il est cher quand il est beau et fait main. On trouve aussi des fanfreluches bon marché. Au choix : calumets, mocassins, statuettes, attrapeurs de rêves *(dream catchers),* bijoux et peaux tannées.

– **Vêtements :** jeans, baskets et prêt-à-porter sportswear sont moins chers qu'en France (mais un peu plus qu'aux États-Unis). Pour les tee-shirts et gros sweats douillets à capuche, on aime bien la marque *Roots.* Pas donné cela dit. Quant aux vêtements et chaussures d'hiver (polaires, doudounes...), ils sont de très bonne qualité et plutôt compétitifs question prix. Surveillez les soldes et promotions (largement annoncées dans les journaux), fréquentes dans de très nombreux magasins et souvent intéressantes.

– **Le matériel de sports outdoor :** du casque de vélo à l'équipement de golf en passant par le matériel de pêche et de camping, les prix sont largement inférieurs à ceux pratiqués en France. Les équipements de vélo du Québécois *Louis Garneau* sont extrêmement populaires. La chaîne *Mountain Equipment Co-Op,* qui est une coopérative, comme son nom l'indique, est un paradis pour campeurs, grimpeurs et kayakistes.

– **Autres bonnes affaires :** également plus intéressants qu'en France, les CD et l'électronique en général (ordinateurs, iPod, iPad, appareils photo...).

Horaires des magasins

À Montréal, les magasins sont généralement ouverts tous les jours, y compris le dimanche. De manière générale, ils ouvrent de 9h-10h à 19h-20h, voire jusqu'à 21h le jeudi et le vendredi.

BUDGET

Pour le voyageur, le coût de la vie à Montréal est globalement plus élevé qu'en France, même si certains secteurs sont meilleur marché que d'autres. Précision importante néanmoins : tous les prix indiqués s'entendent hors taxes (et hors pourboires dans les restos et les bars). À Montréal, celles-ci s'élèvent à 14,975 % (voir « Taxes et pourboires » plus loin). Pour les hôtels, ajoutez encore une taxe de 3,5 % par nuitée ! Les taxes sont toutes ajoutées sur la note au moment de payer. Les gîtes et auberges de Montréal ne sont pas à proprement parler bon marché, mais la plupart du temps ils valent bien leur prix, et on profite d'un copieux petit déjeuner inclus. En hôtel, c'est généralement plus cher et les prestations ne sont pas forcément meilleures.

Faire ses courses au supermarché revient plutôt moins cher qu'en Europe. Ce qui n'est pas le cas pour un repas au restaurant, assez onéreux, d'autant qu'il faut ajouter taxes et pourboire (près de 30 % les deux cumulés !).

Attention, les prix mentionnés dans nos fourchettes de prix et dans le guide sont hors taxes, sauf mention particulière.

Hébergement

– **Bon marché :** de 20 à 30 $ (lit pour une personne en auberge de jeunesse) ou de 40 à 70 $ la double. C'est aussi dans cette catégorie qu'entrent les campings.

– **Prix moyens :** de 70 à 100 $ (chambre double). C'est la catégorie de prix des gîtes modestes et des motels. Les prix les plus bas sont généralement avec salle de bains partagée.
– **Chic :** à partir de 100 $ (chambre double). Ce sont les tarifs des hôtels, des auberges et des gîtes de charme.
– **Très chic :** plus de 200 $ (chambre double).

Repas

Les restos proposent parfois des menus « spécial du jour » le midi et « table d'hôtes » le soir. De plus en plus souvent, le menu « table d'hôtes » s'obtient en majorant de 5 ou 10 $ le prix du plat principal. On a ainsi droit à une entrée (soupe ou salade), un dessert, et éventuellement à une boisson chaude ou froide. À midi, les tarifs sont de deux à trois fois moins élevés que le soir ! En revanche, c'est moins copieux.
Ce que nous appelons « plat » va du simple snack à l'assiette chaude garnie.
Enfin, dernier point, on vous rappelle que des **taxes** d'environ 15 % seront systématiquement ajoutées à votre addition et que, le service n'étant pas compris, le **pourboire** (tip) d'environ 15 % est obligatoire (voir « Taxes et pourboires », plus loin).
Voici nos fourchettes de prix pour un menu ou un plat copieux :
– **Bon marché :** de 10 à 15 $.
– **Prix moyens :** de 15 à 25 $.
– **Chic :** de 25 à 35 $.
– **Très chic :** plus de 35 $.

Carburant

Même si le prix du carburant a tendance à beaucoup fluctuer ces dernières années, il est toujours un poil moins cher qu'en France. Compter entre 1,30 et 1,45 $ pour un litre de sans-plomb (« essence ordinaire »).

Visites des musées et sites

Nous indiquons les tarifs par adulte, mais presque toujours il existe des réductions pour les enfants, les étudiants (sur présentation de la carte) et les seniors, ainsi que des « forfaits famille ». Nous indiquons aussi, quand il y en a, les jours de gratuité. Signalons que le dernier dimanche de mai, c'est la Journée des musées montréalais : la plupart sont alors gratuits pour tous les visiteurs (● museesmontreal.org ●).

CLIMAT

Les étés montréalais sont généralement très chauds, même si, comme chacun le sait, il n'y a plus de saisons... Pas la peine de débarquer avec moonboots et moufles de mai à septembre, néanmoins un pull « au cas où » et un imper restent nécessaires (la ville connaît souvent des orages en saison chaude).
En mai et septembre, jours chauds mais nuits fraîches. En juin, chaud. En juillet et août, quand il fait très chaud, la climatisation de la plupart des hébergements et commerces montréalais est la bienvenue. En septembre, en général, de bien belles journées annonçant l'été indien, mais des nuits fraîches. En octobre, plutôt frais. En novembre, température proche de zéro et début du gel. En décembre, janvier et février, de froid (- 6 à - 10 °C en moyenne) à très, très froid (- 30 °C au pire !), avec de superbes journées ensoleillées. C'est la saison du ski, des randonnées à moto-neige ou des courses en raquettes, même si le réchauffement global de la planète a rendu les hivers moins rudes – et menace l'englacement des lacs et des rivières. En mars et avril, c'est le temps du redoux tant espéré. Si le dégel transforme

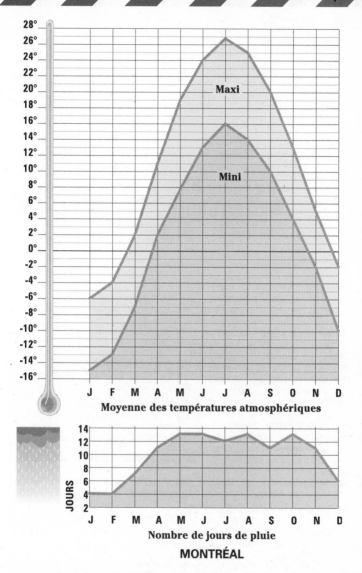

Moyenne des températures atmosphériques

Nombre de jours de pluie

MONTRÉAL

généralement les villes en vaste étendue de *sloche* (gadoue de neige fondue), la période n'en est pas moins souvent agréable et ensoleillée, avec, certains jours, l'ouverture providentielle des cafés-terrasses. C'est aussi la période où l'on va en famille dans les cabanes à sucre des environs pour la « tire de l'érable ».

– Pour la **météo** au jour le jour, mais aussi toutes les informations concernant l'activité des moustiques et mouches diverses : ● *meteomedia.com* ●

Hiver et contre tout

« Il n'y a pas de mauvaise température, il n'y a que des gens mal habillés ! » (un Québécois anonyme).

Certains autres Québécois vous diront que leur rêve est de devenir suffisamment riches pour passer l'hiver en Floride, éviter ces mois où les arbres se déguisent en extravagants chandeliers de cristal, même au cœur de Montréal, fuir ces longs mois devant lesquels, il y a bien longtemps, le pays tout entier se repliait le long des berges du Saint-Laurent en attendant la débâcle. Ils sont près de 1 million de *snowbirds* à quitter le pays à cette période, pour quelques semaines ou pour tout l'hiver « dans le Sud, au soleil, se baigner dans la mer » (Charlebois) ; 300 000 possèdent une résidence secondaire là où il fait chaud.

Pour comprendre les Québécois, il faut prendre la mesure de leur météo. Imaginez l'arrivée des colons français : 20 morts sur 28 au cours du premier hiver passé sur les rives du Saint-Laurent ! Le souvenir est encore inscrit dans la mémoire collective. Cela n'empêche pourtant pas les Québécois d'en redemander. De vouloir « se marier avec l'hiver », comme le chante Charlebois... De batifoler dans la neige dès que l'occasion leur en est offerte. Aujourd'hui, dans un monde de chauffage central, de doudounes et d'isolation thermique, l'hiver québécois reste un défi, mais il est depuis longtemps apprivoisé par les habitants.

L'été indien

L'automne est ponctué par un phénomène particulier au continent nord-américain : l'été indien. Après les premiers frissons, surviennent normalement une vague de chaleur qui perdure une bonne semaine (parfois plus, parfois moins). La végétation suspend sa marche vers le dénuement et offre des couleurs, des nuances uniques et propres au Nouveau Monde (un spectacle célébré dans une symphonie par un compositeur illustre : Dvorák).

Montréal se visite idéalement au moment magique de l'été indien : de la dernière semaine de septembre à la mi-octobre en fonc-

LA COULEUR DE L'ÉRABLE

À la fin de l'été, quand la lumière et la force du soleil décroissent, la photosynthèse, qui produit la chlorophylle des plantes, cesse peu à peu. Le vert des feuilles se dégrade, révélant d'autres pigments plus stables : jaune orangé et rouge tirant sur le pourpre. L'intensité des couleurs est fonction du soleil et de la température : il faut qu'il fasse frais sans geler. Ces deux facteurs augmentent la concentration en sucre. Plus une espèce contient de sucre, plus le rouge est intense, ce qui explique l'écarlate ahurissante des feuilles d'érable.

tion de la latitude. Au fait, savez-vous pourquoi on appelle ainsi cette période ? Parce que les Amérindiens d'autrefois profitaient de ce redoux pour s'enfoncer dans les bois et constituer des réserves.

COURANT ÉLECTRIQUE

Comme aux États-Unis : 110 volts et 60 périodes (en France : 220 volts et 50 périodes). Les fiches électriques nord-américaines sont à deux broches plates. Il vous faudra un *adaptateur* pour recharger la batterie de votre appareil numérique, de votre ordi ou de votre téléphone portable. Vérifiez que vos appareils acceptent indifféremment le 110 et le 220 volts. Si ce n'est pas le cas, n'oubliez pas de vous munir d'un *convertisseur.* En cas d'oubli, vous pourrez vous procurer un adaptateur dans les aéroports, à la réception de la plupart des hôtels, ou dans une boutique d'électronique, mais c'est plus dur pour les convertisseurs.

DANGERS ET ENQUIQUINEMENTS

En ville

Taux de criminalité faible, délinquance quasi inexistante, Montréal (comme le Canada en général) n'est pas une destination dangereuse. Bien entendu, comme partout, ne pas tenter le diable et prendre les précautions de bon sens contre le vol, surtout lors des festivals d'été où une foule considérable se presse dans le centre-ville...

Dans la nature

– En été, les forêts sont infestées de ***moustiques*** (les *maringouins* en québécois) et de mouches noires qui piquent férocement. En général, le problème est plus présent au nord, mais les environs de Montréal ne sont pas épargnés. Si vous prévoyez de camper ou de vous promener dans les parcs, surtout, surtout, ***munissez-vous de lotions antimoustiques*** (voir la rubrique « Santé »), évitez de vous parfumer et de porter des vêtements aux couleurs foncées. Juin est le pire mois de l'année ; ça commence à se calmer en juillet, mais quand même...
– Sur la route, des panneaux indiquent les zones peuplées d'***orignaux*** (élans d'Amérique) et autres ***caribous*** (de la famille des rennes). Ralentissez, surtout la nuit, car l'animal ébloui a tendance à s'arrêter au milieu de la chaussée. La confrontation orignal/véhicule est douloureuse et loin d'être aussi rare qu'on pourrait le croire.

DÉCALAGE HORAIRE

Quand il est 18h en France, il est 12h à Montréal (donc - 6h).

FÊTES ET JOURS FÉRIÉS

Jours fériés

Certaines dates sont utiles à connaître car de nombreux Montréalais utilisent les noms des fêtes comme référence chronologique ! Exemple : « ouvert jusqu'à l'Action de grâces ». Euh ! jusqu'à quand ?
– ***Congés du Nouvel An :*** *1er* et 2 janv.
– ***Lundi de Pâques*** (ou Vendredi saint selon les entreprises).
– ***Journée nationale des Patriotes :*** 3e lun de mai.
– ***Fête de la Saint-Jean (fête nationale du Québec):*** 23-24 juin. ● fetenationale. qc.ca ● C'est à cette date que la saison touristique débute véritablement. Jour de congé pour tous (le 24) et exaltation de l'âme québécoise pour beaucoup. De nombreuses rues du centre sont fermées à la circulation et divers concerts remplacent les voitures. Clou de la fête : grands spectacles à ciel ouvert accueillant des centaines de milliers de personnes.
– ***Fête nationale du Canada :*** 1er juil. Ce jour-là, l'avenue Sherbrooke se pare de rouge pour le défilé des anglophones, des fédéralistes québécois et des nombreux immigrants qui veulent montrer leur fierté d'être canadiens.
– ***Fête du Travail :*** 1er lun de sept (eh bien non, ce n'est pas le 1er mai !). Si vous voyagez après cette date, il est bon de vérifier les horaires auprès des offices de tourisme ; la bonne nouvelle, c'est que les hôtels sont alors moins chers. Attention : les Québécois profitent du week-end de la fête du Travail (3 jours) pour voyager et beaucoup d'hôtels et de gîtes sont complets. Alors, pensez à réserver !

– **Action de grâces :** *ou Thanksgiving Day, soit le 2ᵉ lun d'oct.* Sert également de référence pour la fin des fins de la saison touristique.
– **Jour du Souvenir :** *11 nov.*
– **Congés de Noël :** *25 et 26 déc.*

Fêtes et festivals

Les Québécois adorent les festivals et Montréal, grande métropole cosmopolite et passionnée de culture, vibre toute l'année au rythme de manifestations variées. Il y en a pour tous les goûts, à toutes les époques, avec cependant une forte inflation en été. Le festival Juste pour rire, le Festival international de jazz ou encore Montréal en lumière sont les plus importants d'entre eux. Il faudrait des pages entières pour détailler la vie culturelle montréalaise. Le mieux est de se reporter à *Voir* (● *voir.ca* ●) ou *Hour* (● *hour.ca* ●), deux hebdomadaires culturels gratuits que l'on peut trouver à peu près partout (dépanneurs, boutiques, librairies...). Il existe aussi un site officiel qui regroupe des infos sur tous les festivals montréalais : ● *yul. bonjourquebec.com/fr/festivals*
– **Le Village des neiges :** *de début janv à mi-mars dans le parc Jean-Drapeau.* ☎ *514-788-2180 ou 1-855-788-2181 (nº gratuit).* ● *villagedesneiges.com* ● *Entrée payante.* Un village de glace est façonné chaque année : hôtel, resto-bar, igloos, labyrinthe... Ateliers de sculpture sur glace, animations en soirée et divers jeux pour enfants. Magique !
– **Festival Montréal en lumière :** *pdt 11 j., fin fév-début mars, presque ts les soirs 17h-23h.* ☎ *514-288-9955 ou 1-888-477-9955.* ● *montrealenlumiere.com* ● 11 jours de folies hivernales célébrant gastronomie, arts de la scène et fêtes populaires par le biais d'activités originales et pour la plupart gratuites qui se déroulent principalement dans le Vieux-Montréal.
– **Art Souterrain :** *pdt 15 j. de fin fév à mi-mars.* ☎ *514-380-0596.* ● *artsouterrain. ca* ● Le Montréal souterrain devient pendant 2 semaines une gigantesque galerie d'exposition pour une multitude d'artistes contemporains, avec des projets parfois très audacieux. Également des conférences sur l'art et des visites guidées gratuites.
– **Festival de musique du Maghreb :** *pdt 3 j. mi-mars.* ☎ *514-790-1245.* ● *fes tivalnuitsdafrique.com* ● Le temps d'un long week-end, la musique d'Afrique du Nord – traditionnelle et contemporaine – est mise à l'honneur.
– **Festival TransAmériques :** *fin mai-début juin.* ☎ *514-842-0704.* ● *fta.qc.ca* ● Un festival de danse et de théâtre contemporains à la programmation aussi internationale que pointue.
– **Francofolies de Montréal :** *mi-juin.* ☎ *514-876-8989 ou 1-888-444-9114.* ● *francofolies.com* ● Un événement majeur avec environ 70 spectacles en salle et 180 concerts extérieurs gratuits (le « off »), soit un millier d'artistes d'une quinzaine de pays différents.
– **Grand Prix de Formule 1 :** *ts les ans (au moins jusqu'en 2014), 3 j. mi-juin, sur le circuit Gilles-Villeneuve, dans le parc Jean-Drapeau.* ● *grandprixmontreal.com* ● *circuitgillesvilleneuve.ca* ● Une autre course de monoplaces (série américaine NASCAR) a lieu mi-août sur le même circuit.
– **Festival international de jazz :** *fin juin-début juil (en 2013, du 28 juin au 7 juil ; en 2014, du 27 juin au 6 juil). Rens : 400, bd de Maisonneuve Ouest (9ᵉ étage).* ☎ *514-871-1881 ou 1-855-299-3378 (nº gratuit).* ● *montrealjazzfest.com* ● Après plus de 30 ans d'existence, le Festival international de jazz de Montréal est devenu le plus grand festival musical au monde. Plus de 3 000 musiciens en provenance de 30 pays différents assurent près de 1 000 concerts, activités et animations (dont les 2/3 sont gratuits) dans un immense quadrilatère du centre-ville fermé à la circulation. Près de 2,5 millions de spectateurs, et malgré tout une ambiance bon enfant. On joue partout, toute la ville vit et vibre à l'heure de la musique. Ont été applaudis, ces dernières années, Leonard Cohen, Keith Jarrett, B. B. King, Bob

Dylan, Tony Bennett, Dave Brubeck, Aretha Franklin et bien d'autres encore... Un must !

– L'International des Feux Loto-Québec : *fin juin-début août.* ● *international desfeuxloto-quebec.com* ● Concours de feux d'artifice, mettant en compétition plusieurs pays. Voir « La Ronde » dans « Le parc Jean-Drapeau », rubrique « À voir. À faire. ».

– Festival Juste pour rire / Just for Laughs : *3 sem en juil (31e édition en 2013).* ☎ 1-888-244-3155 (n° gratuit). ● *hahaha.com* ● Un événement international, le plus grand du monde dans son genre, qui s'est même exporté à Nantes, Toronto, Chicago et Sydney ! Plus de 1 500 représentations étalées sur le mois de juillet, un festival de rue ininterrompu. Le volet *Arts de la rue* se déroule sur la place des Festivals, un espace urbain tout neuf proche de la place des Arts *(zoom Centre, C4)*. Jusqu'à minuit, c'est une débauche de sketchs de rue, de gags inopinés, de matchs d'improvisation, de spectacles professionnels gratuits ou payants exécutés par des artistes des quatre coins du globe. Un grand moment à ne pas manquer.

– Montréal Complètement Cirque : *10 j. mi-juil.* ☎ 514-285-9175. ● *montreal completementcirque.com* ● Le dernier-né des festivals montréalais, dont la première édition en 2010 fut un franc succès. Toutes les grandes compagnies de cirque québécoises sont là : *Le Cirque du Soleil, En Piste, Les 7 doigts de la main, Éloize* et bien d'autres, ainsi que des troupes venues de l'étranger. Nombreux spectacles payants, mais aussi des animations gratuites en plein air sur le site de la *Tohu* (au nord du marché Jean-Talon), dans le Quartier latin et dans bien d'autres lieux.

– Festival international Nuits d'Afrique : *mi-juil, pdt 2 sem (en 2013, du 9 au 21 juil). Rens :* ☎ 514-499-9239. ● *festivalnuitsdafrique.com/festival* ● En salle (payant) ou à l'extérieur (gratuit), sur le parterre du Quartier des spectacles, des concerts de près de 500 artistes africains, antillais et sud-américains. Une trentaine de pays sont représentés chaque année. En plus des concerts, ateliers divers, expos artisanales et nourriture du Sud. Hors festival, des concerts sont organisés toute l'année.

– Festival Osheaga : *3 j. début août,* ☎ 1-877-668-8269. ● *osheaga.com* ● Nombreux concerts en plein air, notamment des grands noms du rock, dans le parc Jean-Drapeau (sur l'île Sainte-Hélène).

– Festiblues : *4 j. mi-août.* ● *festiblues.com* ● Un peu excentré, dans le parc Ahuntsic (au nord de Montréal), un sympathique festival de musique blues qui réunit de nombreux artistes locaux.

– Activités estivales sur le Vieux-Port : *de mi-mai à début oct.* ● *vieuxportde montreal.com* ● Une quantité d'animations et d'activités nautiques (la plupart payantes) sur le quai de l'Horloge (rue Berri), la promenade des Artistes et la promenade du Vieux-Port. « Montréal-Plage », embarcations à pédales, bateaux, pêche à la ligne, etc.

– Festival des Films du Monde : *fin août-début sept.* ☎ 514-848-3883. ● *ffm-montreal.org* ● Un festival de cinéma ouvert à toutes les tendances et aux cinématographies de tous les pays. Au programme, des centaines de films indépendants et de courts métrages. Et, chaque soir à 20h30, projections gratuites à la belle étoile.

– Les Grands Voiliers : *dans le Vieux-Port, quai Jacques-Cartier, sur 3 j. mi-sept.* ☎ 1-877-496-4724 ou 514-496-4724. ● *quaisduvieuxport.com* ● Billet payant (env 10 $). Un nouveau rendez-vous dédié aux fans de beaux navires. À leur arrivée, les bateaux sont accueillis par des coups de canon. Les visiteurs peuvent ensuite monter à bord et explorer le « village maritime » bâti sur le quai, avec des pavillons où l'on peut voir des spectacles, écouter des contes de marins ou apprendre à faire des nœuds.

– Pop Montréal : *4 j. mi-sept.* ☎ 514-842-1919. ● *popmontreal.com* ● Un festival international de musique, organisant des centaines de concerts de musiques actuelles internationales, dans différentes salles de spectacles et cafés musicaux. Et aussi des conférences, expos et projections de films.

– **Rock'n'Roll Marathon Séries :** *un dim fin sept.* ☎ 450-679-4928. ● *ca.compe titor.com* ● Chaque année, près de 500 000 participants se retrouvent sur le pont Jacques-Cartier pour le départ du marathon de Montréal. Le même jour sont également organisés le demi-marathon (départ du pont Jacques-Cartier), le 10 km (départ du parc Laurier), le 5 km (départ du parc Marie-Victorin) et même le 1 km pour les p'tits coureurs (départ du parc La Fontaine).

– **Festival du Nouveau Cinéma :** *pdt 12 j. mi-oct.* ☎ 514-282-0004 ou 844-2172. ● *nouveaucinema.ca* ● Festival consacré au cinéma d'auteur et à la création. Longs métrages, documentaires, courts métrages, films jeune public...

– **Coup de Cœur francophone :** *une douzaine de j. début nov.* ☎ 514-253-3024. ● *coupdecoeur.ca* ● C'est l'événement « chansons » de l'automne, avec de nombreuses découvertes ainsi que des valeurs sûres, venues de toute la francophonie. En tout, 12 jours de spectacles répartis dans plusieurs salles et cabarets de Montréal, et de huit autres villes au Canada.

■ **Festivals et Événements Québec (FEQ) et Société des attractions touristiques du Québec (SATQ) :** *regroupés au 4545, av. Pierre-de-Coubertin,* *succursale M, à Montréal.* ☎ 514-252-3037 ou 1-800-361-7688. ● *festivals. qc.ca* ●

HÉBERGEMENT

Campings

Environnement naturel préservé, tables en bois, propreté des sites... Camper au Canada est un plaisir. Il existe une quinzaine de campings autour de Montréal, mais pas à moins de 15 km de la ville. L'été, il est fortement conseillé de réserver. Les prix varient selon l'emplacement et les « services » : eau, électricité et système d'égouts (pour les motorisés). La plupart disposent aussi d'une buanderie avec *laveuses* (lave-linge) et *sécheuses* (sèche-linge), d'abris ou de salles aménagées en cas d'intempérie ; et sur chaque emplacement on trouve généralement un foyer pour faire du feu (prévoyez une petite grille pour vos grillades) et une table de pique-nique. Le bois est généralement disponible à l'accueil : il est le plus souvent interdit d'en ramasser sur place.

Certains campings louent des cahutes sommaires, des minichalets ou des bungalows, avec ou sans sanitaires. Les plus confortables (et les plus chers) disposent d'une cuisinette (avec plaques chauffantes et frigo) et d'un barbecue extérieur. Attention, très souvent les draps ne sont pas fournis.

Le *Guide du camping au Québec* est disponible au *Centre Infotouriste (plan d'ensemble, C4, 1)* ; on peut également le télécharger gratuitement ou commander une version papier sur ● *campingquebec.com* ● Les campings sont classés par régions, ceux des environs de Montréal étant à chercher dans la région des Laurentides.

Un autre site : ● *guidecamping.ca* ●

Auberges de jeunesse

Outre les deux AJ officielles, Montréal compte plusieurs AJ privées pleines de personnalité. Ce sont des hébergements chaleureux, sources de bons tuyaux sur la région et points de rencontre de voyageurs venus du monde entier. Les draps sont le plus souvent fournis ; sinon, prévoir un sac à viande plutôt qu'un duvet, mal vu, voire interdit, car susceptible de contenir de petites bêbêtes... ! La plupart des AJ ont aménagé quelques chambres privées, histoire de répondre aux exigences et aux besoins de chacun. Les sanitaires sont généralement partagés mais les chambres privées sont généralement dotées de leur propre salle de bains. Ces chambres restent moins chères que celles des gîtes, et a fortiori celles des hôtels.

Il n'y a pas de limite d'âge pour séjourner en AJ au Canada. Dans les auberges officielles, affiliées au grand réseau *Hostelling International* (dont fait partie la FUAJ française), attendez-vous à payer 5 $ de plus si vous n'êtes pas adhérent. Toutefois, sachez que ces 5 $ valent un timbre et que, au bout de six timbres, on vous remettra une carte de membre. La FUAJ propose trois guides répertoriant toutes les adresses des AJ du monde : un pour la France, un pour l'Europe et un pour le reste du monde (les deux derniers sont payants).

– *Rens et résas :* **Hostelling International,** ● hihostels.ca ● *(voir plus haut « Avant le départ »).*

Résidences d'étudiants (CEGEP)

L'hébergement estival dans les universités montréalaises peut s'avérer être une bonne solution, du moins quand les facs sont proches du centre (c'est le cas des résidences de l'UQAM). On y trouve, à prix modérés, un certain confort : salle de bains privée (le plus souvent), cuisine collective, laverie, location de draps, etc. En revanche, tous ces bâtiments n'ont vraiment aucun charme. Mieux vaut réserver à l'avance (possible par Internet).

Gîtes, auberges, chambres d'hôtes

Plutôt que l'hôtel, nous conseillons les **gîtes** – l'équivalent de nos chambres d'hôtes ou *Bed & Breakfast* – désignés également dans le Canada francophone par le joli et chaleureux terme *Couette et Café.* Montréal en compte près d'une centaine. On loge chez l'habitant (mais, comme au Québec, « habitant » est synonyme de « paysan », préférez l'expression « gîte touristique »), où l'accueil et la convivialité rivalisent avec l'abondance du petit déjeuner (compris dans le prix). Ce petit déjeuner (qu'on appelle simplement « déjeuner » au Québec) est d'ailleurs une véritable institution qui permet parfois de goûter aux produits régionaux. Vous aurez ainsi l'occasion de vous plonger dans la vie locale et de connaître Montréal de l'intérieur.

Dans ce type d'hébergement, il n'est pas rare que les salles de bains soient partagées (précisons, en passant, que le « sans salle de bains » que nous indiquons dans les infos pratiques signifie qu'il n'y a pas de salle de bains dans la chambre, mais bien sûr il y a toujours une ou plusieurs salles de bains communes dans la maison !). La salle de bains privée fait inévitablement grimper la note, et il n'est pas rare non plus qu'elle réduise la taille de la chambre. En parlant de salle de bains, vous remarquerez que les Québécois sont très friands de ce qu'ils appellent les *bains sur pattes,* des baignoires comme au bon vieux temps qui, parfois (pas si rarement en fait), se trouvent dans la chambre même. Les *bains tourbillon* (jacuzzi) sont aussi très appréciés (et facturés plus cher).

Les plus grandes maisons abritent souvent des **auberges,** à mi-chemin entre le gîte et l'hôtel. Souvent plus proches de la demeure de charme, elles se situent en majorité dans la catégorie « Chic ». Petit inconvénient : il faut souvent réserver à l'avance en été et les conditions d'annulation sont très désavantageuses (perte des arrhes 15 à 30 jours avant). Précisons cependant que le terme d'« auberge » n'est pas une garantie : certaines n'ont guère plus de charme qu'un gîte ordinaire. La classification par soleils ou étoiles (de 1 à 5) permet de définir le niveau de confort du gîte, mais certains 4 ou 5 soleils qui mettent à votre disposition peignoirs et sèche-cheveux, peuvent très bien n'avoir aucun charme et les chambres être toutes petites.

Au Québec, y compris à Montréal, le terme *Gîtes du Passant* n'est pas une appellation générale pour les chambres d'hôtes, mais une enseigne réputée (et recherchée) attribuée par l'association de l'Agritourisme et du Tourisme gourmand du Québec, qui contrôle régulièrement les adresses – en les prévenant toutefois de leur passage... On les indique, mais ils ne sont pas les seuls. Il existe également une autre association, très sérieuse elle aussi, celle du *Réseau des gîtes classifiés*. Un détail : un certain nombre des propriétaires de gîtes prennent leurs vacances au moment de la fête de l'Action de grâces (2e lundi d'octobre), pensez-y au moment de vous loger.

– Avis aux fumeurs : les accros doivent savoir que, dans la quasi-totalité des gîtes, le « fumage » est interdit. Mais il existe souvent une terrasse où les fumeurs pourront en griller une en toute légalité.

– Avis aux familles : même si cela n'est jamais affiché (car c'est interdit), sachez que les enfants ne sont pas les bienvenus dans tous les gîtes ou les auberges, surtout dans les adresses un peu chic qui tiennent à préserver le calme pour le bien-être de leurs clients...

– Pour réserver, vous pouvez passer par l'office de tourisme ; si nos adresses sont complètes, ils en connaissent d'autres et s'occuperont souvent de les contacter pour vous.

■ **Gîtes et Auberges du Passant – Association de l'Agritourisme et du Tourisme gourmand du Québec :** *4545, av. Pierre-de-Coubertin, CP 1000, succursale M, Montréal (Québec) H1V 3R2.* ☎ *514-252-3138.* ● *gitesetaubergesdupassant. com* ● Lun-ven 8h30-12h, 13h-16h30. Le guide complet, répertorie près de 700 adresses de gîtes et restos, est vendu 42 $, port pour l'Europe compris. Commandez-le au moins 1 mois à l'avance. Cela dit, on peut

également le trouver sur place et même en France dans certaines librairies.

■ **Réseau des gîtes classifiés :** *10, rue de la Chapelle, La Malbaie (Québec) G5A 3A3.* ☎ *418-665-2323.* ● *gites-classifies.qc.ca* ● En faisant la demande par e-mail, vous recevrez gratuitement la carte des *Gîtes classifiés*. Une centaine d'adresses en tout.

■ **GitesCanada :** ● *gitescanada. com* ● Un recensement assez complet des gîtes, *B & B* et chambres d'hôtes.

Hôtels et motels

Ville jeune à la croissance très rapide, Montréal souffre de la rareté de ces petits hôtels pas chers au confort parfois aléatoire qui, ailleurs, font le bonheur des routards. Ici, ce sont surtout les grandes chaînes qui occupent le terrain : hôtels confortables, fonctionnels mais pas très chaleureux. Cela dit, il faut reconnaître qu'à partir de deux personnes le prix de la nuit en motel devient intéressant (et à quatre, moins cher qu'en AJ !). On trouve aussi quelques hôtels indépendants ou de charme, plutôt dispendieux (« chers », en québécois !).

Néanmoins, renseignez-vous au *Centre Infotouriste*, ou sur le site ● *tourisme-montreal.org* ● sur le *Forfait Passion* qui, en été (de juin à mi-octobre), offre 50 % de réduction sur votre 3e nuit passée dans le même hôtel (parmi une sélection), et à l'automne (de mi-octobre à décembre) sur la 2e nuit, ainsi que des réductions et des petits cadeaux selon le forfait choisi.

Les chambres ont toujours une salle de bains privée, la TV, le wifi et l'AC, et de plus en plus souvent une cafetière, un frigo, voire un micro-onde. Les prix sont donnés pour 2 personnes, mais il arrive souvent qu'une chambre possède deux lits *queen size* (de grande taille) et puisse, ainsi, loger jusqu'à quatre personnes. Compter alors 15 à 30 $ par personne supplémentaire, parfois moins, parfois plus. Le petit déjeuner est rarement inclus (sauf dans les catégories chic et très chic), ou alors il s'agira d'un café-filtre et de quelques croissants surgelés ou bagels à grignoter. Pour les motels, c'est pareil, sauf qu'ils se situent en périphérie et qu'ils disposent toujours d'un parking gratuit. En ville, en revanche, attendez-vous à payer cher pour vous garer : jusqu'à 30 $ par jour !

À l'aéroport, vous trouverez des téléphones directement reliés à des hôtels dont la présentation est faite sous forme d'affichettes. Certains d'entre eux offrent même le transport depuis l'aéroport.

Échange de maisons ou d'appartements

Une formule de vacances qui fait de plus en plus d'émules, relativement économique et très pratiquée outre-Atlantique. Il s'agit d'échanger son propre logement (que l'on soit proprio ou locataire) avec celui d'un adhérent du même organisme dans le pays de son choix, pendant la période des vacances. Voici deux agences qui ont fait leurs preuves (s'y prendre à l'avance pour l'été) :

■ *Intervac :* 230, bd Voltaire, 75011 Paris. ☎ 05-46-66-52-76. ● inter vac-homeexchange.com ● Adhésion annuelle avec diffusion d'annonce sur Internet : 95 €.

■ *Homelink International :* 19, cours des Arts-et-Métiers, 13100 Aix-en-Provence. ☎ 01-44-61-03-23 ou 04-42-27-14-14. ● homelink.fr ● Même type de prestations pour 125 €.

La location d'appartements ou de maisons

De plus en plus prisée, cette formule est particulièrement intéressante pour les familles ou les groupes d'amis. Seul ou en couple, vous trouverez votre bonheur parmi les studios, mais c'est réellement à partir de quatre personnes que l'on peut louer de grands apparts à des prix souvent très intéressants. On peut louer à la journée, à la semaine ou au mois. Voici les sites les plus complets :

■ *airbnb :* ● airbnb.fr ● Possibilité de chercher par ville (puis par quartier), dates et/ou nombre de voyageurs. Très grand choix (environ 500 à Montréal et dans ses proches environs), du simple studio au superbe loft design. Les annonces sont présentées avec de nombreuses photos et une description détaillée, ainsi qu'une présentation du propriétaire. Les membres sont notés et des commentaires sont laissés : vous pouvez ainsi vous faire une meilleure idée de chez qui vous mettez les pieds !

■ *VRBO :* ● vrbo.com ● Les critères de recherche sont plus nombreux et permettent une recherche plus ciblée, mais le choix à Montréal moins grand (notamment pour les petits budgets).

■ *Homelidays :* ● homelidays.com ● Mêmes prestations, mais un choix partagé entre locations d'apparts et chambres d'hôtes. En tout, près de 250 adresses. La majorité ne se loue qu'à la semaine.

LIVRES DE ROUTE

– *Voyages au Canada* (1565 et 1612), de Jacques Cartier. Cartier s'est rendu plusieurs fois au Canada sur ordre du roi ; les voyages relatés ici furent effectués entre 1534 et 1543, et concernent essentiellement Terre-Neuve, le golfe du Saint-Laurent et l'actuel Québec. Cartier n'est pas un écrivain, c'est un aventurier ; son témoignage est brut, sans fioritures. Les lecteurs les plus aguerris et les passionnés d'histoire seront ravis de le lire.

– *La Chasse-Galerie* (1891), d'Honoré Beaugrand. Le conte québécois le plus populaire met en scène quelques bûcherons coincés dans leur chantier de travail à la veille de Noël. Nostalgiques de leurs fiancées, ils signent un pacte avec Satan, qui les fera voler en canot d'écorce jusqu'au lieu de leur choix pourvu qu'ils ne prononcent ni injures ni le nom de Dieu. Serment difficile à tenir lorsque l'on a festoyé toute la nuit... Issu de vieilles légendes poitevines, ce conte a suivi les premiers émigrants en Nouvelle-France, où il s'est adapté aux nouvelles conditions de vie. Mis à l'écrit par Beaugrand, maire de Montréal entre 1885 et 1887.

– *Bonheur d'occasion* (1945), de Gabrielle Roy. Florentine est serveuse dans les quartiers pauvres de Montréal. Sa mère enchaîne grossesse sur grossesse et son père recherche désespérément un moyen de faire vivre décemment sa famille. La jeune fille s'évade dans son amour pour Jean et repousse les avances du doux et sage Emmanuel. Sur fond de Seconde Guerre mondiale, de misère sociale et d'ambitions brisées, ce roman poignant nous livre des destins à la Zola, nobles et tragiques, en quête de bonheur. Un magnifique portrait de groupe.

– *L'Avalée des avalés* (1966), de Réjean Ducharme. Une écriture inventive, un style ludique et l'histoire de la petite Bérénice, née d'une mère catholique et d'un père juif qui ont décidé de se livrer une guerre sans merci, allant jusqu'à se partager leurs rejetons. La famille vit dans la banlieue de Montréal, dans une imposante abbaye trônant au milieu d'une île au climat aride d'amour... Pour cacher ses doutes et ses angoisses, Bérénice se révolte et ne rêve plus que de guerres et d'incendies... Une œuvre passionnante et majeure de la littérature québécoise.

– *Le Cavalier de Saint-Urbain* (1971), de Mordecai Richler. Dans les années 1960, Jake, un réalisateur juif canadien installé à Londres depuis peu, est en pleine remise en question. En cause, le bilan peu joyeux de sa quarantaine passée et, surtout, son inculpation pour agression sexuelle. Pour échapper à son quotidien, il se crée un double, le cavalier de Saint-Urbain, le quartier juif de Montréal où il a passé son enfance. Tout ce que Jake ne peut faire, le cavalier le fait : régler ses problèmes comme chasser les nazis. Un conte moral et drôle.

– *Chroniques du Plateau-Mont-Royal* (6 tomes édités entre 1978 et 1997), de Michel Tremblay. Une plongée captivante et savoureuse dans le Montréal des années 1940 et 1950, en compagnie du plus populaire et prolifique des écrivains montréalais. À lire aussi, du même auteur : *Un ange cornu avec des ailes de tôle, La Nuit des Princes charmants, Le Cœur découvert, C't'à ton tour Laura Cadieux,* la trilogie *La Diaspora des Desrosiers, Bonbons assortis*... Quand on commence un Tremblay, on est presque sûr de se plonger dans le bouquin jusqu'au cou et jusqu'au bout, avant d'en entamer un autre aussi sec.

– *Les Aurores montréales* (1996), de Monique Proulx. Une étonnante mosaïque de nouvelles, fort différentes par les thèmes ou le ton, mais formant néanmoins un ensemble bien cohérent, sorte de méli-mélo à l'image de la ville. En multipliant les points de vue et les angles, l'auteur se coule dans la peau de divers Montréalais et réinvente à chaque fois une manière de voir et de dire, peignant ainsi un portrait vivant de Montréal. Du même auteur, *Homme invisible à la fenêtre* (1993).

– *Nikolski* (2005), de Nicolas Dickner. Trois récits parallèles tissent ce beau roman plein de fantaisie et d'atmosphère : celui d'un jeune libraire de Montréal sans autre ambition que celle de vivre au milieu de ses livres ; de Noah, un jeune Amérindien ayant passé toute son enfance et son adolescence à bourlinguer dans la Saskatchewan dans une camionnette avec sa mère ; et de Joyce, une jeune fille descendante de pirates et flibustiers qui s'ennuie ferme à Tête-à-la-Baleine. Noah et Joyce décident de prendre leur vie en main et de tenter leur chance à Montréal. Les trois personnages ne vont alors cesser de se croiser, de se frôler... sans jamais se rencontrer.

– *Je suis un écrivain japonais* (2008), de Dany Laferrière. Un écrivain montréalais se prend de passion pour le Japon. Sur une méprise, il devient extrêmement célèbre à Tokyo. Entre amours sensuelles et flâneries montréalaises, un roman humoristique sur les dérives de la médiatisation, le nationalisme mais aussi l'amour que Dany Laferrière porte à la littérature et la francophonie.

– *Zombi Blues* (2007) et *Bizango* (2011), de Stanley Péan. Deux polars teintés de fantastique qui entraînent le lecteur dans les bas-fonds de la société québécoise, mais aussi, et surtout, dans l'univers de la communauté haïtienne à Montréal.

– *La Constellation du Lynx* (2010), de Louis Hamelin. Une œuvre de fiction mais inspirée d'un fait bien réel qui a marqué l'histoire québécoise : la crise d'octobre 1970 (lire dans « Histoire. Trudeau et le FLQ »). À travers l'enquête menée par l'écrivain Samuel Nihilo sur l'assassinat du ministre du Travail Pierre Laporte par le FLQ en 1970, Louis Hamelin nous présente d'une plume libre, imagée et pleine d'humour, quels pourraient être les dessous de cet assassinat qui a entraîné l'invocation de la « loi des Mesures de guerre » par le Premier ministre Pierre Elliott Trudeau.

– *Le bonheur est assis sur un banc et il attend* (2010), de Janick Tremblay. Le quotidien ordinaire des habitants d'un immeuble montréalais, de simples voisins ou des amis, des commerçants ou des retraités, qui affrontent la vie en communauté. Après le décès d'un jeune locataire, leurs liens se resserrent. Et, bien qu'ayant tous leur propre histoire, ils vont tenter ensemble de faire face à ce décès. Des personnages aussi simples qu'attachants dans un joli roman, pas des plus joyeux.

– *Dernière nuit à Montréal* (2012), d'Emily St. John Mandel. Lilia a été enlevée par son père à l'âge de 7 ans. C'est le début de leur errance nord-américaine, de motel en motel, entre fuite et semblant de vacances. Christopher, un détective privé, va alors se lancer à leurs trousses, dans une quête aussi existentielle qu'obsessionnelle. Mais d'autres personnages entrent en scène : une danseuse dans une boîte de nuit montréalaise, un New-Yorkais amoureux de Lilia... Un très beau polar.

– *Chronique de la dérive douce* (2012), de Dany Laferrière. Après avoir vécu quelque temps à Miami, l'écrivain haïtien le plus montréalais qui soit nous narre ici sa première année à Montréal, en 1976, tout frais débarqué de Port-au-Prince pour fuir les Tontons macoutes. C'est un roman d'apprentissage, celui d'une nouvelle vie et d'une nouvelle ville par un jeune homme d'à peine 25 ans. Une très belle écriture, alternant prose et vers libres.

Bandes dessinées

– *La Chasse-Galerie* (2000), de Vincent Vanoli. Le conte d'Honoré Beaugrand (voir plus haut) revisité par un bédéiste français qui, en s'écartant quelque peu de la trame narrative originale, donne au conte un ton franchement comique. De belles illustrations en noir et blanc.

– *Paul en appartement* (2004), de Michel Rabagliati. On adore cette série en passe de devenir culte au Québec, couronnée au festival d'Angoulême 2010 par le prestigieux prix Fauve, pour la première fois décerné à une création québécoise. Dans cette troisième aventure, Paul s'installe avec Lucie dans un nouvel appartement à Montréal. À travers les souvenirs de jeunesse et le récit de leur vie d'adulte, la chaleur des Québécois, leur esprit de famille, et bien sûr leur humour sont omniprésents. Les personnages sont aussi attachants que les dessins sont simples. Les mots sont justes et les expressions québécoises délicieuses. C'est *cute* quoi ! Dans la même série, *Paul dans le métro*, *Paul à Québec* (l'un des titres les plus touchants), *Paul au parc* (l'enfance de Paul dans les années 1970 sur fond de crise politique), etc.

Librairies spécialisées à Paris

■ *Librairie du Québec :* 30, rue Gay-Lussac, 75005. ☎ 01-43-54-49-02. ● librairieduquebec.fr ● RER B : Luxembourg. Mar-ven 10h-19h ; sam 12h-19h. Plus de 10 000 ouvrages représentent l'édition québécoise et qui incluent des traductions d'ouvrages canadiens anglophones ; guides touristiques et cartes routières ; toutes commandes possibles. Régulièrement, des rencontres littéraires avec divers auteurs québécois. Accueil très sympa et de bon conseil.

■ *The Abbey Bookshop :* 29, rue de la Parcheminerie, 75005. ☎ 01-46-33-16-24. Ⓜ ou RER B et C : Saint-Michel. *Café au sirop d'érable offert sur présentation de ce guide.* Petite boutique envahie par les livres, neufs et d'occasion, principalement de langue anglaise (possibilité de commandes). Cartes routières et cartes de rando également disponibles.

POSTE

Outre les bureaux de poste, on trouve des comptoirs postaux dans les grandes pharmacies, chez les dépanneurs, etc. Ces « minipostes » proposent tous les services, donc pas besoin de chercher ailleurs. Affranchissement pour l'Europe à 1,80 $ pour une carte ou lettre de 30 g maximum. Possibilité également d'acheter dans les bureaux de poste des cartes postales pré-timbrées pour environ 1,90 $.

Tout envoi fait à la **poste restante** (*General Delivery* en anglais) doit être réclamé par le destinataire lui-même dans les 15 jours au plus tard, sinon il peut être retourné à l'expéditeur. Si aucun bureau de poste précis n'est indiqué, rendez-vous au bureau de poste principal *(800, bd René-Lévesque Ouest ; plan d'ensemble, C4)*. On peut aussi faire envoyer son courrier aux agences *American Express*.

LA LETTRE AU PÈRE NOËL

Dans de nombreux pays, les lettres envoyées au Père Noël sont traitées par les services postaux qui répondent à tous les jeunes expéditeurs. Le Canada ne faillit pas à la règle et a mis en place une adresse et un code postal spécial (Pôle Nord, H0H-0H0), choisi en référence au rire caractéristique du Père Noël : « Ohhh ohhh ohhh ! »

SANTÉ

Assurances

Au Canada, les frais de santé sont très élevés pour les touristes étrangers (tarifs hospitaliers de 1 000 à 2 000 $ par jour selon les hôpitaux). Les hôpitaux et cliniques exigent la présentation d'une carte personnelle d'assurance pour accepter une admission. Il est donc indispensable de prendre, avant votre départ, une assurance voyage intégrale avec assistance rapatriement (voir la rubrique « Avant le départ »).

Urgences

☎ *911 :* numéro gratuit à composer 24h/24 pour tout type d'urgences.
Les urgences hospitalières sont souvent très, très engorgées et les délais de prise en charge très longs.

Antimoustiques et antitiques

Dès la fin de l'hiver, les **moustiques et simulies** (mouches noires) prolifèrent et attaquent les animaux à sang chaud – l'homme en l'occurrence – avec une agressivité que l'on voit rarement, même sous les tropiques. Seules solutions : moustiquaires et vêtements couvrants, répulsifs cutanés efficaces. Sur place, dans les magasins spécialisés dans le camping, on trouve toute une gamme de produits adaptés. Mais attention, étant fortement dosés, ils sont généralement inutilisables avant 12 ans. Et mauvais pour votre santé en tout état de cause. Si vous voyagez avec des enfants, achetez-en plutôt avant le départ (par exemple la gamme *Insect Ecran*), ou bien optez pour les vêtements en filets, genre minimoustiquaire de tête, à accrocher à votre casquette ou bien carrément l'équivalent de la combinaison d'apiculteur (cette dernière ne se trouve qu'au Canada). Pas très sexy, mais autrement plus judicieux pour l'environnement !
Par ailleurs, les **tiques** sont très nombreuses dans toutes les zones forestières et arbustives, autant dire la quasi-totalité du sud du Canada. Elles peuvent transmettre une redoutable infection : la maladie de Lyme. Pour l'éviter, lors de tout séjour rural : couvrez-vous bien la tête (chapeau), les bras, les jambes et les pieds ; examinez-vous régulièrement pour limiter les risques (il faut 24h à une tique pour transmettre la maladie).
On trouve toute une gamme de produits efficaces en pharmacie ou en parapharmacie ou via le site internet de *Catalogue Santé Voyages* :
– Les produits et matériels utiles aux voyageurs, assez difficiles à trouver, peuvent être achetés par correspondance sur le site ● sante-voyages.com ● Infos

complètes toutes destinations, boutique web, paiement sécurisé, expéditions Colissimo Expert ou Chronopost. ☎ *01-45-86-41-91 (lun-ven 14h-19h).*

SITES INTERNET

• *routard.com* • Rejoignez la plus grande communauté francophone de voyageurs ! Échangez avec les routarnautes : forums, photos, avis d'hôtels. Retrouvez aussi toutes les informations actualisées pour choisir et préparer vos voyages : plus de 200 fiches pays, une centaine de dossiers pratiques et un magazine en ligne pour découvrir tous les secrets de votre destination. Enfin, comparez les offres pour organiser et réserver votre voyage au meilleur prix. Routard.com, le voyage à portée de clics !
• *bonjourquebec.com* • Site touristique officiel du Québec.
• *tourisme-montreal.org* • Comme son nom l'indique, site consacré à la ville de Montréal.
• *voir.ca* • Journal culturel très complet sur Montréal.
• *nightlife.ca* • Même principe que le précédent, mais comme son nom l'indique, davantage centré sur la culture de la nuit !
• *quoifaireaujourdhui.com* • Sorte d'agenda culturel de Montréal.
• *etudieramontreal.info* • Un portail spécialement dédié aux étudiants étrangers de Montréal. Plein de bons plans.
• *sepaq.com* • Le site de la Société des établissements de plein air du Québec. La *Sépaq* regroupe environ 25 parcs nationaux, 15 réserves fauniques, 10 centres touristiques et *Sépaq Anticosti.*
• *staq.net* • Site de la Société touristique des Autochtones du Québec. Pour découvrir le Nouveau Monde en compagnie des premiers peuples.
• *aadnc-aadnc.gc.ca* • Site gouvernemental bilingue du ministère canadien des Affaires autochtones et Développement du Nord. Idéal pour répondre à vos questions sur les Amérindiens et les Inuits.
• *velo.qc.ca* • Le site de *Vélo Québec Association.* Propose de nombreux parcours à vélo, dont certains au départ de Montréal.
• *tetesaclaques.tv* • Ces petits clips loufoques (les « capsules » comme disent les Québécois) sont un concentré de l'humour québécois ! Absolument désopilant.

TABAC

Il est strictement interdit de fumer dans les édifices publics et même dans un rayon de 3 m autour des portes et fenêtres ! Cela vaut aussi pour les moyens de transport, restos, bars, boîtes... sauf en terrasse, bien sûr. Quoique les terrasses de restos soient généralement non-fumeurs aux heures de repas.

TAXES ET POURBOIRES

Les taxes d'abord...

Les prix affichés ne sont pas ceux que vous paierez réellement. En passant à la caisse (quel que soit le produit ou le service), le client doit payer des taxes en plus. À Montréal, il y en a deux : la taxe de vente du Québec, appelée **TVQ,** qui s'élève à 9,975 %, plus la **TPS** fédérale (taxe sur les produits et services), qui s'élève à 5 %. Le tout revient donc à 14,975 % de plus que les prix indiqués. En matière d'hébergement, vous n'échapperez pas à la taxe spécifique et supplémentaire de 3,5 % par nuit et par chambre. Au resto, il faudra encore ajouter le service (voir ci-dessous).

Et le pourboire !

Eh non, le service n'est pas compris ! *Dans les restos, il faut laisser environ 15 % de la note finale.* Résultat : après taxes et pourboire, un plat affiché à 15 $ vous coûtera en fait environ 20 $. Les serveurs ont un salaire fixe très bas, et la majeure partie de leurs revenus provient des *tips.* Ils sont d'ailleurs imposés sur le montant des pourboires qu'ils doivent théoriquement empocher ! Certes, on peut râler contre cette sorte de double taxe (taxe d'État + salaire du serveur, ce qui alourdit sérieusement le prix affiché). Mais le fait est qu'il est plutôt très rare d'être mal servi. Le sourire est même de rigueur et on prend de vos nouvelles plutôt deux fois qu'une. On aurait même tendance à en faire un peu trop... pour obtenir un bon pourboire !

Vous l'avez compris, le pourboire est donc une institution à laquelle on ne doit pas déroger. Un oubli vous fera passer pour le plouc intégral, et vous serez inévitablement rappelé à l'ordre. Les Français possèdent la réputation d'être particulièrement radins et de laisser plutôt 10 % que les 15 % traditionnels, parfois même rien du tout. Dans certains restos, du coup, le service *(gratuity)* est parfois ajouté d'office sur la note quand les clients sont étrangers,

L'ORIGINE DU TIP

Au XVIIIe s, le patron d'un café outre-Manche eut l'idée de disposer sur son comptoir un pot portant l'inscription To Insure Promptness *(littéralement « Pour assurer la promptitude »). Les clients pressés y glissaient quelques pièces pour être servis plus vite. Les initiales formèrent le mot* tip, *devenu un incontournable du savoir-vivre nord-américain.*

ce qui n'est pas très correct, car il est alors trop tard pour marquer son désaccord si la prestation n'était pas à la hauteur... Dans ce cas, évidemment, ne payez rien en plus. Le pourboire conseillé est parfois indiqué sur la note, ce qui évite tout malentendu !

Lorsqu'on est servi au comptoir (dans les *coffee shops,* les *self-service* ou les sandwicheries par exemple), le *tip* n'est pas obligatoire. En revanche, il est de coutume de laisser un petit quelque chose dans la soucoupe prévue à cet effet...

Le pourboire est aujourd'hui calculé sur le total TTC... Les nouveaux terminaux de cartes de paiement permettant de déterminer automatiquement les 15 % le font sur cette base.

Idem pour les *taxis* : il est de coutume de laisser 15 % en plus de la somme indiquée au compteur. Si vous oubliez, on ne se gênera pas pour vous faire remarquer vertement votre impair, et pour cause : les chauffeurs gagnent un salaire de misère. Dans les bars, la règle est la même : en général, on laisse au serveur 1 ou 2 $ par verre, mais cela dépend bien sûr du prix de la boisson.

Ajoutons pour finir que le passage obligé des pourboires ne fait que s'étendre : il est fréquent de trouver une enveloppe dans sa chambre d'hôtel laissée par la femme de chambre... Un peu irritant à la longue !

TÉLÉCOMMUNICATIONS

Téléphone

Appels locaux

Les appels locaux à Montréal sont très simples : il suffit d'avoir deux pièces de 25 cents, et vous avez droit à une communication de durée illimitée. Vous pouvez également utiliser les cartes téléphoniques prépayées d'une valeur de 5, 10 ou 20 $ que l'on trouve dans les dépanneurs (lire plus loin) ; attention cependant : il existe encore quelques cabines qui ne sont pas équipées pour les recevoir.

– Pour les appels locaux à l'intérieur même des régions, il faut composer le numéro complet à 10 chiffres, c'est-à-dire l'indicatif régional (514 à Montréal) suivi du numéro à 7 chiffres, même si l'on appelle de Montréal à Montréal. En revanche, le numéro d'urgence reste le ☎ *911* quelle que soit la localité. Par souci de cohérence, les numéros de téléphone sont présentés dans le texte avec l'indicatif téléphonique.
– **Les numéros de téléphone gratuits à l'intérieur du pays commencent par 1-800, 1-855, 1-866, 1-877 et 1-888.** Ce service gratuit peut être limité dans une zone spécifique du Canada ou des États-Unis, mais il peut aussi couvrir les deux pays. La plupart des établissements touristiques en ont un et nous les indiquons aussi souvent que possible.

Appels interurbains et internationaux

– **Canada → France :** 011 + 33 + numéro du correspondant (sans le 0 initial).
– **France → Montréal :** 00 (tonalité) + 1 + 514 + numéro du correspondant à 7 chiffres.
– **France → Canada :** 00 (tonalité) + 1 + indicatif régional + numéro du correspondant à 7 chiffres.
– Les **cartes téléphoniques prépayées** *(calling card)* : tout comme en Europe, il en existe tout un éventail permettant de téléphoner à des tarifs très avantageux, certaines à l'intérieur du Canada, d'autres pour l'étranger. Utilisation très simple et classique : composer (avec un fixe, pas un portable !) le numéro spécial indiqué, puis le code préalablement gratté et le numéro du correspondant. Si vous appelez d'une cabine, insérer d'abord une pièce de 25 cents, qui sera restituée à la fin de la communication. Au début de chaque appel, une boîte vocale vous indique le solde disponible en minutes.
Les frais de connexion *(connection fees)* diffèrent selon les cartes. Mais cela reste négligeable sachant que les meilleures offres à l'international proposent jusqu'à 1 000 minutes (soit quasi 17h) pour 5 $! Les cartes de *Bell* (le grand réseau traditionnel) reviennent plus cher (les unités défilent à toute allure !), mais sont plus faciles à utiliser ; on les insère dans l'appareil et on n'a pas une foule de numéros à composer.
– Dans beaucoup d'appareils, on peut également utiliser sa carte de paiement (*Visa, MasterCard* ou *American Express*) mais cela coûte très cher. Évitez aussi d'appeler de votre hôtel, cela revient en général très cher.

Téléphone portable

Le routard qui ne veut pas perdre le contact avec sa tribu peut utiliser son propre téléphone portable (à condition qu'il soit au moins tribande) avec l'option « Monde ». Cela dit, certains coins sont encore mal couverts par le réseau et gare à la note très salée en rentrant chez vous ! Mieux vaut, si vous comptez beaucoup téléphoner sur place, acheter à l'arrivée une carte SIM locale prépayée chez l'un des opérateurs locaux *(Bell, Telus, Virgin Mobile, Rogers...)*, représentés dans les boutiques de téléphonie mobile et à l'aéroport. On vous attribue alors un numéro de téléphone local et un petit crédit de communication. Avant de signer le contrat et de payer, essayez donc, si possible, la carte SIM du vendeur dans votre téléphone – préalablement débloqué – afin de vérifier si celui-ci est compatible. Ensuite, les cartes permettant de recharger votre crédit de communication s'achètent dans ces mêmes boutiques, ou en supermarché, stations-service, drugstores, etc.

En cas de perte ou de vol de votre téléphone portable

Suspendre aussitôt sa ligne permet d'éviter de douloureuses surprises au retour du voyage ! Voici les numéros des quatre opérateurs français, accessibles depuis la France et l'étranger :
– **SFR :** depuis la France, ☎ *10-23* ; depuis l'étranger, ▯ *+ 33-6-1000-1900*.

– **Bouygues Télécom :** depuis la France comme depuis l'étranger, ☎ 0-800-29-1000 (remplacer le 0 initial par « + 33 » depuis l'étranger).
– **Orange :** depuis la France comme depuis l'étranger, 🖥 + 33-6-07-62-64-64.
– **Free :** depuis la France, ☎ 32-44 ; depuis l'étranger, ☎ + 33-1-78-56-95-60.
Vous pouvez aussi demander la suspension depuis le site internet de votre opérateur.

Accès internet

Les cybercafés ont pratiquement disparu du paysage en l'espace de quelques années. Il faut dire que le wifi est désormais disponible partout et qu'il est en général gratuit : AJ, hôtels, gîtes, restos, cafés... Bref, tout le monde s'y est mis. La plupart des hébergements mettent gratuitement un ordinateur à la disposition de leur clientèle. Si vous n'avez pas d'autre solution, sachez que les bibliothèques et le *Centre Infotouriste* proposent eux aussi un accès gratuit.

TRANSPORTS

En métro et en bus

On circule facilement et rapidement dans toute la ville en combinant ces deux moyens de transports en commun.
Le métro est en service de 5h30 à 0h30 (1h le samedi). Plan du métro gratuit dans les stations, indiquant également les connexions du métro avec la « ville souterraine » (à lire dans « Hommes, culture, environnement »). Pour patienter sur le quai, sachez que plusieurs stations sont ornées d'œuvres d'art.
Près de 200 lignes de bus sillonnent Montréal et ses environs dans la journée. La nuit, on en compte une vingtaine.
La *STM* propose des *cartes touristiques* valables pour le métro et pour le bus : pour 1 jour (8 $) et pour 3 jours consécutifs (16 $). Il existe aussi une formule de carte à puce rechargeable, la *carte OPUS,* qui existe en version hebdomadaire (du lundi au dimanche) pour 22 $ + 6 $ de frais d'émission. En vente toute l'année dans pratiquement toutes les stations de métro ainsi qu'au kiosque touristique du Vieux-Montréal, quai Jacques-Cartier. Si vous n'avez que quelques trajets à effectuer, vous pouvez aussi acheter un ticket à l'unité pour 3 $ ou une carte de 10 tickets à 24 $; gratuit pour les moins de 5 ans.
Le métro de Montréal est sécurisé, simple et propre, mais il y fait toujours très chaud en toute saison. Les réseaux de bus et de métro sont entièrement interconnectés ; on passe de l'un à l'autre gratuitement (pensez à conserver vos titres de transport pour les correspondances). Attention quand même aux fréquences des bus, qui se font parfois attendre un peu. Des horaires sont affichés à presque tous les arrêts (en général, de 5h15 à 1h ou 2h selon la ligne et le jour). En principe et sous certaines conditions, les vélos sont autorisés dans le métro en semaine de 10h à 15h, et de 19h jusqu'à la fermeture, ainsi que les week-ends et jours fériés toute la journée, sauf en cas d'*achalandage,* autrement dit aux heures de pointe.

Plus de renseignements auprès des deux organismes qui gèrent le réseau des transports en commun, incluant les trains de banlieue :

■ **STM (Société des transports de Montréal) :** ☎ 514-786-4636. *Lun-ven 7h-20h30 ; w-e 8h30-16h30.* ● *stm.info* ●

■ **ATM (Agence métropolitaine des transports) :** ☎ 514-287-8726. *Lun-ven 6h-20h30 ; w-e et j. fériés 9h-17h.* ● *atm.qc.ca* ●

À vélo ou en rollers

À Montréal, c'est très branché de circuler à vélo, mais on vous recommande tout de même le port du casque. La ville est équipée d'un très populaire système de vélos en libre-service appelé *Bixi*. Au total, pas moins de 400 stations mettant plus de 5 000 vélos à disposition. Muni d'une carte de paiement, on s'enregistre à une borne, puis on retire un vélo. Cette formule revient néanmoins assez cher pour un touriste de passage : l'accès coûte 7 $/j., 15 $ pour 3 j. (ou abonnement de 30 $ par mois et 80 $ à l'année), la première ½ h est gratuite, puis on paie 1,75 $ pour la demi-heure suivante, 3,50 $ pour celle d'après et, au-delà de 90 mn, 7 $ pour 30 mn supplémentaires. Sachez que vous devrez faire un « dépôt de sécurité » de... 250 $ par carte de crédit ! Vous le récupérerez au bout de 10 jours, un peu rédhibitoire ! Plus d'infos sur : ● montreal.bixi.com ●

Les pistes cyclables sont bien aménagées et respectées par les automobilistes comme par les piétons. De plus, la circulation reste à toute heure étonnamment sage pour une ville de ce calibre. Le réseau cyclable de l'île de Montréal est relié à celui de la banlieue par des ponts aménagés, par un service de traversiers (bacs) ainsi que par le métro (vélos autorisés gratuitement en dehors des heures de pointe). L'office de tourisme délivre l'excellente carte *Pédaler à Montréal* pour 5 $. Sinon, vous pouvez consulter le site ● pedalmontreal.ca ● Au total, près de 560 km de pistes cyclables sillonnent l'île de Montréal.

Dans le Vieux-Montréal

■ **Ça Roule Montréal** *(zoom Centre, D5, 13) :* 27, rue de la Commune Est. ☎ 514-866-0633 ou 1-877-866-0633. ● caroulemontreal.com ● Ⓜ Place-d'Armes. Dans le Vieux-Montréal. En été, tlj 9h-20h (18h si mauvais temps) ; hors saison, selon conditions météo (téléphoner avt de venir). En principe, *fermé déc-fév (mars et nov slt sur résa). Tarifs : vélo env 25 $/j., tandem 70 $/j., rollers 20 $/j. Un peu plus cher les w-e et j. fériés. Plan des pistes cyclables, casque et antivol fournis.* Propose également des tours guidés à vélo (voir « Adresses et infos utiles » plus loin).

Sur le Plateau Mont-Royal

■ **Bicycletterie J.R.** *(zoom Le Plateau, D3, 14) :* 201, rue Rachel Est, à l'angle de la rue de l'Hôtel-de-Ville. ☎ 514-843-6989. ● labicycletterie jr. com ● Ⓜ Mont-Royal. Lun-ven 9h-18h (21h jeu-ven) ; w-e 10h-17h. Loc de vélos env 15 $ pour 4h, 24 $/j., 65 $/ sem (puis 50 $/sem supplémentaire), *casque et antivol inclus.*

■ **Le Vélodidacte** *(zoom Le Plateau, D3, 15) :* 4468, rue Brébeuf. ☎ 514-522-5499. Ⓜ Mont-Royal. *Lun-mer 9h-18h, jeu-ven 9h-20h, sam 10h-16h, dim 10h-15h. Loc env 10 $ pour 3h, 25 $/j., casque et antivol inclus.*

À scooter ou à moto

On vous indique des prix approximatifs. N'hésitez pas à comparer les tarifs sur le site internet puis vérifiez les disponibilités par téléphone.

■ **Location Propulsion :** 110, Turgeon, à Sainte-Thérèse (nord de Montréal). ☎ 450-434-6686. ● locationpropul sion.com ● *Assez excentré :* Sainte-Thérèse se trouve à l'intersection des routes 15 et 640 au nord-ouest de Laval et de Montréal. *Lun-ven 9h-17h30 ; sam 9h-13h. Compter env 90 $/j.* pour une moto de type custom, *sport* ou *touring* avec *kilométrage illimité. Parfois promos à la journée. Le plus gros loueur de motos au Québec.* Également des scooters et des bateaux.

En taxi

Facile de trouver un taxi à Montréal. Comme presque partout ailleurs sur la planète, il suffit de lever la main ou de les héler pour les faire s'arrêter. Néanmoins, on est quand même parfois obligé de rejoindre une station de taxis la nuit dans certains quartiers. Contrairement à leurs collègues français, les taxis québécois ne facturent jamais leur trajet jusqu'à votre adresse lorsque vous téléphonez à un central : le compteur ne démarre que lorsque vous montez à bord ; il n'y a pas non plus de supplément de nuit.

Nous vous conseillons *COOP* (☎ 514-725-9885), une compagnie efficace dont les chauffeurs sont propriétaires de leurs véhicules et tiennent donc beaucoup à leur bonne réputation. Mais il y en a d'autres, notamment la grosse compagnie *Champlain* (☎ 514-271-1111). Beaucoup de chauffeurs sont des immigrants qui connaissent peu les recoins de la ville, alors essayez de tracer votre chemin (au moins mentalement) avant de partir ; il est fort possible que le chauffeur vous demande : « Où c'est exactement ? » Et n'oubliez pas le *tip* si vous ne voulez pas vous faire enguirlander !

En voiture

Louer une voiture à Montréal est souvent plus difficile qu'ailleurs au Québec car, « en ville », beaucoup de gens ne possèdent pas de voiture et en louent le week-end. Néanmoins, ce ne sont pas les loueurs qui manquent.

Il faut avoir au moins 18 ans, le plus souvent 21 ans et parfois même 23 ou 25 ans en fonction des compagnies – qui, lorsqu'elles acceptent les plus jeunes, exigent un supplément quotidien parfois conséquent. ***Quel que soit l'âge, avoir une carte de paiement est indispensable :*** bien rares sont les compagnies qui acceptent de louer une voiture à une personne sans carte, donc sans garantie. Le permis de conduire français est reconnu au Canada (1 an de permis minimum pour une location).

Louer depuis la France

■ ***Auto Escape :*** ☎ 0820-150-300 (n° gratuit). ● autoescape.com ● *Vous trouverez également les services d'Auto Escape sur* ● routard.com ● L'agence *Auto Escape* réserve auprès des loueurs de véhicules de gros volumes d'affaires, ce qui garantit des tarifs très compétitifs. Il est recommandé de réserver à l'avance. *Auto Escape* offre 5 % de remise sur la location de voiture aux lecteurs du *Routard* pour toute réservation par Internet avec le code de réduction : « GDR13 ». Important : tarif spécialement négocié pour les conducteurs de moins de 25 ans.

■ ***BSP Auto :*** ☎ 01-43-46-20-74 (tlj). ● bsp-auto.com ● Les prix proposés sont attractifs et comprennent le kilométrage illimité et l'assurance tous risques sans franchise (LDW). *BSP Auto* vous propose exclusivement les grandes compagnies de location sur place, vous assurant un très bon niveau de services. Le plus : vous ne payez votre location que 5 jours avant le départ. Réduction spéciale aux lecteurs de ce guide avec le code « routard ».

■ Et aussi : ***Hertz*** (☎ 0825-030-040, 0,15 €/mn ; ● hertz.com ●), ***Avis*** (☎ 0820-05-05-05 ou 0821-230-760, 0,12 €/mn ; ● avis.fr ●), ***Europcar*** (☎ 0825-35-83-58, 0,15 €/mn ; ● europcar.fr ●), ***Budget*** (☎ 0825-00-35-64, 0,15 €/mn ; ● budget.fr ●).

Louer à Montréal

■ ***Enterprise :*** ☎ 1-800-261-7331 (24h/24). ● enterprise.com ● *À partir de 60 $/j. pour une petite voiture avec kilométrage illimité dans la province. Attention, plus cher la sem.* Ce grand loueur américain propose des voitures à des prix assez bas. Une dizaine d'adresses à Montréal. Un hic : interdiction de se rendre aux États-Unis.

■ ***Via Route :*** *plusieurs agences à Montréal, notamment au 3830, Jean-Talon Ouest* (☎ 514-739-4771) ou encore au 5180, av. Papineau (☎ 514-521-5221). ● viaroute.com ● Bien comparer avec le précédent, mais souvent des tarifs assez intéressants. Autre avantage : on peut faire un tour aux États-Unis avec le véhicule moyennant un petit supplément (kilométrage forfaitaire accordé).

■ **Globecar :** *agences au 5653, rue Paré et au 5349, rue de Maisonneuve Ouest.* ☎ *514-733-0988.* ● *globecar. ca* ● L'un des meilleurs marchés à Montréal. On peut réserver en ligne.

Conduire une voiture automatique

Il n'y a pratiquement que cela au Canada. Voici la signification des différentes commandes internes :
P : Parking (à enclencher lorsque vous stationnez, mais à ne pas utiliser comme frein à main).
R : Reverse (marche arrière).
N : Neutral (point mort).
D : Drive (position de conduite que vous utiliserez quasiment tout le temps).
1, 2 et 3, ou I et L : vous sélectionnez votre propre rapport de boîte (bien utile en montagne ou dans certaines côtes mais ça consomme plus d'essence).
Il n'y a que deux pédales : le frein et l'accélérateur. Pour oublier vos vieux réflexes, calez votre pied gauche dans le coin gauche, et ne l'en bougez plus jusqu'à la fin de votre périple. On se sert uniquement du pied droit pour accélérer ou freiner. Et quelques conseils : pour freiner, posez délicatement votre pied sur la pédale et n'écrasez pas le champignon même à très basse vitesse (le frein des automatiques est vraiment très sensible) ! Lorsque vous passez de la position « P » à une autre, appuyez toujours sur le frein sinon vous risquez de faire un bond ! D'ailleurs, certains véhicules refusent de quitter le point « P » tant que vous n'avez pas posé le pied sur le frein, non mais !

Quelques règles de conduite

– **Les feux tricolores :** ils sont situés après le carrefour et non avant comme chez vous. Si vous marquez le stop au niveau du feu, vous serez donc en plein carrefour. Pas d'inquiétude, après une ou deux incartades, on stresse tellement qu'on n'oublie plus !
– **Tourner à droite au feu rouge, à une intersection :** strictement interdit sur l'île de Montréal.
– **« Virage protégé au clignotement du feu vert » :** aux intersections, cela signifie que vous êtes prioritaire et que vous pouvez tourner sans risque, la file d'en face étant à l'arrêt.
– **Feu clignotant orange ou rouge au centre d'un carrefour :** ces feux suspendus servent avant tout à indiquer qu'il y a un croisement et qu'il faut faire attention ou marquer l'arrêt.
– La priorité à droite n'existe pas au Canada. Aux **croisements** dotés de stops pour toutes les voies (ou feux rouges clignotants), la règle veut que le premier arrivé passe en premier.
– Quand un **bus scolaire jaune** s'arrête, des feux rouges s'allument et un petit panneau « Arrêt » s'affiche sur la portière du conducteur. Toutes les voitures doivent s'arrêter, celles qui suivent comme celles qui viennent en face. Interdit de redémarrer avant que les clignotants s'éteignent, même s'il n'y a pas d'enfants... C'est l'une des infractions les plus graves au Code de la route canadien et l'amende est particulièrement salée.
– Les **parkings** (pardon, les stationnements) sont toujours payants et assez chers, particulièrement ceux des hôtels. Mais surtout, stationner dans une rue de Montréal est un véritable casse-tête pour le néophyte ! Ici, le stationnement est interdit le jeudi et le vendredi entre 9h et 10h d'avril à octobre. Là, c'est interdit le mardi avant 21h, et là c'est payant 24h/24, etc. Même les Montréalais y regardent à deux fois avant de laisser leur véhicule en toute quiétude... Le parking public vous évitera ainsi les désagréments d'une infraction et ça vaut le « coût » car les mises en fourrière sont plus que rapides.

TRAVAILLER À MONTRÉAL

Il existe dans ce domaine des accords particuliers destinés aux 18 à 35 ans. Chaque année, 7 000 jeunes Français peuvent ainsi partir travailler au Canada, ainsi qu'un nombre plus limité de jeunes Belges (de 18 à 30 ans) et Suisses.

Formalités pour ceux qui ont déjà trouvé un job temporaire

Toute personne qui n'a ni la citoyenneté canadienne ni le statut d'immigrant « reçu » et qui veut travailler ou étudier à Montréal doit être en possession d'un permis, et ce avant même d'y entrer. Il faut savoir qu'au Canada, un stage, même s'il est non rémunéré ou de courte durée, est considéré comme un emploi. Dans le cadre de l'accord de mobilité franco-canadien, l'*Expérience Internationale Canada* (EIC) propose différents programmes, recoupant diverses options (emploi d'été, stage d'études, emploi de perfectionnement, programme vacances-travail, etc.), qui permettent d'obtenir un visa de travail temporaire selon un système de quota. Le formulaire de demande est disponible sur ● *international.gc.ca/experience* ● à compter de début novembre pour l'année suivante. Il faudra l'accompagner d'une copie de l'offre d'emploi ou de stage détaillée sur lettre à en-tête, de copies des diplômes et attestations prouvant votre capacité à accomplir la tâche en question, de la copie des pages d'identification du passeport, de deux photos d'identité et de documents complémentaires selon le programme que vous désirez suivre (liste disponible en ligne). Depuis 2011, les frais de participation (environ 120 €) ne sont plus à joindre au formulaire de demande. Ils sont à payer après l'étude de votre dossier, quand vous aurez reçu un message d'acceptation conditionnelle. Votre dossier complet est à envoyer par courrier postal à l'Ambassade du Canada en France (Expérience Internationale Canada) : *35, av. Montaigne, 75008 Paris.* Délai d'obtention du visa, si obtention il y a : 5 à 8 semaines.

Ceux qui obtiennent un visa de travailleur temporaire reçoivent une « carte fédérale », fournie par le gouvernement du Canada et qui donne droit à un numéro d'assurance sociale... et c'est tout. Une « carte provinciale » obtenue à la Régie de l'assurance maladie du Québec (pour le seul Québec, évidemment !) donne un autre numéro qui permet, lui, d'obtenir les soins gratuits.

– À Montréal, vous pourrez communiquer, si nécessaire, avec **Immigration Québec :** ☎ *514-864-9191 (lun-ven 8h (10h30 mer)-16h30.* ● *immigration-quebec. gouv.qc.ca* ●

Organismes susceptibles de procurer un stage ou un job

■ *Office franco-québécois pour la jeunesse (OFQJ) :* 11, passage de l'Aqueduc, 93200 Saint-Denis. ☎ 01-49-33-28-50. ● *ofqj.org* ● Ⓜ *Saint-Denis-Basilique. Infos téléphoniques lun-ven 9h30-12h30, 14h-17h30. Centre de ressources lun-ven 14h-17h, slt sur rdv.* Fondé en 1968, l'OFQJ s'adresse aux jeunes de 18 à 35 ans dont le projet s'inscrit dans l'une des 6 optiques de l'organisme : « Ouvrir la mobilité internationale aux jeunes en insertion socioprofessionnelle », « Réaliser un stage étudiant ou apprenti », « Soutenir le potentiel d'export des TPE/PME », « Soutenir la mobilité professionnelle », « Dynamiser l'insertion professionnelle des jeunes demandeurs d'emploi » et « Consolider les réseaux de coopération franco-québécois ». Cela va du séjour à thème de 1 à 3 semaines (sans besoin de permis de travail) au stage longue durée en passant par le job d'été de maximum 3 mois. Accompagne plus de 10 000 jeunes chaque année de chaque côté de l'Atlantique. Les contacter environ 3 mois avant la date de départ souhaitée. Sur le site de l'OFQJ, vous trouverez des infos pratiques sur les différents programmes et leur mise en œuvre, des offres de stage et des pistes pour en trouver un, des renseignements sur la meilleure manière de se préparer et d'arriver au Québec, des témoignages d'anciens stagiaires, des blogs de séjour, etc. Si vous habitez en province, sachez que plusieurs documents du centre de ressources peuvent vous être envoyés par courrier ou par e-mail.

Stages agricoles

■ **Expérience Internationale :** *21, rue Frédérick-Lemaître, 75020 Paris.* ☎ *01-43-15-09-48.* ● *experience-internationale.fr* ● Ⓜ *Jourdain.* Pour les jeunes professionnels de l'agriculture et les jeunes en formation dans les filières agricoles entre 18 et 35 ans qui souhaitent vivre une expérience de travail et de vie en milieu agricole à l'étranger. Stages de 3 mois à 1 an. Formation agricole et expérience (stage ou emploi) requises de 6 mois minimum.

Séjour au pair

En fait, à Montréal, le statut de « au pair » n'existe pas en tant que tel, mais l'équivalent s'appelle « stagiaires aides familiales résidants ». En gros, c'est la même chose, mais cela nécessite un permis de travail, à obtenir en amont, avant le départ. Aucune chance de l'obtenir si vous n'avez pas une formation d'assistante maternelle ou d'auxiliaire de puériculture.

■ **Association nationale franco-québécoise :** *4, rue du Port, 94130 Nogent-sur-Marne.* ☎ *01-43-24-34-66.* ● *anfq@wanadoo.fr* ● *Infos sur place sur rdv uniquement.*

■ **France-Québec :** voir « Avant le départ. Adresses utiles ».

■ **Association des aides familiales du Québec :** *2348, rue Jean-Talon Est, bureau 407, Montréal (Québec) H2E 1V7* ☎ *(514) 272-2670.* ● *aafq. ca* ● *Mer-sam 9h-17h.*

HOMMES, CULTURE, ENVIRONNEMENT

Ça commence comme une grande ville américaine typique, avec son réseau d'autoroutes qui enlacent les gratte-ciel de verre et plongent au cœur de larges avenues découpées à angle droit. Après une visite approfondie, Montréal s'apparente pourtant à une espèce de patchwork (désolés pour l'anglicisme !) ou, disons, à un assemblage de quartiers à l'atmosphère bien différente. Pas besoin d'arpenter des kilomètres de bitume pour passer d'un monde à l'autre : on peut goûter successivement à la douce excitation d'un Downtown livré aux employés de bureau pendant le jour et presque déserté la nuit, à l'atmosphère vaguement européenne des rues du Plateau, qui vivent au rythme de bars et restos décontractés, avant de flairer le cosmopolitisme du Quartier latin ou du minuscule quartier chinois et l'humeur festive et branchée du Village gay. Sans compter les vastes parcs où gambadent des écureuils, les pelouses soigneusement tondues du quartier résidentiel (mais pas tape-à-l'œil) d'Outremont ou celui, *so British,* des maisons victoriennes de Westmount. Un étonnant et heureux mariage de communautés, d'ethnies, de groupes sociaux, chacun soucieux d'afficher ses différences et ses convictions tout en arborant la fierté de faire tourner cette belle machine urbaine. Mais attention, Montréal est loin d'être une métropole stressante et frénétique : partout, on retrouve la même douceur de vivre, la même population affable et paisible, le petit peuple des cafés où l'on prend le temps de vivre, les commerçants de quartier et les conversations de voisinage. Quant à la vie nocturne, elle donnera entière satisfaction aux fêtards : ça bouge tous les soirs de la semaine ! Un programme culturel varié, une énergie intense, parfois un peu folle, et des rapports humains teintés de simplicité et de chaleur rendent les soirées montréalaises uniques : on sent qu'ici tout est possible, surtout l'inattendu. Si une ville du Nouveau Monde peut vivre et se développer au rythme de ses habitants, laissant à chacun la liberté d'être ce qu'il est, Montréal le prouve intégralement de bas en haut et d'est en ouest. Loin des clichés et des qu'en-dira-t-on, la plus grande ville du Québec assume fièrement sa personnalité, celle d'un carrefour culturel hors normes. Ici, les Américains se croient en Europe et les Européens s'éclatent d'être en Amérique... La croisée des deux mondes ? C'est un peu ça, Montréal.

BOISSONS

Tout d'abord, se méfier des différences de vocabulaire entre Canadiens et Français. Les quiproquos abondent et sont souvent amusants... :
– *breuvage* désigne une boisson chaude ou froide, non alcoolisée ;
– *boisson* signifie boisson alcoolisée uniquement ;
– *liqueur* s'applique aux boissons gazeuses.
Quiproquo type entre une serveuse montréalaise et un consommateur français :
« Voulez-vous une liqueur ?
– Non merci, je souhaiterais simplement un verre de vin rouge...
– Mais on ne sert pas de boisson ici ! »

Vins

Les bons vins étrangers sont chers (surtout les français). Au resto, une bouteille de vin moyen coûte entre 25 et 40 $. Et les « vins maison » en carafe sont « corrects », sans plus. On devra donc souvent se contenter d'un verre à 6 ou 7 $. Certains restos, cependant, n'ont pas de licence pour vendre de l'alcool et acceptent que vous apportiez votre propre bouteille de vin (ou de bière). La mention « Apportez votre vin » est alors apposée sur la vitrine. Cette pratique fait fureur à Montréal où près de 300 restos arborent l'étiquette en question. On trouve une bonne sélection de vins dans les magasins de la *Société des alcools du Québec (SAQ)*, nombreux à Montréal. Liste des magasins sur ● saq.com ●

Le Canada produit aussi du vin, lequel – oh surprise ! – est boudé par les Québécois. Longtemps réputés pour leur qualité médiocre (on disait jadis : « Ma capacité à boire de la piquette pour mon pays a ses limites »), ils ont connu une véritable révolution depuis une vingtaine d'années et une grande expansion de la surface plantée. Aujourd'hui, les vignes canadiennes occupent une superficie d'environ 13 000 ha, dont un peu plus de 200 ha au Québec – en tout, une soixantaine de vignobles artisanaux, regroupés principalement en Montérégie, dans les Cantons-de-l'Est et Lanaudière.

Les *vins québécois* sont une curiosité sympathique. Peu de restos en servent, mais on peut en trouver à la SAQ. Si vous avez l'occasion d'en goûter, préférez le vin blanc au rouge, même si les rouges sont en nette progression (le cabernet franc est le cépage le mieux développé). Côté *vins d'Ontario,* les cépages de choix sont le riesling et le chardonnay en général. Le miracle du vin canadien demeure néanmoins le *ice wine,* produit principalement dans la région du Niagara, mais aussi désormais au Québec et en Nouvelle-Écosse, à partir de raisins qui ont gelé sur pied au début de l'hiver. L'évaporation concentre la teneur en sucre et donne un excellent vin liquoreux. Du coup, il faut un plant pour faire un seul verre ! Avis aux amateurs : les vendanges se font au moins par - 8 °C et généralement de nuit... L'*ice wine* est vendu dans de belles bouteilles de 375 ml : c'est un cadeau remarquable et étonnamment bon... mais également très cher : compter 50 à 70 $ la bouteille.

Bières

Le Québec est un gros producteur de bière, et c'est, de loin, la boisson alcoolisée la moins chère du pays. La tradition ne date pas d'hier : c'est l'intendant champenois Jean Talon qui, en 1668, produisit la première bière à Québec ! Pour le remercier, un marché du nord de Montréal a été baptisé en son honneur...

La *Molson Canadian,* l'une des plus appréciées, trouve ses origines à Montréal au XVIIIe s. Si vous vous promenez sur le Vieux-Port, vous ne pourrez pas rater le gigantesque bâtiment de *Molson,* situé tout près du pont Jacques-Cartier. Autre valeur sûre : la *Labatt Blue.* Ces deux énormes brasseries se partagent la plus grande part du marché. Servies à la bouteille ou à la pression dans les bars, ces bières industrielles (qui ne présentent aucun intérêt pour un connaisseur) titrent à 5-6° et existent souvent en version légère à 4°. La bière à la pression est un peu moins chère qu'en bouteille dans les bars, restos... De plus en plus répandues, les nombreuses bières de microbrasseries produites localement, comme la *Belle Gueule* (brassée au cœur du Plateau Mont-Royal !), la *Boréale,* la *Blanche de Chambly*... La *Maudite* et la *Fin du Monde* sont excellentes ; notez les étiquettes originales qui présentent l'imagerie et la créativité des Québécois. Quant à la *Cheval Blanc,* elle existe depuis près de 1 siècle. Ces bières semi-artisanales sont un peu plus chères que les autres. Il y a quelques années, elles étaient des bières d'exception, mais aujourd'hui on les trouve partout. Il y en a même aux bleuets ! Les bières québécoises ont tendance à ressembler à des bières belges, alors que les bières des Provinces maritimes sont plutôt d'inspiration britannique.

Café

La plupart des bons restos et **coffee shops** sont désormais dotés de percolateurs. Les *coffee shops*, souvent pourvus d'une terrasse, sont la version nord-américaine de nos cafés. On s'y arrête pour prendre un expresso, un cappuccino ou un *caffè latte*, éventuellement assorti d'un muffin ou d'un scone. Pratique, car on en trouve partout en ville, souvent avec un cadre chaleureux, où l'on croise tous les habitants du quartier. La chaîne américaine *Starbucks* est largement répandue, tout comme ses homologues canadiennes *Second Cup*, équivalent de *Starbucks*, et *Tim Hortons*.

Curiosités

Parmi les quelques curiosités : le *Clamato* (un jus de tomate relevé de jus de palourde... mais, tout compte fait, on sent à peine le goût du mollusque) qui rentre surtout dans la composition du *César*, cousin canadien du *Bloody Mary* ; le *vin de bleuet* (cousin de notre myrtille), qui a très vaguement le goût du porto ; le *whisky canadien (Canadian Club...)* ; le *Caribou* (mélange fulgurant d'alcool fort et de vin, parfois allongé de sirop d'érable), etc. Le Québec produit aussi des *vins de miel, cidres de glace, apéritifs de chicouté*, etc. ; bref, pareils produits du terroir se multiplient ces dernières années. On les trouve surtout dans les succursales de la Société des alcools du Québec (SAQ).

Légalité

Les bars sont interdits au moins de 18 ans, impossible donc d'y emmener vos enfants boire un coup avec vous. En général, on vous laissera quand même vous installer à l'extérieur s'il y a une terrasse (mais pas garanti).

CINÉMA

Le cinéma apparaît à Montréal en 1896, mais c'est seulement dans les années 1920 que sont réalisés les premiers films documentaires. Il faudra attendre la création de l'**Office national du film,** aujourd'hui basé à Montréal, en 1939, pour qu'apparaisse une véritable production locale, qui ne s'épanouira réellement qu'à partir des années 1960.

Le cinéma direct, une spécialité née au sein de l'ONF, prend alors son essor. Captant en direct, hors des studios, la parole et le geste au moyen d'un matériel léger, il s'intéresse au social et donne la parole à l'humain. Les films les plus marquants de cette « école » montréalaise sont : *Golden Glove*, de **Gilles Groulx** (1961), *La Lutte*, de **Michel Brault** et **Claude Jutra** (1961), et *Pour la suite du monde*, de **Marcel Brault** et **Pierre Perrault** (1962). Le documentaire n'aura de cesse de dresser un portrait critique de la société québécoise avec notamment *L'Acadie, l'Acadie*, de Perrault et Brault (1971), *Action : The October Crisis of 1970*, de **Robin Spry** (1974), *Derrière l'image*, de **Jacques Godbout** (1978), et *Caffè Italia, Montréal*, de **Paul Tana** (1985).

Le cinéma de fiction, quant à lui, profite de l'élan de liberté créé par la Révolution tranquille pour se développer. *Seul ou avec d'autres*, réalisé en 1962 par **Denys Arcand, Stéphane Venne** et **Denis Héroux,** figure comme le film déclencheur de cette fiction. Un film dont le protagoniste principal est l'Université de Montréal au début de la Révolution tranquille. Denys Arcand, né dans les environs de Québec, est d'ailleurs l'une des figures marquantes de ce cinéma-là et tournera, au milieu des années 1960, *Les Montréalistes*, un moyen métrage sur les fondateurs de Montréal. Les années 1970 sont marquées par d'autres cinéastes montréalais : **Jean Pierre Lefebvre** avec *Les Dernières Fiançailles* en 1973, **André Forcier** avec

Bar salon en 1973 et *L'Eau chaude, l'Eau frette* en 1976, etc. Des années 1980 à nos jours, se développe un cinéma d'auteur dont les films emblématiques sont *Anne Trister,* de **Léa Pool,** l'histoire d'une jeune peintre qui quitte sa Suisse natale pour Montréal, et le fameux *Le Déclin de l'empire américain* (complété par *Les Invasions barbares* en 2003 et *L'Âge des Ténèbres* en 2007), de Denys Arcand, tous deux sortis en 1986. En 1989, Arcand réalise *Jésus de Montréal,* la passion du Christ revisitée, modernisée et transposée à Montréal de façon assez comique. Un film doublement primé au Festival de Cannes de 1989. 2 ans plus tard, citons le film collectif ***Montréal vu par...,*** un ensemble de six courts métrages en hommage à la ville. La fin des années 1990 fait place à un cinéma engagé, avec un film comme *Violon rouge* (1998), de François Girard, tourné à Montréal. Dans un autre registre, plus comique, signalons *Bon Cop, Bad Cop* (2006), d'Éric Canuel, la collaboration de deux policiers montréalais et ontarien, à la suite de la découverte d'un cadavre à la frontière des deux provinces... Aujourd'hui, le renouveau semble assuré par le jeune prodige montréalais **Xavier Dolan.** On lui doit des films à l'esthétique et au maniérisme assumés : *J'ai tué ma mère* (2009), *Les Amours imaginaires* (2010) et *Laurence Anyways* (2012).

Montréal occupe actuellement une place importante dans le ***monde de l'animation et des effets spéciaux.*** *Jurassic Park* ou *Titanic* ont utilisé des techniques conçues dans cette ville. Plus récemment, un nouveau ***studio dédié à la 3D*** y a été inauguré, annonçant le maintien d'une technicité de pointe dotée d'un réel attrait économique en comparaison avec leurs voisins américains. Montréal sert aussi de ***lieu de tournage*** à de nombreux studios hollywoodiens, ses rues ressemblant à celles de New York et les coûts de production étant moindres.

Située dans le Quartier latin, la Ciné-Robothèque est l'un des centres de diffusion de l'ONF. On n'y trouve pas moins de 10 000 films, tous disponibles pour visionnage sur place (se reporter à la rubrique « À voir. À faire »). ● *onf-nfb.gc.ca/ cinerobotheque* ●

CUISINE

À Montréal, la **gastronomie québécoise** traditionnelle, calorique et roborative, a pratiquement disparu des cartes, mis à part quelques plats qui font désormais partie du folklore et ressortent sur les tables familiales au temps des fêtes. Mais, au quotidien, on mange la plupart du temps à la ***mode américaine*** : hot-dogs, hamburgers, pizzas et poulet frit, sans oublier les *sous-marins* (les *submarines* américains), d'énormes sandwichs garnis de toutes sortes de choses. Les *pubs* et les *brasseries* se spécialisent dans les bons gros steaks, les copieuses salades à l'américaine, les *fish and chips* accompagnés de salade de chou *(coleslaw).*

Mais la gastronomie de Montréal, ville cosmopolite s'il en est, c'est avant tout un choix sidérant de **cuisines internationales.** Grâce à la centaine de nationalités installées en ville (rappelons que près d'un tiers des habitants de Montréal sont des immigrés), on peut se régaler aussi bien de *fajitas* mexicaines que de *souvlakis* grecs, de *yakitoris* japonais ou de *pad thai* thaïlandais, sans compter les cuisines éthiopienne, colombienne, coréenne, tibétaine... Le choix est infini, puisqu'on recense officiellement près de 6 000 restaurants sur l'île de Montréal, dont beaucoup sont influencés par les gastronomies

CROTTE ALORS !

Pour écouler les surplus de lait dans les années 1960, on inventa ce drôle de cheddar caillé frais, vendu partout (même dans les stations-service !) dans des petits sacs en plastique, à grignoter comme des bonbons. Le « fromage en crotte » crisse étonnamment sous la dent... d'où son surnom de « squick squick ». Passé l'effet de surprise sonore, on aime !

d'un ou plusieurs pays du monde. Et contrairement à l'Europe, où les cuisines étrangères sont généralement adaptées au goût local et donc dénaturées, les restaurants montréalais servent des plats aux saveurs très authentiques, préservés dans leur intégrité.

À noter, pour les fauchés : on trouve de nombreux stands culinaires (« **foires alimentaires** » ou *food courts*) dans les souterrains de la ville et les immenses stations de métro. Toutes les cuisines du monde y sont servies à prix modiques. Loin d'être gastronomique, c'est rapide et bien commode par mauvais temps...

Ces dernières années, on assiste à l'émergence d'une cuisine plus créative, plus travaillée, qui met volontiers en valeur les meilleurs produits locaux : poissons et fruits de mer, homards, crabes des neiges, agneau, gibier, petits légumes (enfin du vert !), fromages de chèvre, baies de saison, sirop d'érable... Sur ce plan, la tendance est au *bio,* et l'influence de la **cuisine de fusion,** apparue sur la côte ouest américaine dans les années 1990, est grandissante. Les produits du terroir se sont mêlés d'influences exotiques au contact des communautés immigrées. Résultat ? Des plats dans lesquels on peut retrouver champignons shiitake japonais, sauce de soja ou *teriyaki,* fromage, canneberges *(cranberries)* ou bleuets (myrtilles), pousses de soja ou d'*alfalfa.* Le sucré-salé est bien présent. Souvent, aussi, les notes méditerranéennes dominent. Bien sûr, tout cela coûte plus cher.

Au final, malgré des habitudes alimentaires globalement calquées sur celles des États-Unis, Montréal compte suffisamment d'excellentes tables pour vous offrir de vraies découvertes gustatives. Un séjour à Montréal, c'est l'occasion rêvée de goûter à des plats que vous retrouverez très difficilement ailleurs.

Sachez aussi qu'il y a quelques années, un Français a inventé la formule « Apportez votre vin ». Succès garanti. L'idée a rapidement fait école et, aujourd'hui, on ne compte plus les restos où l'on apporte sa propre bouteille achetée au *SAQ (Service des alcools du Québec)* du quartier, ce qui a le mérite de ne pas alourdir l'addition.

Enfin, pour ceux qui viennent d'arriver, sachez que les « tables d'hôtes » au restaurant sont l'équivalent de nos menus complets et que le pourboire *(tip)* est obligatoire car il représente une part importante du salaire des employés.

Dépanneurs

Les dépanneurs ne sont ni plus ni moins que des épiceries de proximité. Très pratiques, ils sont comme chez nous nettement plus chers que les supermarchés, mais ils ont l'avantage d'être ouverts tard le soir et tôt le matin (généralement de 6h à 21h-22h). Ils sont là pour dépanner quoi ! Certains dépanneurs de la chaîne *Couche-Tard* sont même ouverts 24h/24. C'est une alternative très populaire auprès des fêtards pour acheter de l'alcool, une fois que les magasins de la *SAQ* ont fermé leurs portes...

Spécialités

– Les Québécois sont fiers de certaines de leurs spécialités comme la **tourtière,** réalisée à base de plusieurs gibiers, à plume et à poil. Spécialité du lac Saint-Jean, elle se trouve aussi à Montréal, notamment chez *Ma'am Bolduc* ou à *la Binerie du Mont-Royal* (voir « Où manger ? »). Durant les fêtes familiales et dans quelques restaurants, on trouve encore les bonnes **fèves au lard** ou les ragoûts de pattes de cochon. Plus souvent, on pourra déguster un canard au sirop d'érable ou de la dinde aux *atocas* (canneberges). Sinon, les **soupes** sont très populaires : soupes ou crèmes (veloutés) de légumes, de *gourganes* (fèves)... Essayez aussi les **cretons** (l'équivalent de nos rillettes), ou la **cretonnade** (à base de veau ou de volaille).

– À noter aussi, le **pâté chinois,** une sorte de hachis Parmentier auquel on ajoute du maïs. L'origine du nom correspond à une réalité historique : c'est le plat qui donnait le plus d'énergie aux nombreux travailleurs asiatiques qui construisirent la célèbre ligne de chemin de fer « transcanadienne ». On en trouve pas mal dans les restos populaires de Montréal.

– Le **poisson** figure aussi en tête de liste de la cuisine traditionnelle. Le saumon, naturellement : frais, en tartare, fumé au bois d'érable, mais malheureusement presque toujours d'élevage (et donc plus gras). La morue a été surpêchée et n'a plus la place qu'elle avait jadis. Dommage, car elle est excellente.

– Pour les **fruits de mer,** mieux vaut choisir des restos spécialisés dans la cuisine de la mer pour éviter les préparations décevantes (fritures en tous genres). On trouve des moules, souvent préparées à la marinière, des pétoncles ou des huîtres, mais généralement à des prix assez salés.

– Grâce aux viviers, le **homard** reste disponible toute l'année à Montréal. Généralement bouilli, on le trouve souvent sous forme de *guédilles* (sandwich dans un pain à hot-dog), de *surf and turf,* plats de homard et de bœuf gargantuesques, et même, tenez-vous bien, de *McLobster* ! Si votre porte-monnaie n'est pas extensible, on vous conseille de faire un tour à la *Muvbox* du Vieux-Port (voir « Où manger ? »), où l'on peut déguster le fameux crustacé à des tarifs modérés.

DRÔLE DE BESTIAU !

Pour grandir, le homard mue. Il quitte sa carapace environ 22 fois dans sa vie. Alors, sans protection, il est à la solde des prédateurs et se cache 15 jours dans les rochers, le temps que sa carapace durcisse. Autre surprise, les pinces ne sont pas identiques : la plus grosse porte des « molaires » (pour broyer) et la plus petite a des « incisives » (pour couper). Quand le homard perd une pince, elle repousse (comme chez le crabe).

– L'une des spécialités du Québec est la **poutine,** devenue rapidement un symbole d'une culture culinaire bas de gamme : des frites molles sur lesquelles on ajoute du « fromage en crotte » fondu, le tout nappé de sauce brune.

– Le Canada a hérité des traditions fromagères des deux pays qui l'ont colonisé : **fromages** fermes (style cheddar) du côté anglais, affinés à pâte molle pour l'influence française. Parmi les plus connus, citons le *Pied-de-Vent,* le *fleurdelisé* bio rappelant le roquefort, le *chèvre de Bouctouche,* ainsi que diverses tommes. La plupart sont disponibles dans les grands marchés publics de la ville, ceux de Jean-Talon et d'Atwater, par exemple.

– Au rayon des desserts, noter la **tarte au sucre,** la **tarte aux pécanes** (noix de pécan), le **gâteau aux carottes** et la **tarte aux bleuets** (sortes de myrtilles) en saison. À déguster aussi : le **pain doré** (pain perdu) au sirop d'érable, autre classique du petit déjeuner. L'une des spécialités de Montréal est le **pouding chômeur** (voir encadré plus haut). Au

POUDING CHÔMEUR

Pendant la crise de 1929, les femmes d'ouvriers imaginèrent une recette à base de produits bon marché : farine, cassonade et eau. Plus tard, on utilisera du sirop d'érable. Bon et peu dispendieux !

rayon friandises, il faut oser la **queue de castor,** une sorte de gaufre sans trous, nappée au choix de sucre, de chocolat ou de beurre d'érable. Son nom provient de l'habitude qu'avaient les Indiens de manger la chair, et surtout de raffoler de la queue de ce rongeur. Et enfin, les **crèmes glacées molles,** à tremper dans le chocolat et toutes sortes de sirops multicolores...

ÉCONOMIE

L'économie canadienne occupe aujourd'hui le 10e rang mondial. Avec un PIB par habitant d'environ 41 000 US$, c'est un pays où il fait bon vivre. Mines, électricité, tourisme, automobiles, bois d'œuvre et pâte à papier, pétroles bitumineux, télécommunications, bœuf de l'Alberta, homard de l'Atlantique... Ils contribuent tous à la prospérité canadienne. Autre richesse : les immigrants. Le Canada reçoit *per capita* plus d'immigrants que tout autre pays. Il le fait en partie pour des raisons humanitaires, mais il bénéficie aussi de cette immigration car il accueille en priorité les gens prêts à investir dans le pays et les jeunes fortement diplômés. L'immigration procure donc au Canada des capitaux, des compétences diverses et exceptionnelles, de même que de la main-d'œuvre à bon marché. Comme quoi une mosaïque culturelle peut être rentable, et Montréal en est un exemple frappant !

Le cas québécois

La situation du Québec est sensiblement la même que celle du pays pris dans son ensemble, avec des exportations principalement tournées vers les États-Unis et une prédominance du tertiaire. Selon les chiffres de 2010, la Belle Province représente à peu près 20 % de l'économie canadienne. Son PIB par habitant est bien inférieur (d'environ 9 000 US$) à celui du reste du Canada en raison de la faible productivité du Québec, mais le bien-être des habitants n'en est pas affecté. L'un des problèmes majeurs, ici comme ailleurs, est l'explosion de la dette publique, qui se chiffre à près de 250 milliards de $ (soit environ 75 % du PIB régional).

Les ressources naturelles du Québec continuent de jouer un rôle important dans l'économie, en particulier les secteurs des mines et de l'hydroélectricité, aux coûts de production relativement faibles. La province est même parmi les principaux producteurs mondiaux de fer, de zinc, de nickel, d'argent et d'or. Les exportations d'aluminium et d'alliages viennent au premier rang. Mentionnons aussi l'industrie forestière, l'agriculture (élevage avant tout) et la pêche. À côté de cela, le Québec a développé une industrie de pointe, en particulier dans les domaines de l'aéronautique, des biotechnologies (marines, entre autres), de l'industrie pharmaceutique et du multimédia. Le tourisme représente environ 2,5 % du PIB de la province.

La puissance montréalaise

La métropole québécoise est le deuxième pôle économique du Canada. Elle représente à elle seule un gros tiers des richesses produites dans la province. Si, à partir des années 1960, elle a été supplantée par Toronto en tant que capitale financière, elle conserve des atouts de choix dans le domaine des industries de pointe : informatique, aéronautique, biochimie, pharmaceutique... Parmi les grosses compagnies possédant leur siège social à Montréal, citons *Bombardier* (construction de trains, d'avions, etc.), *Bell* (télécommunications), *Air Canada*, *Rio Tinto Alcan* (secteur minier), *SNC-Lavalin* (ingénierie), *Pétro-Canada*, l'*Agence spatiale canadienne* ainsi que de nombreuses banques. On est loin des débuts de la Nouvelle France, où Montréal était avant tout la capitale... de la traite de la fourrure !

Il faut dire que la ville ne manque pas d'atouts. Située à seulement 63 km de la frontière américaine, elle profite grandement de cet immense marché étendu à ses pieds, aidé par la faiblesse relative du dollar américain. Le taux d'imposition sur les entreprises figure parmi les plus bas d'Amérique du Nord (alors même que le taux d'imposition général est l'un des plus élevés !). Montréal possède aussi une main-d'œuvre qualifiée et souvent bilingue. Enfin, avec plus de 7 millions de touristes chaque année, la ville est la 2e destination du pays derrière Toronto, et en tire des revenus importants. Point noir au tableau : le taux de chômage de Montréal, d'environ 9 % en 2012, est plus élevé que dans le reste de la province (8 %) et du pays (environ 7,5 %).

ENVIRONNEMENT

Avec 17 grands parcs représentant près de 20 km² de verdure, Montréal est indubitablement une ville verte. Ses deux poumons sont le parc du Mont-Royal (près de 2 km²) au nord-ouest du centre, et le parc Jean-Drapeau (2,6 km²) au milieu du fleuve Saint-Laurent, formé par l'île Sainte-Hélène et l'île Notre-Dame. Les quais du Vieux-Port, depuis leur réaménagement, sont propices aux balades urbaines et aux pique-niques, tout comme l'adorable parc La Fontaine, avec ses deux paisibles lacs artificiels séparés par une cascade, ou le Jardin botanique, qui est le deuxième plus grand du monde par sa superficie.

Une étude a révélé que, entre toutes les agglomérations canadiennes, Montréal est celle où l'on utilise le moins sa voiture et le plus les transports en commun. Et, pour ne rien gâcher, les autorités municipales ont décidé de rendre plus verts les véhicules de la ville. 300 voitures éco-énergétiques et une petite douzaine de voitures électriques ont fait leur apparition à Montréal début 2013. Initiative mineure certes, mais l'on promet que ce n'est qu'un début. Ajoutez à cela plus de 650 km de pistes cyclables et vous comprendrez pourquoi beaucoup considèrent qu'il s'agit de l'une des métropoles les plus agréables du monde en termes de qualité de vie. Pourtant, et paradoxalement, un classement de l'OMS (Organisation mondiale de la santé) pointe du doigt la mauvaise qualité de l'air montréalais, qui serait le deuxième plus pollué parmi toutes les villes canadiennes. Bon, il faut malgré tout relativiser : l'air de Montréal reste 2 fois moins pollué que celui de Paris et... 10 fois moins que celui de Beijing.

GÉOGRAPHIE

Connaissez-vous le point commun entre Singapour, Hong Kong et Montréal ? Ces trois villes sont situées sur une île ! Délimitée par le fleuve Saint-Laurent au sud et la rivière des Prairies au nord, l'île de Montréal, avec près de 500 km² (environ 50 km de long pour 16 km de large), est la plus grande de l'archipel d'Hochelaga. Car elle n'est pas toute seule : plus de 200 îles constellent le fleuve Saint-Laurent à l'endroit où ses eaux rejoignent celles de la rivière des Outaouais.

Située au sud du Québec, à la même latitude que Lyon ou Venise (mais pas avec le même climat !), Montréal trône en plein cœur de la vallée du Saint-Laurent. Son point culminant, vous l'apercevrez de pratiquement partout en ville : c'est le mont Royal, avec ses 234 m, qui a d'ailleurs donné son nom à la ville.

Les quartiers de Montréal

– *Le Vieux-Montréal :* c'est le quartier originel, où les premiers colons se sont installés. Autrefois ceint de remparts (rasés en 1817), il s'étend entre les rues McGill, Saint-Antoine, Berri et de La Commune. Vous y passerez forcément lors de votre séjour, car c'est le quartier le plus touristique de Montréal. Toujours très animé, envahi par les piétons, il fait bon s'y promener à la recherche des vestiges du passé. Le Vieux-Montréal est bordé par le Vieux-Port, brillamment réaménagé dans les années 1990.

– *Le centre-ville (ou Downtown) :* c'est l'Amérique des gratte-ciel, le quartier des affaires, des bureaux aux vitres étincelantes et des larges avenues commerçantes (notamment la rue Sainte-Catherine). Étendu au sud du parc du Mont-Royal, entre Atwater (plutôt anglophone) et la place des Arts (plutôt francophone), c'est un peu un quartier de transition entre les deux communautés linguistiques. Il abrite aussi le petit quartier chinois et la prestigieuse université anglophone de McGill (la plus ancienne du Québec).

– **Le Quartier latin :** avec la rue Saint-Denis pour épine dorsale, c'est un quartier fortement étudiant et francophone, où la vie nocturne bat son plein tous les jours de l'année. Siège de l'UQAM (Université du Québec à Montréal) depuis les années 1970, il accueille une ribambelle de bars, restaurants, cinémas, ainsi que de nombreuses animations de rue... Impossible de s'ennuyer ici !

– **Le Village :** il se résume à une portion de la rue Sainte-Catherine, entre les rues Saint-Hubert et Papineau, ainsi que les rues adjacentes. C'est, depuis le début des années 1980, le quartier gay de Montréal, connu pour son animation nocturne, ses nombreuses discothèques (pas seulement ouvertes aux homos, précisons-le), ses cabarets *drag-queen,* ses saunas pour hommes et ses bars à l'ambiance décontractée. La rue devient piétonne durant l'été.

– **Le Plateau Mont-Royal :** les maisons à 2 ou 3 étages dotées d'un escalier de fer en façade sont typiques de ce vaste quartier résidentiel situé au nord du centre-ville. L'avenue du Mont-Royal en est l'artère principale : bordée de commerces à touche-touche, c'est l'une des rues les plus indiquées pour le shopping (pardon : la « magasinage » !). Plutôt branché et habité par les classes moyennes francophones, il abrite aussi de nombreux gîtes (chambres d'hôtes), bars et restaurants.

– **Mile-End :** partie ouest du Plateau Mont-Royal, dont il ne se différencie guère à première vue. Très branché, il regroupe d'excellents restos, bars et boîtes de nuit. C'est un quartier très cosmopolite et bilingue, où se réunissent notamment les communautés portugaise, grecque et juive.

– **Outremont :** à l'ouest de l'avenue du Parc, c'était une municipalité indépendante jusqu'à sa fusion avec Montréal en 2002. C'est un quartier huppé peuplé surtout de francophones ; on y trouve des boutiques et restos haut de gamme.

– **Westmount :** au sud-ouest du parc du Mont-Royal, a préféré garder son indépendance ; c'est une municipalité à part entière. Un peu l'équivalent d'Outremont pour les anglophones, mais encore plus bourgeois, tendance grosses maisons victoriennes précédées d'un gazon à l'anglaise. C'est en fait l'une des villes les plus riches du pays.

– **Hochelaga-Maisonneuve :** situé à l'est de la ville, le long du Saint-Laurent, est tout l'opposé : ancien quartier ouvrier francophone, il s'embourgeoise peu à peu mais reste assez populaire. C'est là que se trouvent le Parc olympique et le Biodôme.

– **Rosemont-la-Petite-Patrie :** immense arrondissement qui occupe le nord-est de la ville. À l'ouest du quartier, on trouve la « Petite Italie », nommée ainsi suite à deux vagues d'installation d'ouvriers italiens, au XIXe s puis dans les années 1950-1960. Intéressant pour ses *trattorias,* ses églises, et le marché Jean-Talon.

– **Côte-des-Neiges – Notre-Dame-de-Grâce :** au nord-ouest du parc du Mont-Royal (dont il administre une partie), c'est l'arrondissement le plus peuplé de Montréal. Il abrite l'Université de Montréal, plusieurs collèges et l'École polytechnique : beaucoup d'étudiants dans les parages, donc !

Orientation

Vous l'aurez compris, Montréal est une mosaïque de nombreux quartiers très distincts, avec cependant des frontières qui se recoupent parfois, des zones d'influence qui se superposent, des flux sociaux et culturels qui s'entrecroisent.

Le *boulevard Saint-Laurent* divise la ville en deux d'ouest en est. Les numéros partent de là. De part et d'autre, une même rue se dénomme Est ou Ouest. Ne vous trompez pas, ça peut coûter un paquet de kilomètres. Du sud au nord, moins de problèmes, tous les numéros partent du fleuve. Les rues verticales se retrouvent toutes aux mêmes numéros aux carrefours importants, en principe de 1 000 en 1 000, quitte à oublier quelques dizaines de numéros en route pour arriver juste. C'est assez pratique, vous vous y ferez vite !

Le boulevard Saint-Laurent marquait autrefois une sorte de frontière imaginaire. À l'ouest, les beaux quartiers, majoritairement anglophones, le quartier des affaires et *Westmount,* le secteur résidentiel de la bourgeoisie anglophone. À l'est, les quartiers francophones et les usines. Ces différences ont maintenant tendance à s'estomper grâce aux travaux de rénovation opérés en centre-ville, au brassage des populations et à l'immigration nouvelle, notamment de Français, qui sont de plus en plus nombreux depuis quelques années à venir tenter leur chance dans ce qui s'apparente, pour les vieux Européens, à un eldorado plein de promesses où l'on peut dégoter un emploi en l'espace d'une seule journée.

Au sud, on trouve le quartier historique, le *Vieux-Montréal,* joliment réhabilité et, plus au nord, sur les pentes du mont Royal, Outremont, la zone résidentielle de la bourgeoisie francophone. Plus loin, différents quartiers d'immigrés, comme la Petite Italie, ou d'artistes, comme Mile-End, recoupent le *Plateau Mont-Royal.* « Le Plateau », autrefois pauvre et ouvrier, est devenu le point de ralliement des classes moyennes, de la jeunesse qui bouge, des Européens immigrés et des bobos. C'est ici que se multiplient désormais les gîtes, excellente solution d'hébergement pour faire halte à Montréal.

HISTOIRE

Les premiers peuplements

On date *la première présence amérindienne sur l'île de Montréal à environ 4 000 ans.* Plutôt nomade d'abord, elle se concentre dans le Vieux-Montréal, un quartier à la situaton idéale, sur la rive du Saint-Laurent. Puis, dès l'an 1000, des tribus s'y sédentarisent, tel est le cas des Algonquins. Partageant leurs activités entre la pêche (plutôt l'été) et la chasse (plutôt l'hiver), tous ces peuples améridiens sont animistes, perpétuent leur culture ancestrale par la tradition orale, et sont convaincus de la nécessité d'un équilibre entre l'homme et la nature.

Entre les années 1000 et 1535, Montréal – ou plutôt *Hochelaga* comme elle était à l'époque appelée – est habitée par *les Iroquoiens du Saint-Laurent,* une nation sédentaire adepte de soupe de maïs et de maisons longues. La place Royale est alors le centre économique du village.

L'arrivée des premiers Européens

Jacques Cartier, originaire de Saint-Malo, vient à trois reprises au Canada avec pour mission très officielle de « découvrir certaines îles et pays où l'on dit qu'il doit se trouver une grande quantité d'or et d'autres riches choses ». C'est lui qui prend possession du Canada au nom du roi de France, en 1534, et fonde la colonie de la Nouvelle-France.

À son deuxième voyage, *en 1535, Jacques Cartier pénètre l'estuaire du fleuve Saint-Laurent* (fleuve qu'il appelle ainsi car on célébrait cette fête le jour de sa découverte !), qu'il remonte jusqu'au village d'Hochelaga où il est chaleureusement accueilli par les quelque 1 500 Iroquoiens qui y vivent. Le Malouin appelle la colline qu'il découvre *mont Réal* (mont Royal) en l'honneur de son roi.

ET TOC !

En 1541, Cartier croit découvrir dans les falaises de Québec or et diamants. Il fait charger à ras bord l'une des caravelles et... prend le large, sans attendre son compagnon de voyage, Jean-François de Roberval, parti explorer le Saguenay. Au retour, l'or se révélant être de la pyrite et les diamants du quartz, toute l'Europe se moque... Une expression apparaît même : « Faux comme diamants du Canada » !

La fondation de Montréal

Déjà explorée par Jacques Cartier et Samuel de Champlain, un jeune voyageur devenu géographe royal, l'île de Montréal doit attendre *1642,* avec l'arrivée des

Français **Paul de Chomedey, sieur de Maisonneuve, et Jeanne Mance,** pour accueillir ses premiers habitants européens. Ce noble champenois a en effet été choisi par la « Société Notre-Dame de Montréal pour la conversion des Sauvages de la Nouvelle-France » (on n'a pas résisté au plaisir de vous citer le nom en entier !), afin de peupler et de faire prospérer la nouvelle concession achetée par cette société catholique. Le village d'Hochelaga n'existe pourtant plus, les Iroquoiens du Saint-Laurent ne sont plus là, mais la région est toujours peuplée de diverses nations autochtones. De Maisonneuve s'implante, en compagnie d'une cinquantaine de colons, autour de l'actuelle place Royale, à l'endroit précis ou se dresse désormais le musée d'Archéologie de Pointe-à-Callière. En hommage à la Vierge, **il baptise l'endroit Ville-Marie** et plante un crucifix au sommet du mont Royal pour marquer son nouveau territoire.

Les colons s'attèlent ensuite à la construction d'églises, d'un fort, d'une chapelle et d'une maison commune. La mission a beau être harassante pour les Amérindiens, rien n'entame la détermination des nouveaux arrivants. Ils s'arment et se blottissent entre les remparts, dans l'actuel Vieux-Montréal. **En 1645, Jeanne Mance inaugure l'hôtel-Dieu,** l'un des plus anciens hôpitaux d'Amérique du Nord. La petite communauté se réduisant

PARLEZ-VOUS IROQUOIS ?

Un chef iroquois confia ses fils à Jacques Cartier, en qui il avait confiance, pour les ramener en France. Ces Indiens prononçaient souvent le mot iroquois kannata, *qui signifie « amas de cabanes ». Jacques Cartier, croyant que c'était le nom de leur pays, appela donc* Canada *cette terre où il avait planté le drapeau du royaume de France.*

comme peau de chagrin sous les coups des Iroquois, de Maisonneuve retourne à Paris pour recruter une centaine de colons. La colonie embryonnaire réussit à grandir suffisamment pour décourager les attaques ennemies et assurer sa pérennité. Le commerce de la fourrure peut alors prospérer, malgré les tensions franco-anglaises et la poursuite des hostilités par les Iroquois. En 1701, le gouverneur de la Nouvelle-France, Louis-Hector de Callière, reçoit à Montréal les représentants de 39 nations amérindiennes. La **Grande Paix** est signée en août, éliminant la menace iroquoise à Montréal et garantissant le respect de la neutralité par les Cinq-Nations iroquoises en cas de conflit franco-anglais. Un accord respecté jusqu'en 1760, soit la fin du régime français.

La Couronne britannique

Les Français ne sont pas les seuls à s'intéresser au Nouveau Monde, l'ennemi héréditaire est aussi sur les rangs.

Après quelques défaites, **les Anglais prennent Montréal le 8 septembre 1760,** au terme d'un long siège. Au traité de Paris en 1763, la France perd toutes ses possessions, excepté Saint-Pierre-et-Miquelon. Après 150 ans d'occupation, la Nouvelle-France est abandonnée. L'armée rentre en France, suivie par la plupart des notables et commerçants de la colonie, qui ne laissent derrière eux que les Français les plus démunis (une majorité évidemment), livrés aux Anglais.

LES FILLES DU ROY

Pour peupler la Nouvelle-France, Louis XIV décida d'y envoyer des filles pauvres ou abandonnées. Environ 800 de ces orphelines firent la traversée en quête d'un mari et d'une vie meilleure. Le roi était leur tuteur légal et leur offrait donc une dot pour se marier ainsi que le voyage. La plupart étant citadines, certaines ne résistèrent pas aux dures conditions de la vie paysanne.

Sous occupation britannique, **Montréal devient la capitale québécoise du commerce de fourrures,** avec la fondation, en 1782, de la Compagnie de l'Ouest. Au début du XIXe siècle, la ville est en plein essor économique, développant peu à peu le commerce du bois et du blé.

En 1791, le Québec est divisé en deux par l'Acte constitutionnel : le Bas-Canada (le Québec d'aujourd'hui, dont fait donc partie Montréal), à majorité francophone, et le Haut-Canada (l'Ontario actuel). En 1838, les deux provinces se révoltent contre l'autoritarisme de Londres. Les patriotes du Montréalais **Louis-Joseph Papineau** proclament l'indépendance du Bas-Canada, mais commettent l'erreur de décréter aussi la séparation de l'Église et de l'État. La rébellion est rapidement écrasée.

En 1840, les deux Canada et leurs gouvernements respectifs sont réunis par les Anglais afin que les anglophones dominent les francophones. **Le 1er juillet 1867, le Canada devient « dominion britannique »,** une date qui marque officiellement la naissance du pays.

Entre-temps, malgré les dégâts causés par l'incendie de 1852, Montréal continue son chemin : construction de nombreux chemins de fer, industrialisation croissante... Montréal voit peu à peu apparaître une élite bourgeoise commerciale, financière et industrielle importante, encore majoritairement anglophone.

La revanche des francophones

En 1931, le Canada acquiert l'indépendance et devient une monarchie constitutionnelle.

À partir des années 1960, les francophones prennent peu à peu le pouvoir économique : c'est ce qu'on a appelé la **« Révolution tranquille ».** Au fil du temps, les grandes familles anglophones basées au Golden Square Mile (le Mile carré doré), sur les pentes du mont Royal à Montréal, cèdent leur place à des entrepreneurs francophones. Oubliée l'époque où les « Nègres blancs d'Amérique » – selon les mots de l'écrivain Pierre Vallières –, assujettis par une minorité anglophone et le clergé, vivaient une situation proche de celle des Irlandais au siècle passé : domination britannique et misère économique pour des familles (très !) nombreuses et catholiques pratiquantes.

La « Révolution tranquille » des années 1960 a été précédée par la « revanche des berceaux ». Les Québécois francophones, avec leurs familles de 12, 15, voire 20 enfants (!), ont littéralement noyé la communauté anglophone. Cette révolution-là, les Québécois la doivent au clergé, qui voyait dans la fécondité des femmes le moyen le plus sûr d'implanter solidement l'Église romaine dans le Nouveau Monde. On était pauvres, mais pieux et prolifiques... Le diocèse de Montréal formait encore à cette époque 700 à 800 prêtres par an. Aujourd'hui, il en sort à peine sept ou huit ! Cette **frénésie religieuse** s'est éteinte brutalement au début des années 1970, dans la foulée de la génération *peace and love*.

« Vive le Québec libre ! »

Depuis 1960, la société québécoise connaît une mutation très importante. Grands programmes énergétiques, industrialisation et dynamisme culturel la font émerger sur la scène internationale.

En 1967, le centenaire du Canada est fêté avec l'organisation de l'Exposition universelle de Montréal (50 millions de visiteurs, l'expo la plus populaire de l'histoire). Le maire d'alors, Jean Drapeau, lance alors la construction du métro de Montréal.

C'est aussi à ce moment que **de Gaulle** lâche une petite phrase qui coupe le souffle du monde : **« Vive le Québec libre ! ».** De Gaulle soutient publiquement ce que certains considèrent comme une idée terroriste émise par de jeunes agitateurs ! Avec le recul, l'explication la plus plausible est que de Gaulle a saisi une occasion de semer une certaine perturbation chez les Anglo-Saxons... Reste qu'il s'adresse alors aux Québécois comme à des Français du Canada et non à un peuple distinct. *En 1968, un dissident du Parti libéral, René Lévesque, journaliste influent de la TV québécoise, fonde le Parti québécois.* En 1970, sa formation obtient 24 % de voix et quelques sièges. C'est à cette époque que de jeunes Québécois, impatients et peu confiants dans les voies institutionnelles, créent le FLQ (Front de libération du Québec) et se lancent dans le terrorisme.

Trudeau et le FLQ

Entre-temps, *en 1968, Pierre Elliott Trudeau devient Premier ministre* (libéral) du Canada après avoir été un ministre très progressiste. Durant son passage à la Justice, il décriminalise l'homosexualité et l'avortement, légalise le divorce, abolit la peine de mort... Un sacré palmarès pour ce Montréalais ! Ses réformes le rendent particulièrement impopulaire au Québec, où l'emprise de l'Église est encore plus que tenace. Favorable à une égalité linguistique, il reste farouchement opposé à toute idée d'indépendance. De leur côté, *les membres du FLQ accentuent les actions terroristes.* Ils enlèvent le commissaire aux Affaires britanniques James Cross et assassinent le ministre québécois du Travail Pierre Laporte durant *la crise d'octobre 1970* à Montréal. Le FLQ est déclaré hors la loi, puis Trudeau invoque la « loi des Mesures de guerre » et envoie 10 000 hommes au Québec pour y effectuer plusieurs centaines d'arrestations sans mandat d'arrêt. Le choc émotionnel voit l'exode de beaucoup d'anglophones influents du Québec vers Toronto, qui prend alors le pas sur Montréal dans les secteurs financier et démographique.

La question du Québec, encore et toujours

La quasi-victoire souverainiste de 1994 jette un froid au Canada. Selon la Cour suprême, l'expression d'une « majorité claire » quant à une éventuelle sécession obligerait le gouvernement fédéral à négocier. *La « question du Québec » demeure donc d'actualité.* La menace n'est plus désormais économique, ni même politique, mais culturelle : beaucoup de Québécois craignent que l'immigration n'accroisse la part de l'anglais dans la province au détriment du français. Crainte accentuée par le très faible taux de fécondité des Québécoises. Et les efforts du gouvernement du Québec, qui s'est fixé pour objectif d'accueillir au minimum 40 % d'immigrants francophones (recrutés notamment en France), n'y peuvent rien : *la part du français au Canada ne cesse de diminuer.* Autre question : qu'adviendrait-il du Canada si les souverainistes parvenaient, un jour, à arracher le Québec à la Fédération ? Au Québec même, les fédéralistes, majoritaires autour de Montréal, ont émis l'hypothèse de leur propre sécession : « Si le Canada est divisible, le Québec l'est aussi » !
Va-t-on aujourd'hui vers une évolution multiculturelle avec l'anglais ou le français comme langue dominante ? État souverain ou province canadienne ? Il semble que le Québec demeurera français... et canadien, mais on verra bien.

Le « Printemps érable »

L'année 2012 montréalaise est surtout marquée par la *grève étudiante contre la hausse des frais d'inscription à l'université* prévue par le gouvernement libéral de Jean Charest (82 % d'augmentation étalés sur 7 ans !), et mettant fin au modèle d'université accessible à tous les Québécois. Une crise sociale inédite surnommée le « printemps érable ». Le 22 mars, on compte entre 100 000 et 200 000 manifestants à Montréal ! Aux étudiants montréalais (près d'un tiers d'entre eux), se joignent rapidement enseignants, associations et citoyens ordinaires. Devant cette contestation grandissante et quelques débordements, le gouvernement fait voter en mai la loi 78, restreignant le droit de manifester. Une loi autoritaire donc, qui ne fait qu'attiser la colère des manifestants. Le gouvernement préfère l'indifférence et la répression au dialogue. Les arrestations se multiplient. ***Il faut attendre le mois de septembre pour l'annulation de cette mesure*** qui a fait tant de remous. Une annulation entérinée par l'indépendantiste ***Pauline Marois, la nouvelle Première ministre du Québec,*** qui succède ainsi au libéral Jean Charest – une victoire quelque peu endeuillée par la fusillade de Montréal lors de son discours inaugural, faisant un mort et un blessé.

Mafia, scandales et corruption

En novembre 2012, nouveau rebondissement. Maire de Montréal depuis 2001, ***Gérald Tremblay est mis en cause dans une affaire de financement illégal de sa formation, Union Montréal.*** Il aurait pris part, plus ou moins directement, à la mise en place d'une double comptabilité, afin de cacher l'origine et l'utilisation de certains fonds. Ceux-ci provenaient d'entrepreneurs proches de la mafia sicilienne. Depuis 2004, les Montréalais connaissent en effet la présence dans leur ville d'un cartel d'entrepreneurs, originaires d'Italie dans leur grande majorité, dominant l'industrie du bâtiment et les marchés publics. ***La corruption gangrène Montréal,*** mais aussi le Québec tout entier. Son éradication fait définitivement partie de l'agenda de Pauline Marois. La commission d'enquête Charbonneau travaille en ce sens, elle rendra son rapport en octobre 2013.

En plein cœur du scandale, ***Gérald Tremblay démissionne le 5 novembre,*** un an avant la fin de son mandat. Il est remplacé le 16 novembre par l'indépendant ***Michael Applebaum,*** maire intérimaire jusqu'aux prochaines élections municipales de novembre 2013, et premier maire anglophone de la ville depuis 1910 !

INSTITUTIONS ET POLITIQUE

Au niveau provincial, les élections anticipées de décembre 2008 voient une victoire assez nette des libéraux (fédéralistes) de Jean Charest, qui remportent 66 sièges sur 125, rempliant pour un troisième mandat consécutif. L'incontournable Parti québécois (souverainiste), alias PQ, forme l'opposition officielle, avec 51 députés, malgré les critiques réitérées sur ses querelles internes et la « course aux postes » à laquelle ses membres sont accusés de se livrer. L'Action démocratique du Québec (autonomiste de centre droit) s'effondre, passant de 39 à 7 sièges, et le petit Québec solidaire, souverainiste et écologiste de gauche, réussit à faire élire son premier député. Le fort taux d'abstention (42,57 %) amène toutefois à relativiser les résultats du scrutin tout en soulignant la désaffection grandissante des électeurs.

En 2010, un scandale éclate sur la place publique, éclaboussant le Premier ministre Jean Charest, accusé d'avoir influé sur la nomination de juges. La commission Bastarache, diligentée pour tenter de faire la lumière sur cette affaire, se contente de conclure qu'il n'y a pas eu de « pressions colossales »...

Usé par 9 ans de pouvoir et visé par des soupçons de corruption, Jean Charest annonce la dissolution du Parlement et la tenue d'élections anticipées en septembre. Le Parti québécois remporte une courte victoire : 32 % des voix (et 56 sièges sur 125), contre 31,2 % (47 sièges) pour le Parti libéral – qui arrive tout de même en tête à Montréal. À la tête de ce gouvernement minoritaire, Pauline Marois, la « Dame de béton », devient la première femme à occuper le poste de Premier ministre du Québec. Après avoir entériné l'annulation de la hausse des frais universitaires et de la loi 78, elle se lance dans la réalisation de son programme, une tâche d'autant plus difficile que l'opposition est forte. Il lui faut d'abord rassembler les Québécois. Elle garde intelligemment pour plus tard sa ferme idée d'un référendum sur l'indépendance du Québec...

LANGUE

Depuis 1977, le français est la seule langue officielle au Québec et donc à Montréal. Les Montréalais, qui n'ont cessé de se battre en faveur de leur langue, traduisent systématiquement tous les anglicismes, tels que « stop » (arrêt), « parking » (parc de stationnement), « week-end » (fin de semaine), « e-mail » (courriel), « drive-in » (service au volant), « rocking-chair » (chaise berçante : joli, non ?)... Cela peut

ON SE DIT « TU » ?

Le tutoiement est bien plus utilisé que chez nous. Un principe d'égalité qui surprend quand un chauffeur de taxi vous tutoie, par exemple. Un Québécois peut d'ailleurs très vite passer du vouvoiement au tutoiement au cours de la même conversation. On vouvoie plutôt les supérieurs hiérarchiques et les personnes âgées. Mais pas toujours !

donner des traductions littérales que l'on ne saisit pas toujours au premier abord comme le typique « bienvenue » en lieu et place de l'anglais « *you are welcome* » (« je vous en prie »). Et puis il y a ces expressions et ces mots anglais qui ont été francisés : « canceller » (annuler), « appliquer » (postuler), « c'est engagé » (c'est occupé), « tomber en amour » (« *fall in love* »), « prendre une marche » (« *take a walk* ») et tant d'autres... Pas de « shopping » ici, mais du « magasinage » ! L'incontournable « chum », issu de l'argot britannique d'avant-guerre, c'est un copain ou un petit ami. À noter qu'on fait une « job » ou une « jobine », selon l'importance du travail qui nous est confié... À noter également : les métiers se mettent au féminin ; on parlera d'une *auteure*, d'une *écrivaine*, d'une *mairesse*. Petite remarque de structure, pour terminer : vous entendrez souvent des questions faisant un usage répété du pronom. Exemples : « Tu veux-tu ? » « Tu penses-tu ? » Le *tu* est même parfois apposé à d'autres phrases : « ça se peut-tu ? »

Vous noterez sans doute que beaucoup de gens (surtout des jeunes urbains) mélangent allègrement français et anglais dans la même phrase. On assiste parfois à des conversations étonnantes, où une réponse en anglais succède à une question en français, où les interlocuteurs utilisent indifféremment l'une ou l'autre langue pour continuer le dialogue. C'est ça, le vrai cosmopolitisme !

Voici une petite liste d'expressions qui peuvent différer selon que l'on se trouve en ville ou à la campagne, selon l'âge ou autre. Un conseil : n'essayez pas d'utiliser ces termes en imitant l'accent (en général, les Montréalais détestent), ni de jurer en employant leurs expressions (comme le fameux « tabernacle »). En revanche, jetez un œil sur la liste plus bas si vous voulez éviter quelques malentendus !

LES BLONDES NE COMPTENT PAS POUR DES PRUNES

Les blondes ne sont pas plus bêtes que les autres ! Nous voilà rassurés. L'origine des blagues sur les « blondes » vient du vocabulaire québécois. Ma « blonde » signifie tout simplement ma femme (ou mon amoureuse). Ces blagues ne sont donc pas antiblondes, elles sont juste machistes.

– *Bonjour :* bonjour, mais aussi au revoir.

– *Bienvenue :* de rien (en réponse à un remerciement).

– *Jaser, placoter :* bavarder.

– *Déjeuner :* petit déjeuner.

– *Dîner :* déjeuner.

– *Souper :* dîner.

– *Salle à manger :* restaurant.

– *Un jus :* un jus de fruits.

– *Breuvage :* boisson non alcoolisée.
– *Cannes :* conserves.
– *Les ustensiles :* les couverts.
– *Chaudron :* casserole.
– *Foyer :* cheminée.
– *Salle d'eau :* cabinet de toilette, avec lavabo (sans douche).
– *Gougounes :* tongs, chaussons.
– *La tuque :* le bonnet.
– *Égreyer, dégreyer :* habiller, déshabiller.
– *Atchoumer :* éternuer.
– *Magasiner :* faire des courses.
– *Un dépanneur :* une petite épicerie de proximité.
– *Bar laitier ou crèmerie :* marchand de glaces.
– *Crème molle :* l'équivalent de notre glace à l'italienne.
– *Beurre de pinottes :* beurre d'arachides (de *peanuts* : cacahuètes).
– *Pogner les nerfs :* s'énerver.
– *Blé d'Inde :* le maïs.
– *C'est dispendieux :* c'est cher.
– *Charger :* facturer ou faire payer.
– *Offert :* proposé (aucune notion de gratuité !).
– *Icitte :* on le dit souvent pour « ici ».
– *Présentement :* maintenant.
– *Asteure :* maintenant.
– *Tantôt :* tout à l'heure.
– *Ma blonde :* ma petite amie.
– *Mon chum* (prononcer « tcheum ») *:* mon petit ami.
– *Un bec :* un petit baiser.
– *Cruiser* (prononcer « crouser ») *:* draguer.
– *Tomber en amour :* tomber amoureux.
– *Party :* fête.
– *C'est l'fun* (prononcer « fone ») *:* c'est super, agréable, drôle.
– *C'est dull, c'est platte :* c'est ennuyeux.
– *C'est cute :* c'est mignon.
– *Elle est fine :* elle est gentille.
– *Bibittes ou bebittes :* insectes (en général).
– *Maringouins :* moustique.
– *Bicycle à gazoline :* moto.
– *VTT :* ce n'est pas un vélo, mais un véhicule tout-terrain motorisé à quatre roues (quad).
– *Char :* voiture.
– *Tanker son char :* faire le plein d'essence.
– *Chauffer dans la noirceur :* conduire de nuit.
– *Se tirer une bûche :* s'asseoir.
– *Roulotte :* caravane.
– *Motorisé, roulotte :* camping-car.
– *La renverse, le reculon :* la marche arrière.
– *Une congestion :* un embouteillage.
– *Faire du pouce :* faire de l'auto-stop.
– *Y mouille :* il pleut.
– *La brunante, la noirceur :* le crépuscule, l'obscurité.
– *La sloche :* la neige sale et fondue dans les rues des villes.
– *Tabagie :* bureau de tabac.
– *Salle de quilles, quillodrome :* bowling.
– *Une plume :* un stylo.
– *Une bonne toune :* un bon morceau de musique, une bonne chanson.
– *Chialeux :* râleur.

– *Branleux* : hésitant.
– *Niaiseux (niaiseuses)* : bête, stupide (« maudit niaiseux ») ou facile à faire.
– *Niaise-moi pas* : ne me fais pas marcher, ne te fous pas de moi.
– *Menteries* : mensonges.
– *Crosseur* : magouilleur.
– *Se faire passer un sapin ou se faire amancher* : se faire avoir.
– *T'as pas d'affaire à faire ça* : tu ne dois pas faire ça.
– *Tannant* : fatigant ; *être tanné* : en avoir assez, être fatigué.
– *Achalant* : fatigant.
– *Réchauffé* : ivre.
– *Achalandé* : un magasin achalandé est un magasin plein de monde et non de produits.
– *Pas reposant* : excitant ou énervant.
– *Suisse* : un écureuil de Corée.
– *Pantoute* : pas du tout.
– *Sécher les dents* : sourire.
– *Un pamphlet* : une brochure, un dépliant.
Une dernière chose... évitez de dire que vous avez joué toute la matinée avec vos gosses (« couilles » en québécois) !
Si vous voulez en savoir plus, il existe des dictionnaires de langue québécoise disponibles en France et dans les librairies du Québec ; un petit guide récent fait le tour de la question : *Le québécois pour mieux voyager,* des éditions Ulysse.

MÉDIAS
::

Votre TV en français : TV5MONDE

TV5MONDE est reçue partout dans le monde par câble, satellite et sur Internet. Voyage assuré au pays de la francophonie avec films, fictions, divertissements, sports, informations internationales et documentaires.
En voyage ou au retour, restez connecté ! Le site internet ● tv5monde.com ● et sa déclinaison mobile ● m.tv5monde.com ● offrent de nombreux services pratiques et permettent de prolonger vos vacances à travers des blogs et des visites multimédias.
Demandez à votre hôtel sur quel canal vous pouvez recevoir TV5MONDE et n'hésitez pas à faire vos remarques sur le site ● tv5monde.com/contact ●

Télévision

Presque tous les hôtels montréalais sont câblés ou proposent une réception via satellite. On peut donc y regarder des dizaines de canaux, dont plusieurs américains – les ondes ignorent les frontières. Il y a aussi des chaînes sur la musique, le sport, la cuisine, les voyages, l'histoire, le golf, bref, pour tous les goûts.
CBC (Canadian Broadcasting Corporation), SRC (Société Radio-Canada) est la chaîne nationale de TV et de radio bilingue. C'est la plus sérieuse dans le traitement de l'information. Sa version française, *Télévision de Radio-Canada,* connaît une bonne popularité au Québec. C'est toutefois *TVA* qui truste l'essentiel du marché local, avec 40 des 50 programmes les plus populaires. Citons encore *Télé-Québec,* une chaîne publique éducative et culturelle.
Si vous voulez découvrir le monde des Amérindiens, ne manquez pas le *Aboriginal Peoples Television Network,* dont une partie de la programmation est en français. On y présente avec force et sensibilité la réalité actuelle des autochtones du Canada. Les actualités et les émissions culturelles sont particulièrement intéressantes.

Radio

Les stations de radio commerciales diffusent toutes sortes de genres musicaux en vogue. À Montréal, c'est la chanson francophone qui est à l'honneur sur les ondes. Certaines chaînes commerciales font aussi dans la formule *talk radio*. Bien sûr c'est populiste, mais ça permet de prendre le pouls d'un pays.

Même la prestigieuse *Société Radio-Canada* joue parfois avec brio ce jeu des tribunes radiophoniques. Cette *SRC* diffuse toute une gamme d'émissions d'informations. Si vous êtes vraiment alternatif, tant sur le plan musical que politique, vous serez curieux d'écouter les radios universitaires et communautaires. Elles diffusent des choses qu'on ne saurait dire ou qu'on ne voudrait entendre ailleurs...

Presse

À Montréal, *La Presse* (● lapresse.ca ●), plutôt fédéraliste, domine le panorama de l'édition depuis plus de 1 siècle, mais c'est désormais un tabloïd, *Le Journal de Montréal* (● journaldemontreal.com ●), qui est le plus diffusé, bien qu'il soit composé essentiellement de pub... Mentionnons aussi *Le Devoir* (● ledevoir.com ●), le seul journal français indépendant du Canada, plutôt intello et de tendance autonomiste. *The Gazette* (● montrealgazette.com ●) est le principal quotidien anglophone du Québec et le plus ancien (fondé en 1785). Vous trouverez sans problème la presse internationale.

Comme aux États-Unis, les hebdomadaires culturels gratuits sont maintenant des journaux importants. Montréal en compte deux, un en français, *Voir* (● voir.ca ●), et un en anglais, *Hour* (● hour.ca ●). Ils traitent parfois de sujets politiques et sociaux avec une irrévérence rafraîchissante. Quant aux quotidiens gratuits comme *Métro* ou *24h,* ils sont – comme en France – très neutres et légers en info mais peuvent permettre de tuer un peu le temps dans les transports ! Pour aller plus loin, du côté où l'on ne porte jamais de gants blancs en écrivant, lisez les journaux étudiants qui sont parfois hilarants.

Côté magazines, le mensuel *L'Actualité* (● lactualite.com ●) réalise le tour de force d'être un magazine sérieux et la revue la plus lue au Québec (après la *Sélection du Readers' Digest*...).

PERSONNAGES

Histoire et politique

– Bien entendu, il nous faut commencer par **Jacques Cartier,** marin malouin parti sur ordre de François Ier à la découverte d'un passage vers l'Asie. Il prend possession du Canada à Gaspé en 1534, au nom de son roi ; au cours d'un deuxième voyage, il remonte le Saint-Laurent assez loin.

– **Louis-Joseph Papineau** (1786-1871) : né à Montréal, il est le symbole du nationalisme québécois. Élu député en 1808, ses qualités d'orateur le propulsent

CARTIER ET LA POTION MAGIQUE

Bien des marins arrivant en Amérique mouraient du scorbut, faute de viande et d'aliments frais. Un jour, un chef indien confia à Cartier le remède : la décoction de l'écorce d'annedda. En repartant en France, le marin malouin oublia de communiquer le secret de la potion. Pendant des années, le scorbut continua à tuer bien des matelots.

en 1815 à la présidence du Parti canadien (qui deviendra en 1926 le Parti patriote) et à celle de la Chambre d'Assemblée. Souverainiste convaincu, il fait valoir les droits de la communauté francophone par la négociation et la non-violence. Une insurrection ratée, à laquelle il ne participe pas activement, le conduit à fuir aux États-Unis puis en France. Il sera amnistié à son retour.

– **Thérèse Casgrain** (1896-1981) : toute sa vie, cette Montréalaise s'est battue pour les droits des femmes mais aussi des consommateurs. Elle a d'ailleurs dirigé le mouvement pour le vote des femmes au Québec, une lutte de plus de 20 ans couronnée par le succès en 1941. En 1951, cette engagée prend la tête du Parti social-démocratique québécois, ce qui fait d'elle la première femme à la tête d'un parti politique au Québec.

– **Pierre Elliott Trudeau** (1919-2000) : ministre de la Justice en 1967 puis Premier ministre du Canada de 1968 à 1979 et de 1980 à 1984. Sous ses divers mandats, le divorce fut légalisé, l'homosexualité et l'avortement décriminalisés et la peine de mort abolie. Beau palmarès pour ce Montréalais défenseur des libertés individuelles et d'une démocratie tolérante des différences culturelles et religieuses. Souvent considéré comme le plus grand Premier ministre canadien, il est l'architecte du Canada officiellement bilingue et d'un certain nationalisme canadien. Fédéraliste acharné, il a été l'ennemi juré de l'indépendantiste René Lévesque.

Musique et cinéma

– **Norma Shearer** (1902-1983) : née à Montréal, cette jeune fille comprend rapidement que le succès l'attend aux États-Unis. Après quelques rôles de figuration, la consécration et l'oscar de la meilleure actrice arrivent en 1930 avec *La Divorcée*, de Robert Leonard. Elle est ensuite Juliette dans le *Roméo et Juliette* de George Cukor (1936), Marie-Antoinette dans le film éponyme de Van Dyke (1938), et mémorable dans le superbe *Femmes* (1945) de Cukor.

– **Leonard Cohen** (1934) : né dans une famille juive de Montréal, l'auteur du bel *Hallelujah* si souvent repris est surtout connu chez nous comme auteur-compositeur et interprète, mais il est aussi poète et romancier. C'est en effet par l'écriture qu'il s'est d'abord fait connaître dans le Canada anglophone des années 1950-1960. La religion, la solitude et la sexualité sont les thèmes centraux de ses textes.

– **Robert Charlebois** (1944) : dans les années 1960, ce Montréalais est au premier rang des anticonformistes de la chanson québécoise. Humour, provocation et improvisation se mêlent au rock et au joual (*Lindbergh*), ce qui fait scandale à l'époque. Il s'est beaucoup joué avec les ans (*Je reviendrai à Montréal*) tout en gardant une place importante dans le cœur des Québécois.

– **Céline Dion** (1968) : succès mondial pour cette Québécoise d'origine, née à Charlemagne, une bourgade des environs de Montréal. Au Québec, elle fait à la fois l'objet d'un culte populaire et d'un mépris de la part de détracteurs qui lui reprochent des chansons trop commerciales. Ses succès en France ont commencé après sa victoire à l'Eurovision en 1987 (elle représentait la Suisse...). Et puis il y eut *Titanic*, vous connaissez la suite... En 2012, elle rachète même (avec son R'né) l'institution culinaire juive de Montréal, *Schwartz's*.

– **Marie-Josée Croze** (1970) : née à Montréal, cette actrice commence sa carrière dans *La Florida* (1993), de George Mihalka, l'histoire d'une famille québécoise qui se lance dans l'hôtellerie en Floride. Viennent ensuite *Maelström* (2000), de Denis Villeneuve, et *Les Invasions barbares* (2001), de Denys Arcand (prix d'interprétation féminine à Cannes). Elle vit aujourd'hui à Paris et sa filmographie s'en ressent : *Ne le dis à personne* (2006), de Guillaume Canet, *Le Scaphandre et le Papillon* (2007), de Julian Schnabel, *Je l'aimais* (2009), de Zabou Breitman...

– **Le Cirque du Soleil :** les Québécois tirent beaucoup de fierté de cette institution *made in Québec*, fondée en 1984 par **Guy Laliberté,** qui n'a absolument rien à voir avec le cirque traditionnel. Les costumes sont spectaculaires, les décors féeriques, et la musique aux influences multiculturelles, interprétée en live, joue un rôle important dans la mise en scène. La troupe se produit aujourd'hui dans le monde entier, les 1 300 artistes qu'elle emploie sont recrutés aux quatre coins de la planète. Elle présente actuellement plus de 20 productions, dont une dizaine de spectacles fixes (à Las Vegas pour la plupart) et d'autres en tournée mondiale. Un consortium de Dubaï a même, en 2008, acheté 20 % des parts... Mais le siège social reste fixé à Montréal, ouf !

– **Xavier Dolan** (1989) : acteur, réalisateur, scénariste, il pourrait incarner à lui seul la relève du cinéma québécois ! La vingtaine à peine passée, ce prodige a déjà amassé un bon nombre de prix pour ses films esthétiques et sensibles, au style unique et prononcé : *J'ai tué ma mère* (2008), *Les Amours imaginaires* (2010, tourné dans le quartier artistique du Mile-End) et *Laurence Anyways* (2012), avec ses acteurs favoris (Suzanne Clément, Monia Chokri...) mais aussi Nathalie Baye et Melvil Poupaud.

LES ÉTOILES DU CIRQUE

Peut-être avait-il un nom prédestiné ? Le 30 septembre 2009, Guy Laliberté, fondateur du Cirque du Soleil, a été le 7e civil de l'histoire et le 1er clown à s'offrir un séjour dans l'espace pour 35 millions de dollars. Ce voyage de 12 jours a permis de soutenir les projets de financement d'accès à l'eau potable réalisés par son association One Drop. *Guy Laliberté pourra maintenant dire qu'il est passé du Soleil aux étoiles !*

Écriture et peinture

– **Jean-Paul Riopelle** (1923-2002) : né à Montréal, l'un des premiers *automatistes,* un groupe de peintres non figuratifs influents au Québec. Il est aussi signataire du *Refus global* en 1948, un manifeste anticonformiste qui marque l'histoire du Québec. Jean-Paul Riopelle est le peintre canadien le plus réputé sur le plan international.

– **Michel Tremblay** (1942) : amoureux de la culture populaire, écrivain phare de la communauté homosexuelle, il donna ses lettres de noblesse au « joual » (l'argot montréalais). Auteur d'une vingtaine de romans et de près de 30 pièces de théâtre, il est connu notamment pour les 6 tomes des *Chroniques du Plateau-Mont-Royal,* le quartier où il passa son enfance.

Sciences et sports

– **Hubert Reeves** (1932) : le plus populaire des astrophysiciens est un Montréalais pur souche, même s'il possède la double nationalité française et canadienne. C'est aussi un écrivain connu pour ses qualités de vulgarisateur : selon lui, le savoir est fait pour être partagé. Son arme, des métaphores simples et savoureuses qui permettent à tout un chacun de mieux comprendre l'univers. Qui ne se souvient pas de ses fameuses interventions télévisées lors de la *Nuit des étoiles* ?

– **Jacques Villeneuve** (1971) : le fils de Gilles Villeneuve fait ses débuts dans la Formule 1 en 1996 et remporte quatre Grands Prix dès sa première saison. L'année 1997 est celle des prouesses : Jacques devient champion du monde et le premier Nord-Américain à remporter ce titre. Il a récemment fait parler de lui en critiquant vivement les manifestations étudiantes québécoises...

POPULATION

Le Québec – province la plus peuplée du Canada après l'Ontario – compte près de 8 millions d'habitants, soit 23 % de la population totale canadienne (34,5 millions de Canadiens). Les quatre cinquièmes des Québécois vivent dans des zones urbaines, et presque la moitié d'entre eux a élu domicile dans la région de Montréal (« le Grand Montréal »), qui compte désormais près de 4 millions d'habitants.

Comme beaucoup de grandes villes d'Amérique du Nord, Montréal accueille des immigrants du monde entier dans un savoureux et enrichissant brassage ethnique. Plus d'une centaine de nationalités sont présentes et se répartissent dans différents quartiers de la ville. Car même s'il existe un quartier chinois ou une Petite Italie, aucun quartier n'est véritablement ghettoïsé.

Selon une étude réalisée sur les origines ethniques des Montréalais, 26 % d'entre eux se déclarent d'origine française, 7 % d'origine italienne, après quoi viennent les Irlandais, les Anglais, les Écossais, les Haïtiens, les Chinois... Mais la majorité des habitants de Montréal se considèrent comme Canadiens avant tout, c'est-à-dire que leurs familles sont installées au Canada depuis plusieurs générations.

RELIGIONS ET CROYANCES

Les religions chrétiennes sont fortement majoritaires, mais toutes les autres grandes religions sont représentées et pratiquées au Canada. Contrairement à leurs voisins américains, il y a une séparation très nette entre religion et vie politique. Les dirigeants politiques évitent de parler de leurs propres croyances. Liberté de pratique et respect des autres croyances sont les maîtres mots. Au Québec, les dynamiques sont différentes mais le résultat est le même. Les Québécois francophones, y compris les Montréalais, sont presque tous des catholiques romains. Le clergé a joué un rôle déterminant dans l'histoire politique du Québec jusqu'aux années 1960, mais ce n'est plus le cas. Si la plupart des Québécois se déclarent croyants, peu sont pratiquants. Presque tous les cultes sont représentés au Québec, avec une large prédominance du catholicisme (plus de 80 %). Protestants, musulmans, orthodoxes et juifs constituent les autres groupes minoritaires principaux. À Montréal, on retrouve le même foisonnement de religions – et leur même cohabitation – que dans le Canada anglais.

Reste que l'année 2007 a vu une résurgence des débats sur les *accommodements raisonnables*. Les accommodements raisonnables, késéksa ? En gros, c'est une façon de répondre à des demandes venues d'une minorité qui n'incommodent pas la majorité. Un exemple : au début des années 2000, les cours de religion catholique sont supprimés au Québec pour ne pas

DU PAIN BÉNIT !

Quand un Québécois jure, c'est un chapelet de mots empruntés à la liturgie catholique qui jaillit spontanément de sa bouche : tabarnak, ciboire, câlice, ostie, criss... *Mais les jurons québécois survivront-ils à la laïcisation actuelle ? Cette question est à prendre aux sérieux !*

contraindre les enfants issus des minorités à les suivre. Mais l'enseignement religieux n'est interdit dans les garderies que depuis 2011 ! À d'autres occasions, des jugements interdisent aux élus de commencer une réunion par une prière. Mais de l'accommodement raisonnable à l'accommodement déraisonnable, il n'y a souvent qu'un pas... Ainsi, lorsque le directeur général des élections autorise les femmes portant le *niqab* (voile intégral) à voter sans se dévoiler, lorsque certains exigent le retrait des sapins de Noël des espaces publics pour ne pas contraindre les non-chrétiens à supporter ce symbole religieux « ostentatoire », les esprits s'échauffent. La plupart des cas litigieux ont récemment porté sur des symboles musulmans, mais les autres communautés sont aussi concernées. Les critiques se font donc de plus en plus nombreuses, certains estimant que les accommodements favorisent le repli des minorités sur elles-mêmes. Quant aux Amérindiens, ils pratiquent les religions animistes de leurs ancêtres souvent métissées d'éléments de foi chrétienne.

SAVOIR-VIVRE ET COUTUMES

Passer un agréable séjour à Montréal, parmi « nos cousins » d'outre-Atlantique, n'est pas sorcier. Les Montréalais sont réputés à juste titre pour leur accueil et leur gentillesse. Il est très facile d'établir de bons contacts avec eux, à condition de respecter ces deux règles du savoir-vivre québécois : simplicité et amabilité. Pas de chichis, et si l'on vous tutoie rapidement, cela signifie que le courant passe bien. De même, pas la peine de commencer à râler au moindre petit imprévu (réflexe assez français, avouons-le !), le Montréalais ne comprendra pas cette attitude et vous resterez face à un mur d'incompréhension. En bref, juste rester nature, positif et tout sourire.

Les Montréalais n'ont pas cette culture du débat franc et parfois brutal qui est un sport national chez nous. Donc, un Français qui discute fort semble arrogant. C'est un fossé culturel profond avec ces cousins qui semblent si proches. Rappelez-vous : le Montréalais est certes un Latin (vous connaissez le topo), mais aussi un Nordique (calme, réservé) et surtout un Nord-Américain (pragmatique, pas compliqué). Une culture mixte qui demande du temps pour être cernée...

Quelques « coutumes » typiquement québécoises

– **La tire :** à la sortie de l'hiver, les citadins se retrouvent en masse dans les érablières pour fêter le retour du soleil. Tandis que les températures repassent au-dessus de 0 °C, la sève des érables dégèle ; c'est le moment de leur saignée. Dans les cabanes à sucre, le liquide translucide devient sirop. Étalé sur la neige, il fige presque instantanément, en demeurant un peu caoutchouteux : c'est ça la tire. Les enfants s'en mettent jusque-là et les adultes auraient bien tort de ne pas en faire autant...

– **Les déménagements du 1er juillet :** le 1er juillet, jour férié (fête du Canada), les Montréalaises et Montréalais déménagent en chœur, car c'est traditionnellement à cette date que se terminent les baux. Les camions bloquent les rues, on se balade avec matelas fleuris et coussins assortis sur le dos, les frigos traînent au milieu du trottoir... Et, pendant ce temps-là, d'autres défilent dans les rues pour la fête du Canada !

LE GRAND DÉMÉNAGEMENT

Le 1er juillet, plus de 200 000 ménages québécois changent de logement. Au XVIIIe siècle, le gouvernement décida que tous les contrats de location devraient s'achever le même jour. Cette tradition québécoise provoque un énorme bazar dans les rues et l'achat du plus grand nombre de pizzas de l'année !

– **Les « ventes de garage » :** la même chose que les *garage sales* (vide-greniers) américains, sous un nom différent. Ces « ventes de trottoir » sont tellement courantes du printemps à la fin de l'été qu'elles sont devenues une sorte de leitmotiv. Une bonne occasion de discuter avec les gens, de fraterniser par le biais d'objets parfois très intéressants.

– **Le 5 à 7 :** un peu l'équivalent de notre apéro. C'est la coutume de se retrouver autour d'un verre entre amis ou collègues après le travail, mais, contrairement à l'apéro chez nous, le 5 à 7 ne se prolonge pas indéfiniment et ne se termine pas en repas (et pas forcément au lit). On boit un verre ensemble et après, chacun rentre souper chez soi.

– **L'addition :** au resto, les gens paient séparément (même dans les couples parfois !). D'où la question quasi systématique du serveur (ou de la serveuse) au moment de régler l'addition : une seule facture ou plusieurs ?

SPORTS ET LOISIRS

Le sport national du Canada est sans conteste le hockey sur glace. C'est encore plus vrai à Montréal, où le premier match codifié de l'histoire a d'ailleurs eu lieu en 1875. Ce match se serait terminé par une bagarre : c'est dire si la tradition de la baston dans le hockey remonte loin ! Les *Canadiens de Montréal* font l'objet d'une absolue vénération. Fondé en 1909, ce club est le plus ancien encore en activité sans interruption. Son palmarès est sans égal : avec 24 coupes Stanley, il est tout simplement le plus titré de la Ligue nationale de hockey. La période glorieuse des *Canadiens* s'étend du milieu des années 1950 à la fin des années 1970. De cette époque, on retiendra, parmi les joueurs les plus emblématiques, les noms de Maurice Richard, Jean Béliveau ou Guy Lafleur.

La saison professionnelle se déroule d'octobre à mai et les matchs à domicile se jouent au Centre Bell, qui abrite également un musée à la gloire de l'équipe (se reporter à la rubrique « À voir. À faire »). Si vous êtes de passage en hiver, ne manquez pas ce véritable spectacle. Toutefois, les billets sont chers et vite vendus : il faut s'y prendre bien à l'avance. Sinon, pour retrouver l'esprit d'origine du hockey, assistez à un match d'amateurs, ne serait-ce que pour l'ambiance.

Concernant les autres sports, Montréal possède une équipe de football canadien (une version du football américain), les *Alouettes de Montréal,* qui évoluent au stade Percival-Molson, qui dépend de l'Université McGill. Le *soccer,* notre foot européen, gagne en popularité d'année en année. Il est représenté par l'*Impact de Montréal,* qui vient en 2012 d'accéder à la ligue suprême d'Amérique du Nord, la MLS. Quant au base-ball, qui compte beaucoup de fans, mieux vaut éviter le sujet depuis que la regrettée franchise des *Expos de Montréal* a déménagé à Washington en 2004.

Mentionnons enfin le *Grand Prix du Canada de Formule 1,* qui se dispute chaque mois de juin sur le circuit Gilles-Villeneuve, sur l'île Notre-Dame. Par chance, ce circuit est ouvert à tous pendant le reste de l'année : on peut librement le parcourir à pied, à vélo ou à rollers.

Pendant votre séjour, une multitude de choix vous seront offerts en matière de sports et loisirs, été comme hiver (consulter les rubriques « Adresses utiles. Loisirs », « À voir. À faire » et « Les environs de Montréal »).

VILLE SOUTERRAINE

L'une des grandes particularités de la ville. Ce réseau souterrain innervé par plus de 30 km de galeries est le plus grand au monde. Avec des hivers aussi rigoureux, pas étonnant que la ville se soit développée aussi en sous-sol ! Commencé au milieu des années 1960 à l'initiative du maire de l'époque Jean Drapeau et à l'occasion des travaux de la place Ville-Marie, poursuivi en parallèle avec la construction du métro, le Montréal souterrain répond depuis 2004 au nom de « RÉSO ». Ce réseau de tunnels relie entre eux de grands centres commerciaux, près de 1 500 boutiques, environ 300 restaurants, des centaines de bureaux et d'appartements, 10 hôtels, des banques, des cinémas, la gare ferroviaire, des universités (McGill, UQAM...). Bref, une vraie ruche, une ville sous la ville dans laquelle circulent quotidiennement près d'un demi-million de personnes.

On y accède par l'une des 190 entrées, parmi lesquelles 10 de stations de métro (repérables grâce au logo RÉSO), par la gare Windsor ou encore par les grands centres commerciaux de la rue Sainte-Catherine *(centre Eaton, Place Montréal Trust...).*

MONTRÉAL

▶ Pour les plans de la ville et celui du métro, se reporter au plan détachable en fin de guide.

INFORMATIONS UTILES

Arrivée à Montréal

En avion

Tous les vols internationaux se posent à Montréal-Trudeau (anciennement Dorval), à 22 km au sud-ouest du centre de Montréal.

✈ **Aéroport de Montréal :** ☎ 514-394-7377 ou 1-800-465-1213 *(rens généraux et départs/arrivées).* ● *admtl. com* ● Site très complet (horaires des vols, des navettes, tarifs, etc.). À l'aéroport, les services habituels : consigne à bagages (niveau Arrivées), *ATM* (les guichets de la Banque de Montréal acceptent les *MasterCard* ; ceux de la Banque Royale, les cartes de paiement *Visa*)... Si vous souhaitez louer une voiture, les agences se trouvent au centre de stationnement *ExpressParc* (au rez-de-chaussée).

➢ **Bus express vers le centre-ville :** avec la *STM,* bus n° 747. ● *stm. info* ● ☎ 514-786-4636. Cette ligne de bus est bon marché et on ne peut plus directe ; départs ttes les 10-20 mn, 24h/24. Le *pass* (une carte à puce) coûte 8 $ et reste valable pendant 24h sur le réseau de transports publics urbains (métro et bus). On peut l'acheter directement dans le bus ou au distributeur situé juste à côté de la sortie, mais il vous faudra alors avoir l'appoint en pièces. Une excellente solution pour les nouveaux arrivants : acheter son *pass* au bureau de change du hall des arrivées, à droite avant la sortie : on peut alors payer en euros, et la monnaie vous est rendue en dollars. On peut ensuite changer ses euros dans un bureau du centre-ville, où les taux sont nettement meilleurs qu'à l'aéroport.

Le bus n° 747 remonte le boulevard René-Lévesque, desservant de nombreux grands hôtels au passage, et termine sa course à Berri-Uqam, centre névralgique de la ville, avec la gare routière à deux pas et des connexions pour toutes les stations de métro. Compter 40 mn-1h de trajet selon trafic.

Dans le sens des retours, même chose. Gardez le plan de la ligne (qu'on trouve à l'aéroport ou dans la plupart des hôtels) et choisissez l'arrêt le plus pratique pour vous.

➢ **Taxis :** vous trouverez de nombreux taxis près de la sortie centrale, en face de la consigne. Là, un employé vous indiquera la marche à suivre. Tarif fixe pour le centre-ville : 40 $, à payer en dollars canadiens ou par carte *Visa, MasterCard* ou *American Express.*

En bus

Si vous arrivez depuis d'autres villes canadiennes ou de New York en bus, vous serez déposé directement dans le centre. Assez pratique, donc.

🚌 **Station centrale d'autobus de Montréal** (zoom Centre, D4) : 1717, rue Berri. ☎ 514-842-2281. ● stationcentrale.com ● Ⓜ Berri-Uqam. Une gare flambant neuve. Consignes et bureau de change. Nombreuses compagnies d'autobus (Greyhound, Megabus, Galland, Intercar, Transdev Limocar, Orléans Expres...).

En train

🚆 **Gare centrale** (plan d'ensemble, C4) : 935, rue de la Gauchetière Ouest ; une autre entrée sur University et Belmont. ☎ 1-800-361-5390 ou 1-888-VIA-RAIL. ● viarail.ca ● Pour les États-Unis : ☎ 1-800-872-7245 (Amtrak). Cette gare accueille toutes les arrivées depuis le reste du Québec et du Canada, ainsi que depuis les États-Unis. Consignes (lun-ven 7h-21h ; w-e 7h-19h). On peut laisser ses bagages pendant 24h maxi en présentant un billet de train valide.

Adresses utiles

Informations touristiques

🚹 **@ Centre Infotouriste** (Tourisme Québec ; plan d'ensemble, C4, 1) : 1255, rue Peel, sur le sq. Dorchester. ☎ 0-800-90-7777 (gratuit depuis l'Europe, tlj 15h-23h) ou 1-877-266-5687 (depuis le Canada ou les USA). ● bonjourquebec.com ● Ⓜ Peel. Tlj : fin juin-fin août, 9h-19h ; avr-juin et sept-oct, 9h-18h ; le reste de l'année, 9h-17h, sf 25 déc et 1er janv. ⌨ Une mine de renseignements sur Montréal et les autres régions du Québec. Demander la « carte touristique officielle » de Montréal (plan très précis), la brochure Montréal – Guide touristique officiel, très complète, ainsi que le Passeport POM des attraits du Québec qui offre des coupons de réduction sur des musées, activités culturelles et autres loisirs. En plus, tout est bien organisé et donne accès à de nombreux services : résas d'hôtels, de gîtes, de certaines résidences étudiantes et auberges de jeunesse, bureau de la SEPAQ (hébergement dans les parcs), visites guidées, change, agence de voyages, location de voitures, plan des pistes cyclables de la ville et des environs... Une mine, on vous dit !

🚹 **Bureau d'accueil touristique Vieux-Montréal** (zoom Centre, D4, 5) : 174, rue Notre-Dame Est (entre les rues Saint-Vincent et Jacques-Cartier). ☎ 514-874-1696. ● tourisme-montreal.org ● Ⓜ Champ-de-Mars. Tlj : début juin à fin août, 9h-19h ; avr-mai et sept-oct, 10h-18h. Fermé fin oct-fin mars. C'est le petit bureau saisonnier du Vieux-Montréal. Parfois débordé, mais toujours attentionné.

🚹 **Kiosque d'information du Vieux-Port** (zoom Centre, D5, 6) : quai Jacques-Cartier, face à la place du même nom, dans le Vieux-Montréal. ☎ 514-496-PORT. ● quaisduvieuxport.com ● De mi-juin à début sept, tlj 10h-22h ; de début mai à mi-juin, tlj 10h-20h ; de début sept à mi-sept, tlj 10h-19h ; de mi-sept à début oct, slt w-e 10h-19h. Fermé oct-avr. C'est là qu'on vous informera le plus efficacement sur tout ce qui concerne le quartier portuaire : navettes fluviales et balades en bateau, visites, expos et animations sur le Vieux-Port, etc.

Représentations étrangères

■ **Consulat de France** (plan d'ensemble, C4, 2) : 1501, McGill College, au 10e étage, bureau 1000. ☎ 514-878-4385. ● consulfrance-montreal.org ● Ⓜ McGill. Lun-ven 8h30-12h (16h30 par tél).

■ **Consulat de Belgique** (plan d'ensemble, C4, 3) : 999, bd de Maisonneuve Ouest, suite 1600. ☎ 514-849-7394 ou (slt en cas d'extrême urgence) 514-236-5402. ● diplomatie.be/montrealfr ● Ⓜ Peel (sortie « Metcalfe »). Lun-ven 9h-13h (16h30 par tél).

■ **Consulat de Suisse** (plan d'ensemble, B4) : 1572, av. du Dr-Penfield (angle Côte-des-Neiges). ☎ 514-932-7181. ● consulatsuisse.ca ● Ⓜ Guy-Concordia. Lun-jeu 10h-13h ; ven 10h-12h.

■ **Consulat des États-Unis** (zoom Centre, C4) : 1155, rue Saint-Alexandre.

☎ 514-398-9695. ● montreal.usconsu-late.gov ● Ⓜ Place-d'Armes ou Square-Victoria. Lun-ven 8h15-17h. Arriver tôt, beaucoup d'attente.

■ **Renouvellement du visa** (plan d'ensemble, B4) : Citoyenneté et Immigration Canada, 1010, rue Saint-Antoine Ouest, 2e étage. ☎ 1-888-242-2100. ● cic.gc.ca ● Lun-ven 8h-16h. Sur place, slt sur rdv. Fournit les formulaires à remplir pour les demandes de renouvellement du visa. Très difficile à joindre par téléphone. Commencer par consulter le site internet.

Services

✉ **Poste principale** (plan d'ensemble, C4) : 800, bd René-Lévesque Ouest. Ⓜ Bonaventure. Lun-ven 8h-17h30. Tous les services, incluant la philatélie et le change. Les comptoirs postaux de Poste Canada présents dans certaines boutiques (pharmacies, supermarchés) ont des horaires d'ouverture plus longs.
■ **Météo :** ☎ 514-283-3010 ou 1-900-565-4000 (0,95 $/mn). Un enregistrement du Service météorologique du Canada vous permettra d'écouter les prévisions des 5 prochains jours pour la région de Montréal. Autre possibilité : ● meteomedia.com ● Pour des infos très précises, joindre directement un météorologue en appelant le numéro payant d'Environnement Canada : ☎ 1-900-565-4455 (2,99 $/mn + taxes).
■ **Infos neige et travaux routiers :** Transports Québec, ☎ 511. ● mtq.gouv.qc.ca ● Pour connaître les éventuels travaux (et donc bouchons) et l'état d'enneigement des routes.

Internet

Les cybercafés sont devenus une denrée rare. Avec l'avènement du wifi, offert gratuitement dans les endroits publics et dans la quasi-totalité des restos et cafés, ils ne font plus recette. Des ordinateurs sont en accès libre au Centre Infotouriste (voir plus haut), dans les AJ, ainsi que dans la plupart des hôtels, gîtes et bibliothèques publiques.

Urgences, santé

■ **No d'appel en cas d'extrême urgence :** ☎ 911.
■ **Centre antipoison :** ☎ 1-800-463-5060.
✚ **Hôpital Saint-Luc** (zoom Centre, D4) : 1058, rue Saint-Denis. ☎ 514-890-8000. Ⓜ Champ-de-Mars. C'est le CHU de la ville, très central et majoritairement francophone. Notez que les cliniques médicales coûtent moins cher que les hôpitaux, à préférer donc pour des problèmes bénins. D'autant que certaines reçoivent les urgences sans rendez-vous, par exemple la **Clinique En Route** (895, rue de la Gauchetière Ouest, au niveau de la gare ferroviaire ; ☎ 514-954-1444 ; plan d'ensemble, C4) ou la **Clinique Millénia** (150, rue Sainte-Catherine Ouest ; ☎ 514-287-2683 ; plan Centre, C-D4). Ces cliniques sont cependant fermées le week-end.
■ **Pharmacie : Jean Coutu** est l'enseigne la plus répandue. La rue Sainte-Catherine Ouest, certes très longue, possède plusieurs de leurs succursales : vous pouvez vous rendre aux nos 677, 980 et 1675. En général, leurs horaires sont les suivants : lun-mar 8h-19h, mer-ven 8h-21h, sam 10h-18h. Celle du no 1675 est ouv tlj jusqu'à minuit (☎ 514-933-4221). Également au 865, rue Sainte-Catherine Est (☎ 514-842-9622 ; lun-sam 8h-22h, dim 9h-21h) ou encore au 1058, rue Saint-Denis (☎ 514-287-7474 ; lun-ven 8h-18h).

Argent

■ **American Express : Imperial Travel Service,** 5757, bd Cavendish, suite 410. ☎ 514-341-7220. Lun-ven 9h-17h30.
■ **Change :** pour les espèces comme pour les chèques de voyage, mieux vaut aller dans les bureaux de change, que l'on trouve plutôt dans les quartiers touristiques (par exemple rue Notre-Dame, dans la vieille ville, rue Peel ou Sainte-Catherine dans le centre-ville, etc.). Comparez les taux, qui varient grandement (certains bureaux du Quartier latin pratiquent l'arnaque pure et simple). Évitez celui de l'aéroport

Trudeau, aux taux défavorables. Certaines banques font le change, mais leurs horaires sont restreints. Mais en cas de panne de distributeur, elles peuvent délivrer de l'argent liquide sur présentation d'une carte de retrait et de 1 ou 2 pièces d'identité. Voir aussi la rubrique « Argent, banques, change » dans « Montréal utile ».

Compagnies aériennes

■ *Air France :* ☎ 1-800-667-2747 *(tlj 8h-minuit).* ● *airfrance.fr* ● *Agence à l'aéroport Trudeau, tlj 13h30-19h30 (l'été, tlj sf dim 13h30-22h).*

■ *Air Canada :* ☎ 1-888-247-2262. ● *aircanada.com* ● *La billetterie d'Air Canada est à l'aéroport Trudeau (tlj 5h-22h30).*

■ *Air Transat :* 5959, bd de la Côte-Vertu (à côté de l'aéroport Trudeau). ☎ 1-877-872-6728 ou 514-636-3630. ● *airtransat.ca* ●

Tourisme

■ *Aux Quatre Points Cardinaux* (zoom Centre, D3, **7**) : 551, Ontario Est. ☎ 514-843-8116 ou 1-888-843-8116. ● *aqpc.com* ● ⓜ *Berri-Uqam (sortie station centrale de bus). Lun-mer 9h-18h ; jeu-ven 9h-21h ; sam 10h-17h.* Les grands spécialistes des cartes topographiques du Québec et du reste du Canada. Tous les randonneurs et ceux qui partent pour le Nord leur rendront donc utilement visite. Ils vendent aussi des photos aériennes, très prisées des trappeurs car elles permettent de voir tous les détails du terrain, y compris les barrages à castors. Également des cartes marines des côtes d'Amérique du Nord, des cartes routières de (presque) tous les pays du monde, des logiciels de navigation et des guides de voyage (dont votre préféré !).

■ *Globe Trotter Aventure Canada :* 1142 Notre-Dame, suite 100, à Lachine. ☎ 0-800-916-672 (gratuit depuis la France) ou 1-888-598-7688 (en Amérique du Nord). ● *aventurecanada.com* ● ⓜ *Papineau. Lun-sam 9h-17h.* Une agence dans la banlieue de Montréal qui propose notamment des prestations dans le tourisme d'aventure et dans les plus beaux parcs nationaux

du Québec : rafting, kayak, camping, observation de la faune, randonnée, équitation, et toutes les activités d'hiver : motoneige, chiens de traîneau. Forfaits tout compris (guide, sac de couchage, transport, nourriture...) de la demi-journée à l'expédition de 24 jours. Également des forfaits « autotours ».

■ *Club Voyages Tourbec* (zoom Centre, C4, **8**) : 300, Sherbrooke Ouest. ☎ 514-842-1400. ● *clubvoyages tourbec.com* ● ⓜ *Place-des-Arts. Lun-ven 9h-18h ; sam 10h-16h.* Propose différents circuits, des croisières et bien d'autres forfaits. Loue aussi des voitures...

■ *Club Voyages* (zoom Centre, D4, **18**) : 920, bd de Maisonneuve Est. ☎ 514-288-8688 ou 1-888-732-8688. ● *clubvoyages.com* ● ⓜ *Berri-Uqam. Lun-ven 9h-17h30.* Brade des places de dernière minute sur les vols charters et forfaits vols + hôtels, surtout à destination du Sud (Cuba, Mexique, Antilles...) et aussi de l'Ouest canadien (Vancouver, Calgary).

■ *Voyages Campus* (zoom Centre, D4, **9**) : 1613, rue Saint-Denis. ☎ 1-800-667-2887 ou 514-843-8511. ● *voyages campus.com* ● ⓜ *Berri-Uqam (sortie Saint-Denis). Lun-mer 9h (9h30 mer)-18h ; jeu-ven 9h-19h ; sam 11h-17h.* Également un guichet dans les Universités Concordia (plan d'ensemble, B4) et McGill (plan d'ensemble, C4). Spécialisée dans le tourisme des jeunes, mais au service de tous, cette tête d'un grand réseau d'agences de voyages propose des prix presque imbattables.

■ *L'Autre Montréal* (zoom Centre, C3, **17**) : 3680, rue Jeanne-Mance, bureau 331. ☎ 514-521-7802. ● *autre montreal.com* ● Propose des visites guidées payantes de certains quartiers pour découvrir la ville sous ses multiples facettes. Au menu : le Montréal interculturel, l'histoire des femmes dans la ville, les ruelles montréalaises, le patrimoine populaire... Des découvertes toujours passionnantes. Ces visites sont conçues pour des Montréalais, ce qui procure une perspective bien spéciale.

Culture

■ *Journaux français : Maison de la presse internationale* (zoom Centre,

D4, 10) : 550, rue Sainte-Catherine Est. ☎ 514-842-3857. Ⓜ *Berri-Uqam*. Tlj 7h-22h (23h ven-dim). Presse française récente et bon accueil. Également le réseau **Multimags** (par exemple aux 6951, bd Saint-Laurent, 825, av. du Mont-Royal Est ou 1321, rue Sainte-Catherine Est).

■ **Cinémas Cineplex :** ● cineplex. com ● Tarifs réduits avt 18h, réduc le mar soir. Sinon, billet jusqu'à env 12 $. Parmi les cinémas du réseau, signalons le **Cineplex Odéon** (350, rue Émery ; zoom Centre, D4), le **Cinéma Banque Scotia** (977, rue Sainte-Catherine Ouest ; plan d'ensemble, C4) ou encore le **Cinéma Starcité** (4825, av Pierre-de-Coubertin ; plan d'ensemble, G2). En général, les cinés de l'est de la ville présentent des films en français seulement, alors qu'ils sont plutôt en anglais dans l'ouest. Signalons encore le beau **Beaubien** (2396, rue Beaubien Est ; Ⓜ Beaubien ; plan d'ensemble, E1 ; ☎ 514-721-6060 ; ● cinemabeaubien. com ●), spécialisé dans les films québécois et francophones.

■ **Ciné-Robothèque de l'Office national du film** (zoom Centre, D4) : 1564, rue Saint-Denis. ☎ 514-496-6887. ● onf.ca/cinerobotheque ● Ⓜ Berri-Uqam (sortie Saint-Denis). Mar-dim 12h-21h. Visionnage gratuit pdt 2h ! La vaste collection – plus de 10 000 films – de l'Office national du film du Canada est à votre disposition grâce à un robot qui répond à vos commandes de films, alors que vous êtes assis dans un poste de visionnage individuel. On navigue dans l'histoire et l'âme du Canada avec des documentaires, des films d'animation et de fiction, dont plusieurs ont remporté des prix internationaux. Une super manière de continuer à voyager quand il pleut !

■ **Ex-Centris** (zoom Centre, D3, **11**) : 3536, bd Saint-Laurent (juste au nord de Sherbrooke). ☎ 514-847-2206. ● cinemaexcentris.com ● Ⓜ Sherbrooke ou Saint-Laurent. Entrée : 11 $; réduc lun ou en sem avt 18h. Une démesure d'acier et de verre, inspirée de Metropolis et furieusement robotisée, due au médecin québécois Daniel Langlois. C'est dans ce complexe Ex-Centris que le Montréal intello-culturel se précipite au Cinéma Parallèle pour voir, dans des salles au design exceptionnel, les meilleures productions du cinéma indépendant local et international, ainsi que des œuvres utilisant les nouvelles technologies numériques.

– **Spectacles à tarif réduit :** pour tenter à la dernière minute de dégotter des places de spectacles à tarif réduit, s'adresser à :

■ **La Vitrine** (zoom Centre, D4, **12**) : 2, rue Sainte-Catherine Est. ☎ 1-866-924-5538 ou 514-285-4545. ● lavitrine. com ● Tlj 10h-20h (plus tard en période de festivals). Un service pratique, qui centralise les ventes pour tous les spectacles et festivals.

■ **Radio :** excellente musique rock et pop sur la station anglophone CHOM (97.7 FM). En français, on aime bien la station alternative communautaire CIBL (101.5 FM), ses émissions et sa programmation éclectique (house, techno, chansons françaises...). Enfin, la station de variétés la plus populaire à Montréal, c'est CKOI (96.9 FM) ; beaucoup d'humour, de musique dance, etc. La radio des tubes romantiques, c'est Rouge FM (107.3 FM). Enfin, la fréquence de Radio-Canada est 95.1 FM. Toutes ces radios peuvent aussi être écoutées en ligne sur leurs sites web respectifs.

Loisirs

■ **Patinoires :** une douzaine en plein air (non, pas l'été !). Aussi, sachez que, même l'hiver, les patinoires peuvent fermer si les températures sont trop douces.

– **Parc La Fontaine** (plan d'ensemble et zoom Le Plateau, D-E3) : entouré par les rues Papineau à l'est, Sherbrooke au sud, du parc La Fontaine à l'ouest et Rachel au nord. ☎ 0311 (slt depuis Montréal) ou 514-872-0311. Ⓜ Sherbrooke (puis 5-10 mn à pied vers l'est). En principe, janv-fév, tlj 11h (10h le w-e)-22h. Loc de patins : 8 $. On patine en musique sur les eaux glacées d'un étang dans le cadre romantique et branché du Plateau.

– **Vieux-Port, bassin Bonsecours** (zoom Centre, D4-5) : ☎ 514-496-7678 ou 1-800-971-7678. Ⓜ Champ-de-Mars. De déc à début mars. Entrée payante (env 6 $; réduc)

INFORMATIONS UTILES

OÙ DORMIR ?

et loc de patins sur place (8 $). Endroit vraiment magique, avec vue sur la vieille ville et le fleuve.

– **Atrium Le 1000** *(plan d'ensemble, C4) : 1000, rue de la Gauchetière Ouest (entre Mansfield et la cathédrale).* ☎ 514-395-0555. ● le1000. com ● Ⓜ *Bonaventure (à deux pas). Patinoire couverte, ouv tte l'année, sous une grande verrière lumineuse. En été, tlj 11h30-18h (21h sam et en hiver). Entrée : 7 $; réduc. Loc de patins : 6,50 $.* Petits restos sur place.

■ **Visites guidées à vélo avec Guidatour** *(zoom Centre, C-D5) : 360, rue Saint-François-Xavier, bureau 400.* ☎ 514-844-4021 ou 1-800-363-4021. ● guidatour.qc.ca ● *Env 60 $ la balade, loc de vélo incluse. Résa indispensable. Départs à 9h30 (et 13h le w-e de mi-juin à mi-sept) de la boutique* **Ça Roule Montréal** *(zoom Centre, D5, 13) où sont loués les vélos.* Propose trois balades thématiques d'une durée de 4h avec un guide professionnel qui vous expliquera toutes les « montréalités » de la ville, du Vieux-Port au Mont-Royal en passant par le Quartier latin, le parc La Fontaine et le Vieux-Montréal.

■ **Piscines :** *rens pour les loisirs de la ville de Montréal au* ☎ *311 (slt depuis Montréal) ou 514-872-0311.* ● ville. montreal.qc.ca ● Montréal compte plus de 100 piscines extérieures et intérieures, et au moins autant de pataugeoires pour les tout-petits (notamment au parc La Fontaine) ! Parfois gratuites quand elles sont municipales (souvent ouvertes de 11h30 à 19h ou 20h). Signalons le complexe aquatique du parc Jean-Drapeau *(plan d'ensemble, E5)* sur l'île Sainte-Hélène (● parcjean drapeau.com ● *Tlj 10h-20h en été ; entrée : 6 $)* et les piscines couvertes du Parc olympique (● parcolympique. qc.ca ● *Horaires très variables ; entrée : env 8 $; plan d'ensemble, G2).*

◿ **Plages urbaines :** la plus grande est située au sud du parc Jean-Drapeau, sur le lac de l'île Notre-Dame *(plan d'ensemble, D6).* ☎ 514-872-2323. Ⓜ *Jean-Drapeau ; bus n° 167. De mi-juin à mi-août, tlj 10h-19h. Entrée : 8 $; réduc ; gratuit moins de 3 ans.* Rafraîchissant lorsque Montréal fond sous la canicule, ce qui se produit de plus en plus souvent. Également un complexe aquatique en été (lire le paragraphe « Piscines » au-dessus). Une autre plage a été aménagée au Vieux-Port, au pied de la tour de l'Horloge *(zoom Centre, D5),* mais la baignade y est interdite. *Ouv de mi-juin à août, tlj 10h30-19h30 – plus tard en cas d'animations ; en sept slt le w-e. Tarif : 6 $; réduc ; gratuit jusqu'à 6 ans.* Sur le sable blond, des transats avec vue sur le fleuve et la marina. On y est aux premières loges pour assister aux grands feux d'artifice estivaux.

OÙ DORMIR ?

Le Grand Prix de Formule 1, à la mi-juin, ouvre traditionnellement la saison des festivals et autres manifestations de toutes sortes qui remuent la ville jusqu'à fin septembre. Pendant cette période, il est impératif de réserver le plus tôt possible. La semaine du Festival international de jazz, à cheval sur fin juin et début juillet, affiche parfois complet 1 an à l'avance !

Campings

⛺ **Campings du parc national d'Oka :** *2020, chemin Oka, à* **Oka.** ☎ 450-479-8365 ; résas au ☎ 1-800-665-6527. ● sepaq.com/pq/oka ● *À 46 km de Montréal. Accès par l'autoroute 15 ou 13 Nord, puis la 640 Ouest (fermée en hiver) sur env 20 km ; au bout,* prendre la 344 Ouest à droite (plus long et plus confus si vous continuez tt droit malgré le panneau indiquant le parc). S'adresser au centre d'accueil du parc, à 1,5 km avt le village d'Oka. Début mai-début oct (tte l'année en camping rustique). Résa conseillée en hte saison. Emplacements env 28-41 $ avec ou sans services. Tentes Huttopia 100-115 $ la nuit (4 adultes et 1 enfant), équipées et confortables. L'hiver, tentes nordiques 130 $ la nuit. Douches payantes. Possibilité de forfait. Aménagé dans le parc national d'Oka, ce camping est très (trop) populaire, car il est l'un des plus beaux de la région. À 30 mn de Montréal à peine, ce sont déjà les lacs et les forêts, donc aussi nos amis les moustiques... Environ 850 emplacements. Seul le camping *Le Refuge* possède des services sur le site. Jolie plage surveillée au bord du lac des Deux-Montagnes (cafétéria et restos sur place). Plein d'activités (école de voile, canoë-kayak, location de vélos, etc.). Camper ici ne vous dispense pas de payer le droit d'accès au parc (6,50 $/j ; réduc).

☒ *Camping Saint-André :* au sud de Montréal, en direction des États-Unis, au 73, rang Saint-André, à *Saint-Philippe-de-la-Prairie*. ☎ 450-659-3451. Par l'autoroute 15, sortie 38, tourner à gauche et rouler 2 km, puis tourner à droite dans le rang Saint-André, juste avt le camping KOA. Début mai-début oct. Emplacements 25-30 $. Un très beau site naturel, abondamment arboré et bien aménagé, avec un petit plan d'eau charmant. Peu d'emplacements pour les tentes mais ils sont jolis et au calme. Bon accueil d'un couple de retraités. Piscine, aire de jeux, buanderie. Pas de resto ni de dépanneur, mais un supermarché pas trop loin.

☒ *KOA Montréal-Sud :* au sud de Montréal, en direction des États-Unis, au 130, bd Monette, à *Saint-Philippe-de-la-Prairie*. ☎ 450-659-8626 ou 1-800-KOA-8636. ● koamontreal.com ● Par l'autoroute 15, sortie 38, tourner à gauche et rouler 3 km. De mi-mai à début oct. Emplacements pour les tentes env 25-36 $ selon services (douches incluses). Cabines 65-75 $. ☎ KOA est le géant américain du camping, alors vous aurez l'impression d'être aux USA, d'où semble provenir la majorité des clients. Mais c'est très pro, et les emplacements sont plutôt mignons, verdoyants et assez ombragés. Également de jolies cabines en rondins. Piscine, buanderie, tables de pique-nique, aire de jeux, minigolf et croquet. Sentiers de balade à travers une petite forêt. En haute saison,

navette payante quotidienne pour le centre de Montréal.

☒ *Camping du Lac Mineur :* au sud de Montréal, au 397 A, chemin du Ruisseau, à *Saint-Jacques-le-Mineur*. ☎ 450-346-0640 (slt l'été). ● camping dulacmineur.com ● Depuis l'autoroute 15 Sud, sortie 29, tourner à gauche et rouler en direction de Saint-Jacques, et tourner ensuite à droite sur la route 217. Entrer dans Saint-Jacques-le-Mineur, tourner à gauche dans la rue principale (on dépasse la mairie, puis l'église), puis on ressort du village et c'est à gauche 1 km plus loin. De début mai à mi-oct. Emplacements 28-35 $ selon services. Douches payantes. ☎ Petit camping de 160 emplacements, dont seulement une vingtaine pour les tentes, tranquilles, devant un beau petit lac propice à la baignade et à la pêche sans permis. Évitez les emplacements de camping avec services, entassés les uns contre les autres. Buanderie, dépanneur, snack, aire de jeux, location d'embarcations à pédales et de kayaks. Également des « glissades d'eau » sur le lac (5 $/j.).

Auberges de jeunesse

🛏 *Auberge alternative du Vieux-Montréal* (zoom Centre, C5, **30**) : 358, rue Saint-Pierre. ☎ 514-282-8069. ● auberge-alternative.qc.ca ● Dans le Vieux-Montréal, à 10 mn à pied du métro Square-Victoria. Lits 25-27 $/pers (22-25 $ l'hiver) selon taille du dortoir. Une double avec sanitaires communs 75 $ et une familiale pour 4 pers à 85 $ (petit déj inclus). Résa indispensable. CB refusées. 🖥☎ Dans le coin tranquille du secteur historique, une très agréable auberge indépendante, animée par une équipe sympathique et disponible. Elle propose un grand dortoir de 20 lits (« Le Grand Bleu ») et 6 dortoirs de 4 à 10 lits, dont un réservé aux femmes. Tous sont très colorés, propres et joliment décorés. Grands casiers personnels sous les lits. Pièce commune conviviale et qui sert à tout : réception, salon, salle à manger et cuisine (équipée). Laverie et café équitable offert.

Ambiance franchement sympa.

▲ *Le Gîte du Parc La Fontaine* (zoom Centre, E3, **31**) **:** 1250, Sherbrooke Est (angle Beaudry). ☎ 514-522-3910 ou 1-877-350-4483. ● hostelmontreal. com ● Ⓜ Sherbrooke. Ouv juin-août slt. En dortoir 4-6 lits 28 $/pers ; réduc avec la carte internationale d'étudiant. Doubles 65-80 $ selon taille, draps et petit déj compris. CB refusées. ▢ �📶 À mi-chemin entre gîte et AJ, une trentaine de places au calme, bien qu'à quelques minutes à pied du centre-ville. Propreté impeccable. Toutes les chambres (sauf une) sont équipées d'un lavabo. Possibilité d'utiliser la cuisine équipée de 17h à 20h. Autres services : buanderie, salle TV, terrasse avec barbecue. Aux beaux jours, le petit déj se prend sur la terrasse. Ambiance très conviviale.

▲ *Le Gîte du Plateau Mont-Royal* (zoom Centre, D3, **32**) **:** 185, Sherbrooke Est. ☎ 514-284-1276 ou 1-877-350-4483. ● hostelmontreal. com ● Ⓜ Sherbrooke. En dortoir 6-8 lits, 28-35 $/pers ; doubles 65-90 $ avec ou sans sdb privée. Draps et petit déj inclus. CB refusées. ▢ �📶 Une AJ de 90 places tenue par les mêmes proprios que le *Gîte du Parc*. La grande pièce commune sert à la fois de réception, cuisine, buanderie et salle Internet. Cette maison victorienne possède des chambres privées pour 1 à 4 personnes, toutes différentes, avec ventilo. Certaines ont un peu de cachet et une salle de bains individuelle. En parcourant les couloirs labyrinthiques, on découvre également plusieurs dortoirs bien tenus. L'un d'eux a même été aménagé sur la terrasse du toit, et le proprio a eu l'idée de le transformer, l'hiver, en dortoir de glace : de quoi expérimenter les nuits polaires du Québec, emmitouflé jusqu'aux yeux dans des peaux de bête. Sachez que ceux qui ont essayé ont adoré ! La situation très centrale, au bord d'une artère fréquentée, peut rendre certaines chambres bruyantes ; mais il en existe aussi sur l'arrière.

▲ *La Maison du Patriote* (zoom Centre, D4, **33**) **:** 169, rue Saint-Paul Est. ☎ 514-866-0855. ● lamaison dupatriote.ca ● Ⓜ Champ-de-Mars. Lits en dortoir 20-25 $ selon saison ;

doubles env 60-80 $; on cuisine soi-même son petit déj. ▢ ⏚ Située dans une ancienne fabrique de tabac bâtie en 1815, cette petite AJ privée ne paie pas de mine et c'est plutôt la pagaille... Mais elle pourra en dépanner plus d'un et la situation ultra centrale, en plein Vieux-Montréal, a ses avantages. Les chambres doubles sont correctes. Sous les combles, on trouve un grand dortoir de 22 lits séparés par de simples rideaux (intimité proche du zéro absolu, donc), avec les machines à laver entreposées dans la même pièce. Tout ce petit monde se partage les douches communes bien propres. Cuisine équipée, draps fournis. Bonne sécurité (digicode à l'entrée), accueil souriant et relax. Une adresse conviviale qui plaira aux jeunes « sac à dos » pas trop regardants sur le confort.

▲ *Auberge Chez Jean* (zoom Le Plateau, D3, **34**) **:** 4136, av. Henri-Julien. ☎ 514-843-8279. ● aubergechez jean.com ● Nuitée 20 $/pers, petit déj compris. ▢ ⏚ Sur 3 étages, une AJ pas vraiment standard : ceux qui tiennent à leur nid douillet et intime passeront leur chemin ! Routard solitaire à la recherche d'un lieu convivial où faire plein de rencontres, cet endroit est peut-être pour toi. Matelas en mezzanine au-dessus de la petite salle commune avec piano, cuisine, et une « chambre » séparée par un rideau. Dans les étages inférieurs, quelques chambres privées pour 2 à 4 personnes et des petits dortoirs ou des lits disséminés dans des lieux ouverts ou des couloirs. L'été, également un matelas en mezzanine sous un auvent dans l'arrière-cour, et même dans un vieux van ! 3 salles de bains dans la maison, 2 autres à l'extérieur. Un lieu pas banal, donc, mais bien tenu et pas glauque pour deux sous.

▲ *Auberge de jeunesse de Montréal – Hostelling International* (plan d'ensemble, B4, **70**) **:** 1030, rue Mackay. ☎ 514-843-3317 ou 1-866-843-3317. ● hihostels.ca/montreal ● Ⓜ Guy-Concordia ou Lucien-L'Allier. Ouv tte l'année, 24h/24. Lits en dortoir 25-31 $/pers selon saison avec la carte des AJ ; sans la carte, ajouter 5 $. Draps fournis. Double env 90 $ sans la carte et 80 $ avec. ▢ ⏚ Dortoirs de

4 à 10 lits, tous équipés de douche et w-c, et une vingtaine de chambres privées avec TV. C'est propre, simple et hautement convivial malgré la taille de l'endroit (près de 230 lits). On peut y faire sa cuisine. AC partout (l'été, Montréal c'est parfois les tropiques). Pas de couvre-feu et entièrement non-fumeurs. Consigne, laverie automatique, parking vélos, resto-bar, salle TV et billard. L'AJ organise plein de virées (tours guidés de la ville à vélo, pique-nique au Vieux-Port, patinage sur glace, tournées des bars, etc.). Bref, l'occasion de se faire plein de potes du monde entier !

Collèges et universités

La plupart ne fonctionnent que l'été. On vous prévient, le cadre est rarement folichon, mais les prix sont très intéressants. Pour chacune de ces adresses, possibilité de louer au mois.

▲ *Résidences universitaires de l'UQAM :* *les résidences de l'Université du Québec à Montréal se répartissent en 2 endroits. D'une part, l'***Auberge de l'Ouest** *(zoom Centre, D4,* **35***), au 2100, rue Saint-Urbain.* ☎ *514-987-7747.* Ⓜ *Place-des-Arts. D'autre part, l'***Auberge de l'Est** *(zoom Centre, D4,* **36***), au 303, bd René-Lévesque Est (angle Sanguinet).* ☎ *514-987-6669.* Ⓜ *Champs-de-Mars. Résas et infos sur* ● *residences-uqam.qc.ca* ● *Ouv tte l'année. Studios 70-80 $/j. pour 2 pers, F3 et F4 pour 3-4 pers 60-70 $/pers et F8 pour 8 pers env 50 $/pers.* ⌨ Très central, c'est son gros avantage. Chaque résidence universitaire possède plus de 300 chambres. On peut y louer des studios et des appartements équipés d'une cuisine et d'au moins une salle de bains (jusqu'à 2 salles de bains et 2 salles d'eau pour les F8). À l'*Auberge de l'Ouest*, draps, couvertures et serviettes sont fournis et on peut stationner à l'intérieur (payant).

▲ *Studios-hôtel de l'université de Montréal (plan d'ensemble, B2,* **71***) :* 2450, bd Édouard-Montpetit. ☎ *514-343-8006.* ● *studioshotel.ca* ● Ⓜ *Édouard-Montpetit. Studios 2 pers à partir de 55 $.* ⌨ *(payant). Jolis stu-* dios rénovés disponibles de mai à mi-août, équipés d'un lavabo, d'un frigo, de rangements et d'un téléphone (appels locaux gratuits). Petit déjeuner. Toilettes et salles de bains communes. Piscine payante. Le rapport qualité-prix est très correct, et on peut faire des rencontres sympas dans cette université francophone. En revanche, c'est excentré.

▲ *Collège Jean-de-Brébeuf (plan d'ensemble, A2,* **72***) :* 5625, av. Decelles. ☎ *514-342-1320, postes 5236 ou 5135.* ● *locations@brebeuf. qc.ca* ● Ⓜ *Côte-des-Neiges. De mi-mai à mi-août. Simple 30 $, double 40 $.* ⌨ Prestigieux collège francophone, installé à deux pas des parcs et cimetières du Mont-Royal. Chambres avec lavabo, draps, savon et serviettes. Toilettes et douches à l'étage ainsi que salle TV et laverie. Attention, uniquement des lits simples, même dans les chambres doubles.

Studios et appartements meublés

▲ *Hôtel Appartements Trylon (zoom Centre, C3,* **37***) :* 3463, rue Sainte-Famille. ☎ *514-843-3971 ou 1-877-843-3971.* ● *trylon.ca* ● *Studios 2 pers 90-95 $; apparts 4 pers (2 pièces) env 132-144 $. Garage souterrain (15 $/j.).* 🛜 Il s'agit de tout un immeuble de studios ou d'appartements meublés (5 personnes maximum), à louer à la nuit comme à la semaine ou au mois. Les logements sont simples, la déco un peu formica, mais tous disposent de leur kitchenette équipée et d'une salle de bains. Certains ont même un petit balcon. Espaces communs à tous les résidents : terrasse sur le toit, piscine intérieure, sauna et buanderie. Ménage non compris dans le prix, mais tout, sauf les produits, est fourni pour le faire soi-même.

Gîtes touristiques

Les prix varient selon la saison : nous vous donnons donc une fourchette indicative. Attention, nos meilleures adresses sont très courues : en haute saison, mieux vaut s'y prendre à l'avance pour la réservation.

■ **Association de l'Agrotourisme et du Tourisme Gourmand** (plan d'ensemble, G2, **4**) : 4545, av. Pierre-de-Coubertin. ☎ 514-252-3188. ● gitesetaubergesdupassant.com ● terroiretsaveurs.com ● Ⓜ Pie-IX. Lun-ven 8h30-12h, 13h-16h30. Cette association s'occupe des réseaux des Gîtes et Auberges du Passant et des Tables et Relais du terroir du Québec. Les guides qu'elle édite sont disponibles sur commande (sur Internet).

Sur le Plateau Mont-Royal

De bon marché à prix moyens

🏠 **Pensione Popolo** (zoom Le Plateau, D2, **38**) : 4873, bd Saint-Laurent. ☎ 514-284-2863 ou 0122 (bureau). ● casadelpopolo.com ● Ⓜ Mont-Royal ou Laurier. Doubles env 50-75 $. ▯ 🛜 À la frontière du Plateau et du Mile-End, juste au-dessus du bar Casa del Popolo (voir « Où boire un verre ? Où s'éclater en musique ? Où danser ? »). Si vous venez pour faire la fête, que vous avez peu de sous à dépenser et que le son d'un concert au bar du rez-de-chaussée ne vous dérange pas, alors cette adresse est pour vous. Vous y trouverez 4 petites chambres joliment refaites et pas très chères avec salle de bains partagée ou privée (pour les 2 familiales), cuisine commune et concerts gratuits inclus ! Un bon plan pour les fêtards.

🏠 **Le 9 et Demi** (zoom Le Plateau, D3, **39**) : 4133, bd Saint-Laurent. ☎ 514-842-4451. ● le9etdemi.com ● Ⓜ Mont-Royal. Résa très conseillée. Doubles env 80-90 $, taxes et petit déj (simple, en self-service) inclus. CB refusées. ▯ 🛜 Une adresse à l'esprit bohème et décontracté, très proche de la colocation. D'abord, vous serez adorablement accueilli par Jean, Johann et Greg. Ensuite, vous serez enchanté de découvrir leur appartement, un lieu chaleureux entre l'auberge de jeunesse

et le gîte, avec 5 chambres (4 doubles et 1 quadruple) colorées et décorées dans un style contemporain très cool. Il y a la « Petite », la chambre « Bleue », la « Vague » et la « Mont-Royal ». La chambre « L » (celle pour 4) possède même une terrasse privée. Sinon, une terrasse commune pour jaser en prenant le café. Cuisine en libre accès et 2 salles de bains communes. Dans son genre (qui ne conviendra pas à tout le monde), c'est un coup de cœur. Une annexe, plus moderne et confortable, a récemment ouvert ses portes : 6529, rue Saint-Denis (plan d'ensemble, D1, **77**). Ⓜ Beaubien (à deux pas). Mêmes numéro et tarifs.

De prix moyens à chic

🏠 **Shézelles** (zoom Le Plateau, D3, **40**) : 4272, rue Berri. ☎ 514-849-8694. ● shezelles.com ● Ⓜ Mont-Royal. Doubles 80-105 $, suite à partir de 125 $, petit déj compris. ▯ 🛜 Dans ce quartier que l'on affectionne beaucoup, à deux pas du métro et de l'animation du Plateau, voici 5 chambres de style ethnique (les proprios ont beaucoup voyagé) ainsi qu'une suite idéale pour les familles, comprenant cuisinette et jacuzzi. Les chambres de l'étage se partagent 2 w-c et une douche. Il existe aussi une chambre sur le toit, un genre de nid d'aigle avec terrasse privative comme vous n'en verrez nulle part ailleurs en ville. Autre terrasse en surplomb d'un mignon jardin. Bref, une super adresse aux tons aussi chaleureux que l'accueil réservé par Lyne et Lucie.

🏠 **Au Piano Blanc** (zoom Le Plateau, D3, **41**) : 4440, rue Berri. ☎ 514-845-0315. ● aupianoblanc.com ● Ⓜ Mont-Royal. Doubles avec ou sans sdb 85-135 $. CB refusées. ▯ 🛜 Idéalement situé à 3 maisons du métro, dans une rue calme, ce gîte permet de profiter au maximum du Plateau Mont-Royal. Au piano, Céline Deslile, qui a connu son heure de gloire dans la chanson, n'a rien perdu de son entrain ni de son humour. La décoration des chambres de cette maison centenaire est colorée et ponctuée d'œuvres d'art originales, sans oublier les beaux planchers et, bien sûr, le piano blanc du salon commun. 2 chambres ont leur propre salle de bains, dont une avec une élégante baignoire à pieds. Une autre possède un agréable balcon côté rue. On peut même prendre son petit déj en pyjama sur la terrasse, si le temps le permet, c'est vous dire la qualité de l'accueil ! Parking payant (ou parfois gratuit) juste en face.

■ *Le Rayon Vert* (zoom Le Plateau, D3, **42**) : *4373, rue Saint-Hubert.* ☎ *514-524-6774.* ● *lerayonvert.ca* ● Ⓜ *Mont-Royal. Double env 100 $. Réduc à partir de 4 nuits. CB refusées.* ☏ Dans cette grosse maison typique du Plateau, la gentillesse québécoise s'appelle ici Diane Bouchard. 3 chambres (plus une en dépannage) se partagent 2 salles de douches. Confortables et élégantes, avec de jolis meubles, du parquet et de beaux tissus. Petite préférence pour la « Victorienne », charmante avec ses moulures et son lustre. Entre deux balades, vous vous détendrez dans son exquis jardinet, que l'on admire également de la salle des petits déj (bien copieux et bien bons, d'ailleurs) et depuis l'une des chambres. Car c'est promis, Diane vous fera voir d'un autre œil les tours de Downtown et vous aidera à dénicher les quartiers inexplorés.

■ *Chez François* (plan d'ensemble, E3, **73**) : *4031, av. Papineau.* ☎ *514-239-4638.* ● *chezfrancois.ca* ● *À 10 mn à pied de la rue Saint-Denis par le beau parc La Fontaine. Doubles 120 $ sans sdb, 145-155 $ avec sdb privée ; petit déj copieux inclus. Parking privé gratuit.* ☐ ☏ Solide maison avec de typiques escaliers métalliques en façade. 5 chambres de standing bien insonorisées, méticuleusement entretenues. La plus chère est dotée d'un jacuzzi. Parquet en bois blond et beaux matériaux pour une ambiance aussi chaleureuse que l'accueil, avec, en prime, vue sur les arbres du jardin ou du parc. Balcon commun et cuisine à dispo. Quartier calme le soir.

■ *Gîte Saint-André* (zoom Le Plateau, D2, **43**) : *4693, rue Saint-André.* ☎ *514-839-7751.* ● *gitesaintandre. com* ● Ⓜ *Laurier ou Mont-Royal. Double env 110 $ avec petit déj.* ☐ Bienvenue chez Laurena, un petit gîte où

l'on se sent comme à la maison. D'ailleurs, tout l'étage, accessible de façon indépendante, est réservé aux hôtes : 2 chambres pimpantes, un salon commun (bouquins et ordinateur) et un balcon côté cour. C'est simple mais chaleureux, comme l'accueil.

■ *Au Jardin de Fanny* (zoom Le Plateau, D3, **44**) : *859, rue Roy Est.* ☎ *514-691-7165.* ● *aujardinde fanny.com* ● Ⓜ *Sherbrooke. Doubles 95-115 $; une quadruple 135 $. Parking gratuit.* ☐ ☏ Autour du joli petit jardin de Fanny, on trouve 4 chambres exiguës, mais à la déco joyeuse et aux noms bucoliques : la « Papillon », la « Champêtre », la « Tournesol »... Les peignoirs sont fournis pour sortir des 2 salles de bains communes que se partagent les hôtes. Petit déj sain avec plein de fruits et de produits bio. Accueil super, coin tranquille, notamment le jardin à l'arrière : on se sent comme chez soi.

Dans le Quartier latin et le Village

De prix moyens à chic

■ *Gîte Le Saint-André-des-Arts* (zoom Centre, D4, **45**) : *1654, rue Saint-André.* ☎ *514-527-7118 ou 1-866-527-7118.* ● *bnb-montreal.com* ● Ⓜ *Berri-Uqam. Doubles 85-105 $ (2 nuits min).* ☐ ☏ Dans une maison ancienne très bien tenue, 5 chambres coquettes à l'accès indépendant ; 2 avec salle de bains commune et 3 avec salle de bains privée. Du parquet dans toutes les chambres. Terrasse en hauteur qui donne sur un coin de verdure et sur les maisons du quartier : sympa à l'heure de l'apéro ! Buanderie et cuisine équipée à disposition. Petit déj européen à base de produits maison. Très bon accueil.

■ *Gîtes Le Chasseur et Le Simone* (zoom Centre, D4, **46**) : *respectivement aux 1567 et 1571, rue Saint-André.* ☎ *514-521-2238 ou 514-524-2002 (1-800-451-2238 ou 1-888-849-8866).* ● *lechasseur.com* ● *lesimone.com* ● *Doubles env 70-110 $ selon taille et saison ; petit déj copieux inclus.* ☐ Ces

2 gîtes voisins, gérés de main de maître par le même proprio, abritent une vingtaine de chambres dans de jolies maisons de quartier. Toutes différentes, certaines avec parquet, d'autres avec murs en brique. Côté confort, elles sont climatisées, avec TV écran plat, presque toutes ont une salle de bains privée et quelques-unes ont un frigo. Également 3 chambres familiales et 2 appartements. Courette agréable pour le petit déj et terrasse avec barbecue au 1er gîte. Plein de documentation sur la ville.

🛏 *Au Git'Ann* (zoom Centre, D3, **47**) : 1806, rue Saint-Christophe. ☎ 514-523-4494. ● augitann.com ● Ⓜ Berri-Uqam. Doubles avec sdb partagée 90-145 $; suites avec sdb privée 145-200 $. Petit déj inclus. Dans une rue calme du centre-ville, voilà une belle petite maison climatisée aux teintes ensoleillées proposant 5 chambres charmantes aux noms évocateurs : « Crépuscule », « l'Endormeuse », ou encore « Gypsy » et « Saltimbanque » qui se partagent 2 salles de bains, et enfin « Picasso », une suite avec salle de bains privée. Très propre, literie douillette... Accueil à la fois pro et chaleureux d'Anne Messier, la proprio, qui prend un plaisir visible à conseiller ses hôtes sur les bons plans montréalais.

🛏 *Gîte Couette et Chocolat* (zoom Centre, D4, **48**) : 1074, rue Saint-Dominique. ☎ 514-876-3960 ou 1-866-808-3960. ● couetteetchocolat.net ● Ⓜ Champ-de-Mars ou Berri-Uqam. Doubles 85-135 $ selon période, avec petit déj. 💻 📶 Une situation idéale, proche de tout mais dans une rue tranquille. 2 bâtisses mitoyennes ont été aménagées de manière conviviale et chaleureuse : espaces communs accueillants, 5 chambres coquettes aux tons pastel et à la déco champêtre, avec 2 salles de bains à se partager. La cuisine est mignonne comme tout avec ses tissus en vichy et sa table campagnarde. Simple et agréable, avec en prime l'accueil plein de bonne humeur des proprios. Ces derniers aiment récupérer des objets dans les brocantes : une vraie caverne d'Ali Baba ! De plus, ce gîte éco-responsable possède le label « 3 clés vertes ».

🛏 *Aux Portes de la Nuit* (zoom Centre, D3, **49**) : 3496, av. Laval. ☎ 514-848-0833. ● auxportesdelanuit.com ● Ⓜ Sherbrooke. Doubles 115-170 $, taxes et petit déj inclus. 📶 Un gîte de charme donnant sur le très arboré carré Saint-Louis, un petit parc bordé de maisons victoriennes décorées de belles couleurs et de pinacles. Située juste entre la Maison des écrivains et le Q.G. des scouts, la maison, qui date de 1894, est parfaitement dans le ton du quartier avec ses émouvantes boiseries. À l'intérieur, l'harmonie règne : meubles anciens sur fond de couleurs chaudes, petits escaliers et balcons en bois rivalisent de charme. Olivia, la maîtresse des lieux, propose 5 chambres au diapason, très confortables, avec salles de bains indépendantes (parfois sur le palier mais toujours privées). Une chambre avec balcon et une familiale sous les toits avec terrasse.

🛏 *Aubergell* (zoom Centre, D4, **50**) : 1641, rue Amherst. ☎ 514-597-0878. ● aubergell.com ● Ⓜ Berri-Uqam. Doubles 115-195 $; réduc en hiver. 📶 Propose 3 chambres doubles (2 avec sanitaires privés et 1 avec sanitaires partagés), petites pour le prix, mais qui compensent par leur superbe design contemporain, leur mobilier chiné au fil du temps et leur bonne insonorisation. Également 1 suite et 1 loft (plus chers). Petite terrasse. Une adresse phare du Village gay où tout le monde est le bienvenu, comme le laissent entendre les 2 « l » d'Aubergell, qui signifient « l'un et l'autre ». Le petit déj comblera les gourmets. Au rez-de-chaussée, le Gotha Lounge pour se mettre dans l'ambiance autour du foyer.

🛏 *La Loggia* (zoom Centre, D4, **51**) : 1637, rue Amherst. ☎ 514-524-2493. ● laloggia.ca ● Doubles 85-170 $ selon saison et studio 190 $. Un autre gîte en plein quartier gay, qui propose 4 chambres doubles (dont une avec salle de bains à partager) charmantes et confortables, ainsi qu'un vaste studio. La déco, très réussie, utilise de beaux matériaux et des couleurs chaleureuses. Des œuvres d'art disséminées un peu partout justifient l'appellation « Art & Breakfast » donnée par le proprio (anglophone), dont le partenaire est sculpteur. Le *breakfast*, puisqu'on en parle, est composé de produits locaux et bio que l'on peut déguster, si le temps le permet, dans une cour à l'arrière.

Très chic

⌂ **Sir Montcalm** (zoom Centre, E4, 52) : 1453, rue Montcalm. ☎ 514-522-7747. ● sirmontcalm.com ● *Doubles 160-270 $, copieux petit déj inclus ; réduc jusqu'à 25 % en hiver, sf pdt les fêtes.* 🛜 Voici un luxueux gîte au cœur du Village, niché dans une magnifique maison décorée avec énormément de goût : une sorte de mélange raffiné entre le style contemporain et le feeling antique conféré par des matériaux nobles et élégants. Grand confort dans les 3 chambres et les 2 suites, dont 1 avec cuisine. La maison baigne dans une bonne ambiance musicale et donne, à l'arrière, sur un patio croulant sous la végétation. Accueil aux petits soins dans cet établissement *gay friendly* mais ouvert à tous. Un vrai cocon à deux pas de l'animation nocturne du quartier.

Dans le centre-ville (Downtown)

⌂ **Au Cœur Urbain** (plan d'ensemble, B4, 74) : 3766, chemin de la Côte-des-Neiges. ☎ 514-439-4003. ● giteaucoeururbain.com ● Ⓜ Guy-Concordia. *Doubles avec sdb 120-140 $ selon taille. Parking payant.* 🛜 Cette belle et grande maison offre 5 chambres d'excellent confort (AC, TV écran plat), décorées dans un style chic et ethnique chaleureux : selon vos goûts, vous aurez le choix entre une déco québécoise, bretonne, japonaise, russe ou africaine ! Tous les draps et serviettes sont en coton bio équitable : la proprio a travaillé dans l'humanitaire, elle se sent donc concernée par ce genre de choses ! Mais aussi par sa région d'origine, l'Abitibi, dont elle promeut les produits du terroir. Le petit déj se prend autour d'une grande tablée commune. Une très bonne adresse, située au calme et impeccable du sol au plafond.

Hôtels

Nous le rappelons, les prix que nous vous donnons ne comprennent pas les taxes.

Prix moyens

⌂ **Auberge YWCA et Hôtel Y** (plan d'ensemble, C4, 75) : 1355, bd René-Lévesque Ouest (angle Crescent). ☎ 514-866-9942. ● ydesfemmesmtl.org ● Ⓜ Lucien-L'Allier, Peel ou Guy-Concordia. *Ouv 24h/24. À l'auberge YWCA, doubles 60-75 $; à l'hôtel Y, 85-100 $.* 🖵 🛜 Situé près des gares, un peu à l'écart du centre. En fait, c'est un vrai hôtel qui accueille aussi bien les hommes que les femmes. 2 types de chambres à la déco tout à fait standard, mais agréables et confortables. Salle de bains à l'étage pour les chambres économiques de l'auberge ; privée dans la partie hôtel. Cuisine, salon et buanderie à disposition. Un excellent rapport qualité-prix.

⌂ **Hôtel Maison Brunet** (zoom Centre, D4, 53) : 1035, rue Saint-Hubert. ☎ 514-845-6351. ● maisonbrunet.ca ● Ⓜ Champ-de-Mars ou Berri-Uqam. *Doubles 70-110 $ selon taille.* 🛜 Un tout petit hôtel calme et convivial, qui vaut la peine pour sa situation centrale et ses prix raisonnables. Chambres coquettes avec frigo, toutes avec salle de bains sauf une, dont les sanitaires sont dans le couloir mais qui possède en revanche un petit balcon. La plus charmante est la n° 9, dotée d'une cheminée et d'un mobilier ancien. Plusieurs familiales pour 3-4 personnes. Au dernier étage, 2 apparts avec cuisinette peuvent accueillir jusqu'à 8 personnes. Cerise sur le gâteau, une courette verdoyante à l'arrière pour le petit déj (par mauvais temps, on le prend dans le couloir). Bonne ambiance et excellent accueil.

⌂ **Hôtel Élégant** (zoom Centre, D4, 54) : 1683, rue Saint-Hubert. ☎ 514-521-9797. ● hotelelegant.ca ● *Doubles 60-80 $, petit déj léger inclus. Promos sur leur site.* 🛜 Un hôtel fonctionnel avant tout, aux chambres de style identique et d'un confort très correct (salles de bains assez grandes, AC, TV, frigo). Peu de charme, certes, mais c'est propre et à tarifs vraiment serrés pour le centre-ville. On est ici à deux pas de l'animation du Quartier latin, toutefois le coin est calme car il n'y a ni bar ni resto à côté. Dans cette rue, plusieurs autres hôtels du même genre qui peuvent dépanner le routard sans toit.

Chic

🛏 *Hôtel Ambrose* (plan d'ensemble, C4, **76**) : 3422, rue Stanley (juste au nord de Sherbrooke). ☎ 514-288-6922. ● hotelambrose.com ● Ⓜ Peel. *Doubles 70-130 $ selon chambre et saison ; suites 135-165 $, petit déj continental inclus. Forfaits intéressants sur le site internet.* 🛜 Une bien belle maison centenaire de style victorien, typiquement montréalaise, dans une rue calme. La modernisation des lieux a injecté une petite touche standard dans la déco mais on a su conserver les jolies boiseries, les anciennes cheminées et la bibliothèque, d'où un charme certain. Une vingtaine de chambres impeccables, la plupart avec salle de bains privée et certaines avec des meubles anciens. Une suite familiale également. Excellent accueil.

🛏 *Hôtel Armor Manoir Sherbrooke* (zoom Centre, D3, **55**) : 157, Sherbrooke Est. ☎ 514-845-0915 ou 1-800-203-5485. ● armormanoir.com ● Ⓜ Sherbrooke. *Doubles 100-150 $ selon taille, petit déj basique compris. Réduc de 10 % en hiver pour les plus chères.* 🖥 🛜 Sur Sherbrooke, large artère passablement bruyante, une grande bâtisse en pierre grise à l'intérieur bien plus avenant. Une trentaine de chambres toutes décorées différemment, avec salle de bains et AC, moulures et mobilier de style. Sous les combles, 4 chambres moins chères et agréables, à éviter si vous êtes grand. Accueil souriant de la facétieuse Annick.

🛏 *Château de l'Argoat* (zoom Centre, D3, **56**) : 524, rue Sherbrooke Est. ☎ 514-842-2046. ● hotel-chateau-argoat.qc.ca ● *Doubles 100-150 $ selon confort et suite 170 $, petit déj et stationnement inclus.* 🖥 🛜 Malgré sa situation sur une grande artère, le *Château de l'Argoat* propose des chambres calmes et cosy, avec salles de bains privées. Certaines avec un bain tourbillon, les plus chères avec un beau mobilier ancien. Accueil très gentil. Un bon rapport qualité-prix.

🛏 *Hôtel-studio Anne Ma Sœur Anne* (zoom Le Plateau, D3, **57**) : 4199, rue Saint-Denis. ☎ 514-281-3187. ● annemasoeuranne.com ● *Doubles et studios 100-190 $ selon catégorie, avec petit déj.* 🛜 Un petit hôtel récent à taille humaine, très bien situé aux portes du Plateau. Toutes les chambres disposent d'une salle de bains, de l'AC et d'une cuisinette complète très pratique. Le frigo contient tout ce qu'il faut pour faire son petit déj et des croissants sont livrés à votre porte chaque matin. Le lit mural se replie pour laisser place à une table. Bref, c'est fonctionnel, à défaut d'avoir un charme ébouriffant. Les 2 chambres les plus chères ont une terrasse privée, les « économiques » sont petites et donnent sur la rue (à déconseiller si l'on a le sommeil léger). Accueil attentionné.

Très chic

🛏 *Hôtel Saint-Paul* (zoom Centre, C5, **58**) : 355, rue McGill (angle rue Saint-Paul). ☎ 514-380-2222 ou 1-866-380-2202. ● hotelstpaul.com ● Ⓜ Square-Victoria. *Doubles 160-260 $ selon saison ; suites à partir de 280 $; petit déj continental inclus.* 🖥 🛜 Un bel hôtel design et branché aux portes du Vieux-Montréal. La magnifique façade 1900 de ce building historique cache un intérieur zen et épuré, non dénué de créativité mais que certains trouveront un peu froid. Superbe lobby, dont la pièce maîtresse est une monumentale cheminée en albâtre de style contemporain. Chambres et salles de bains (en pierre) au diapason. Salle de gym, *business centre*... Une adresse haut de gamme qui tient ses promesses.

🛏 *Le Petit Hôtel* (zoom Centre, D5, **59**) : 168, rue Saint-Paul Ouest. ☎ 514-940-0360 ou 1-877-530-0360. ● petithotelmontreal.com ● *Tarifs très variables selon taille de la chambre et* saison : env 100-300 $, petit déj inclus. 🖥 📶 Un superbe petit hôtel – comme son nom l'indique – décoré dans un style à la fois design et chaleureux. On y trouve une grosse vingtaine de chambres de tailles très différentes (S, M, L et XL, comme les fringues !), dont le mobilier contemporain se marie à merveille avec les volumes biscornus de ces vénérables bâtiments, qui abritaient jadis une manufacture de cuir et une usine de jouets. D'ailleurs, dans la plupart des chambres il y a au moins un mur en pierre apparente pour nous rappeler que nous sommes ici en plein cœur du quartier historique. Un accueil très gentil et serviable, des couloirs calmes et feutrés, un confort sans faille : vous allez aimer dormir ici !

🛏 **Auberge de La Fontaine** *(zoom Le Plateau, E3, 60) : 1301, rue Rachel Est.* ☎ *514-597-0166 ou 1-800-597-0597.* ● *aubergedelafontaine.com* ● Ⓜ *Mont-Royal. Doubles 120-220 $, suites 150-250 $ selon saison, savoureux petit déj inclus.* 📶 En bordure du parc, voici la capitale du chic décontracté, plébiscitée par quelques grands noms de la B.D. qui ont laissé leur dédicace à la réception. Ici, on apprécie le confort impeccable, ainsi que l'accueil souriant et sans chichis. Une vingtaine de chambres, dans une ambiance printanière et gaie, quelques-unes avec jacuzzi. Suites avec vue sur le parc, bain bouillonnant, bureau ou coin salon. En ajoutant le coin cuisine où l'on peut se préparer une petite collation, c'est comme à la maison !

🛏 🍽 **Hôtel et restaurant de l'Institut** *(zoom Centre, D3, 61) : 3535, rue Saint-Denis.* ☎ *514-282-5120 ou 1-800-361-5111. Resto :* ☎ *514-282-5161.* ● *ithq.qc.ca* ● Ⓜ *Sherbrooke. Doubles 130-200 $ et suites dès 230 $, petit déj inclus. En période scol, table d'hôtes env 12-15 $ lun-ven à 12h et 17h pile, au 2e étage (résa indispensable). Au resto du rdc (fermé sam midi, dim et lun), table d'hôtes env 20 $ le midi et 55 $ le soir ; compter 40 $ à la carte. Parking payant.* 📶 Derrière ce grand bâtiment design se cache l'*Institut de tourisme et d'hôtellerie du Québec,* abritant un millier d'élèves. L'hôtel et le restaurant sont donc tenus par des apprentis (en période scolaire) ou par des stagiaires et employés (en été). Côté hôtel, les 40 chambres sont plus banales que la très belle vitrine de l'institut, mais elles sont confortables et très bien entretenues (la moindre des choses dans une école où l'on apprend le métier !). Toutes ont une salle de bains et un balcon avec une large vue sur la ville, côté nord (Mont-Royal) ou sud (pont Jacques-Cartier). Enfin, côté fourneaux, sachez que les tables d'hôtes les moins chères sont concoctées par des élèves débutants (mais très prisées quand même, pensez à réserver !). Les menus supérieurs, servis dans l'agréable resto du rez-de-chaussée doté d'une belle déco en bois et d'une vue sur le square Saint-Louis, sont préparés par des étudiants en fin d'études, sous l'œil avisé de leurs professeurs. Belle cuisine française du marché à base de produits locaux.

OÙ MANGER ?

Spécial petit déjeuner (« déjeuner » en québécois)

De nombreux restos populaires affichent des « spéciaux du déjeuner ». Vous pourrez avaler des œufs, du bacon, du pain grillé, des « patates rôties » et du café pour moins de 10 $. Sachez aussi que la plupart des restos de Montréal affectionnent la formule du brunch, même en semaine. Vous n'aurez donc aucun mal à vous restaurer le matin si le petit déjeuner de votre hôtel ou de votre gîte touristique n'est pas à la hauteur (ce qui est souvent le cas !).

🍴 Pour les adeptes de viennoiseries (mais aussi de pains spéciaux ou de sandwichs), on recommande les boulangeries **Première Moisson** (même si elles ne servent que du café filtre).

Il y en a aux marchés Jean-Talon (plan d'ensemble, D1) et Atwater (plan d'ensemble, A-B5 ; voir la rubrique « Achats »), certes excentrés, mais qui valent le coup d'œil. Sinon, en ville : 860, av. du Mont-Royal (zoom Le Plateau, D2-3, 90 ; tlj 7h-19h ou 21h jeu-ven) ; à la gare centrale, 895, rue La Gauchetière (plan d'ensemble, C4 ; lun-ven 6h30-19h, sam 9h-17h).

☛ **Serafim** (zoom Centre, D4, 91) : voir plus loin « Dans le Vieux-Montréal ».

☛ **Bistro Grain de Folie** (zoom Le Plateau, D3, 92) : 3817, rue Saint-Denis. ☎ 514-840-9011. Ⓜ Sherbrooke. Tlj 7h (8h le w-e)-23h. Plats 8-13 $. Petit bistrot coloré dont la carte aligne toutes sortes de salades, sandwichs, pâtes, mais on vient principalement pour les copieux petits déj servis à toute heure. Bien pratique pour les lève-tard ! Terrasse côté rue.

☛ **Café Myriade** (plan d'ensemble, B-C4, 140) : 1432, rue Mackay. ☎ 514-939-1717. Ⓜ Guy-Concordia. Tlj 8h (9h le w-e)-19h. 📶 Un café de quartier simple et agréable pour commencer la journée avec un café bon et costaud, des muffins et autres viennoiseries fraîches à grignoter. Aux beaux jours, sympathique terrasse sur la rue (tranquille). Très populaire parmi les étudiants du coin.

☛ **Bistro culturel – Espace La Fontaine** (zoom Le Plateau, D3, 127) : 3933, av. du Parc-La-Fontaine, dans le parc du même nom. ☎ 514-280-2525. Ⓜ Mont-Royal ou Sherbrooke. Tlj de 11h (10h le w-e) à la tombée du jour. Brunchs 8-13 $ servis pratiquement à tte heure. Un joli cadre pour commencer la journée que ce beau parc articulé autour d'un grand lac (voir plus loin « Sur le Plateau Mont-Royal »).

☛ **Chez Cora** (zoom Centre, D4, 93 ; plan d'ensemble, C4, 141) : 1017, rue Sainte-Catherine Est (☎ 514-285-2672) et 1240, rue Drummond (☎ 514-286-6171). Lun-ven 6h-15h ; sam 6h-16h ; dim 7h-16h. Petit déj ou snack env 10 $. Cette chaîne ne vaut pas tant pour son décor de banale cafétéria que pour ses « déjeuners » gargantuesques et sa success story, celle d'une Gaspésienne nouvellement célibataire devenue une self-made-woman québécoise. Pléthore de crêpes, brioches,

œufs et autres assiettes recouvertes de montagnes de fruits frais. Nature (« santé », comme on dit ici), mais tellement copieux qu'on n'est pas sûr que ce soit très diététique !

☛ **L'Avenue** (zoom Le Plateau, D3, 94) : 922, av. du Mont-Royal Est. ☎ 514-523-8780. Ⓜ Mont-Royal. Lun-sam 7h (8h sam)-23h ; 8h-22h dim. Brunchs, tlj 7h-16h, env 7-13 $. C'est LE spot pour bruncher le week-end. Il y a donc une file d'attente démentielle le dimanche matin, mieux vaut le savoir ! Très joli déco et endroit idéal pour se mélanger à la foule branchée du Plateau.

Dans le Quartier latin et le Village

Le bas de la rue Saint-Denis (du n° 1000 au n° 4000), que l'on appelle « Quartier latin », aligne une brochette de restos rapides et de bars à la fréquentation plutôt jeune et francophone : normal, l'université d'UQAM est le centre névralgique du quartier. Si le coin est loin d'être réputé pour sa gastronomie, on peut néanmoins s'y restaurer convenablement et à toute heure, avant ou après la tournée des bars. En poursuivant vers l'est, la rue Sainte-Catherine conduit au cœur du Village, le quartier gay de Montréal. Là encore, pas de grande table, mais de quoi se sustenter à tous les prix dans une ambiance joyeuse et cosmopolite.

Bon marché

|●| **Le Zyng** (zoom Centre, D4, 96) : 1748, rue Saint-Denis. ☎ 514-284-2016. Plats 10-13 $. Cette « nouillerie » au décor de bois très zen et rafraîchissant sert une cuisine asiatique saine, goûteuse et franchement copieuse. Les soupes-repas calent bien leur homme. On peut aussi composer son bol en choisissant le type de pâtes (de blé, de riz...), les légumes et éventuellement de la viande. Une adresse qui reste assez simple et sans prétention gastronomique, mais qui colle bien au style du quartier. Cette petite chaîne tient une succursale au 1371, av. du Mont-Royal Est.

|●| **Shambala** (zoom Centre, D3, 97) : 3439, rue Saint-Denis. ☎ 514-842-

2242. Tlj midi et soir. Menus 7-17 $; plats 10-12 $. Voici un très bon resto tibétain où l'on mange vraiment comme là-bas. Goûtez les légendaires soupes *then-thuk* ou *gya-thuk,* qui constituent un repas à elles seules, ou bien les mythiques *momos,* de délicieux beignets à la vapeur ou frits. Également du tofu sous toutes ses formes. Une cuisine saine, pas dénaturée pour deux sous. On a envie de manger avec une extrême lenteur tant la lumière diffuse, la musique zen et le décor apaisant invitent à la méditation...

Prix moyens

Iᴏl Le Commensal *(zoom Centre, D4, 98) : 1720, rue Saint-Denis.* ☎ *514-845-2627.* Ⓜ *Berri-Uqam. Tlj 11h-22h30 (23h ven-sam et 22h dim-lun). Env 15-20 $ le repas (prix au poids).* Self assez prisé des jeunes Montréalais intégralement végétariens, avec du classique et du moins classique – tofu à la grecque, *seitan* chinois, algues, quinoa... Tout de même assez cher mais les plats sont frais et goûteux et finalement, c'est équitable puisqu'on ne paie que ce que l'on consomme. Décor de brique sur 3 étages, cheminées, parquets et tables en bois. Une autre adresse en centre-ville (voir plus loin).

Iᴏl Le Petit Extra *(zoom Centre, E3, 99) : 1690, rue Ontario Est (près de Papineau).* ☎ *514-527-5552.* Ⓜ *Papineau. Un peu excentré vers l'est. Lun-ven midi et ts les soirs 18h-22h30. Résa conseillée. Table d'hôtes 15-20 $ le midi ; repas à la carte 35-40 $ le soir.* Ce n'est pas si petit, mais c'est vraiment extra. Un bistrot aux faux airs de chic provincial, très couru par la clientèle locale. Nathalie Major concocte une cuisine classique d'inspiration française, où tout est de bonne qualité, depuis le confit de canard jusqu'au filet de truite, avec tout de même, au passage, quelques incursions dans le terroir québécois. Par exemple, pourquoi ne pas chevaucher une entrecôte de bison ou avoir une petite révélation pour le foie d'agneau du Kamouraska ? **Iᴏl Le Pèlerin-Magellan** *(zoom Centre, D4, 100) : 330, rue Ontario Est.* ☎ *514-*

845-0909. Ⓜ *Berri-Uqam. Resto-bar tlj 11h-23h (minuit le w-e). Plats env 14-20 $; table d'hôtes env 20-25 $. Le Pèlerin,* c'est une sorte de taverne de marins décorée de fresques exotiques et de cartes de navigation. Belle terrasse à l'arrière. La carte régulière ne fait pas d'étincelles, mais chaque jour le chef propose quelques plats originaux selon l'inspiration du moment. Brunch le week-end, ambiance relax à toute heure. Bon choix de vins, de bières et de rhums (le nectar du marin !).

Iᴏl Shezan *(zoom Centre, D3, 101) : 2051, rue Saint-Denis.* ☎ *514-845-8867.* Ⓜ *Sherbrooke ou Berri-Uqam. Tlj 11h30-13h30, 17h30-22h30. Plats 10-17 $, table d'hôtes dès 20 $.* Même s'il ne paie pas de mine, ce petit resto indien est l'un des plus appréciés de la ville (malgré quelques légers écarts de temps à autre). Bons oignons *bhaji,* et puis les classiques *tandoori, tikka* et *biryani.* Déco neutre, tout comme le service, et prix honnêtes.

Iᴏl Batö Thaï *(zoom Centre, E4, 102) : 1310, rue Sainte-Catherine Est.* ☎ *514-524-6705.* Ⓜ *Beaudry. Lun-ven 11h-15h, 17h-22h ; w-e 17h-23h. Plats env 10-17 $. Apportez votre vin.* Au cœur du Village gay, un petit resto thaï épargné par les décors de dragon et autres fanfreluches rouges et dorées. À table, salades, soupes et plats aromatisés au gingembre, à la citronnelle ou à la crème de coco. En général, on se contente d'un plat accompagné de riz blanc ou de nouilles sautées. Ce n'est pas d'une grande finesse, mais amplement suffisant pour se dépayser un peu.

Dans le quartier chinois

Le minuscule quartier chinois (Ⓜ Place-d'Armes) aligne plusieurs restos typiques et bon marché, non seulement chinois, mais aussi coréens, vietnamiens, etc. Ils se situent dans la rue Clarke et autour de la rue de la Gauchetière. Laissez-vous guider par vos narines, vos yeux et vos oreilles.

Iᴏl Pho Bang New York *(zoom Centre, D4, 103) : 1001, bd Saint-Laurent.* ☎ *514-954-2032. Tlj 10h-21h30. Compter env 12 $.* Un peu à l'écart

OÙ MANGER ?

des restos chinois tape-à-l'œil, voici un petit resto vietnamien au décor dépouillé, très réputé pour ses excellentes soupes tonkinoises. Demandez la soupe au bœuf saignant, délicieuse ! L'endroit est certes bruyant, mais c'est une bonne valeur dans un quartier qui n'en compte pas tant que ça. Si c'est plein, le resto *Pho Cali* juste un peu plus haut, au n° 1011, n'est pas mal non plus.

Dans le Vieux-Montréal

Un quartier historique bien réhabilité et qui ne manque pas de charme. Cela dit, les hordes de touristes y font la loi, et il est utopique d'y bien manger pour pas cher... Dans ces conditions, autant s'y promener le matin ou y sortir le soir boire un verre (voir le chapitre concerné, plus loin). Néanmoins, nous avons d'excellentes adresses à vous proposer...

Bon marché

|●| *Olive et Gourmando* (zoom Centre, C5, **104**) : 351, rue Saint-Paul Ouest. ☎ 514-350-1083. Ⓜ *Square-Victoria. Mar-sam 8h-20h. Repas env 10 $. CB refusées*. Très chaleureuse boulangerie-resto à la déco tout en bois, où l'on commande au comptoir de délicieux sandwichs et paninis à la composition souvent originale, des salades de pâtes ou de légumes très créatives, des soupes fumantes, et même l'un des meilleurs brownies de la ville... Pour le matin, cafés, viennoiseries et pains de toutes sortes, ainsi que, vrai miracle sur le continent américain, un très bon *espresso* ! Pour ne rien gâcher, un service vraiment tout sourire. En revanche, il faut attendre un peu pour obtenir une table, c'est très couru. Une adresse en or.

|●| *Muvbox* (plan d'ensemble, C-D5, et hors zoom Centre par C5, **105**) : pl. du Génie, à côté de l'écluse. En été, tlj 11h30-21h (à la mi-saison, ça ferme plus tôt, et en hiver c'est carrément fermé). Pizza ou lobster roll env 10 $; menu env 15 $. Un concept génial : ce resto estival a été aménagé dans un container transformé en « baraque à homard » ! Il se déplie en à peine 90 secondes et devient alors le rendez-vous des amoureux du homard des îles de la Madeleine. Le fameux crustacé est proposé soit en sandwich, soit en pizza, et le menu inclut une bonne chaudrée de palourdes et des chips. On peut aussi goûter la pizza au canard du lac Brôme. Le repas est servi dans une boîte en carton, puis on s'assied en terrasse pour déguster ce bon homard généreusement servi... et beaucoup moins ruineux qu'au restaurant ! Une pause déjeuner originale pour les visiteurs du port.

Prix moyens

|●| *Titanic* (zoom Centre, C5, **106**) : 445, rue Saint-Pierre. ☎ 514-849-0894. Lun-ven 8h-16h. Sandwich env 11 $, formules le midi 15-20 $. 🛜 Une cantine un peu chic plébiscitée par les employés du coin pour leur pause déjeuner. La chaleureuse salle en demi sous-sol, décorée d'antiquités et vibrante de discussions, rappelle une cambuse de bateau. Mais ce n'est pas ici que vous heurterez un iceberg, car le service est bien sympa. Quiches, lasagnes et assortiments d'*antipasti* permettent de s'en sortir à moindres frais par rapport aux restos du quartier. Possibilité de prendre un sandwich ou une « boîte à lunch » à emporter et à déguster sur le port.

|●| *Serafim* (zoom Centre, D4, **91**) : 393, rue Saint-Paul Est. ☎ 514-861-8181. Tlj 10h-22h (20h l'hiver). Petite restauration et petits déj 6-20 $; plats 15-25 $. Sous ses airs un peu chic, cette adresse est une excellente halte, du petit déj au dîner en passant par le goûter ! Au menu, une cuisine sous influence méditerranéenne (voire grecque), bio, naturelle et délicieuse ! Au petit déj (servi toute la journée), œufs, crêpes, bagels, gâteaux et autres petits plats, de bons cafés, smoothies et milk-shakes. Sinon, des sandwichs, souvlakis goûteux et copieux, burgers, pizzas, pâtes, tartes salées, poissons et compagnie. On aime l'ambiance *deli*, avec comptoir et cuisine ouverte sur la salle chaleureuse avec piano. Aux beaux jours, étroite terrasse sur la rue.

I●I **L'Usine de Spaghetti** (zoom Centre, D4, **107**) : 273, rue Saint-Paul Est. ☎ 514-866-0963. Juste à côté de la pl. Jacques-Cartier. Tlj 11h-22h. Formules à midi 16-18 $; plats 14-24 $. Dans un décor boisé et émaillé d'antiquités, avec du beau parquet, des lustres kitsch et des croûtes sur les murs en pierres apparentes. Dickens aurait noirci des pages ici en 1842... Dans l'assiette, grand choix de pâtes et de spaghettis bien cuisinés avec des sauces parfois originales. Pas donné pour les pâtes, surtout lorsqu'on ajoute les taxes et le service (assez lent, d'ailleurs), mais les prix incluent un buffet de salades et du pain, ce qui compense bien.

De prix moyens à très chic

I●I **Méchant Bœuf** (zoom Centre, D5, **108**) : 124, rue Saint-Paul Ouest. ☎ 514-788-4020. Tlj 17h-23 h (1h jeu-sam). Plats env 16-40 $; menu « bouffe-tard » après 23h : entrée-plat à 23 $. De la viande comme s'il en pleuvait ! Certes, les plus beaux morceaux (côtes de bœuf, filet mignon sur l'os...) sont aussi chers que juteux mais les moins fortunés ne seront pas laissés sur le bord du chemin, car les burgers de premier choix et les tartares hachés à la main sont très accessibles. Pour des entrées fraîches et fines, direction le « bar cru » et sa vitrine où sont présentés huîtres et fruits de mer. Le mariage de brique et de bois baignant dans une lumière tamisée offre un cadre très chaleureux. Service suffisamment souriant et attentionné pour faire oublier une certaine lenteur. En tout cas, c'est à la fois goûteux et copieux : on sort repu et jamais déçu par la qualité des produits.

I●I **Chez l'Épicier** (zoom Centre, D4, **109**) : 311, rue Saint-Paul Est. ☎ 514-878-2232. Ouv ts les soirs 17h30-22h et en été, également jeu-ven midi 11h30-14h. Le midi, menus 15-25 $; le soir, carte 50-60 $. Menu dégustation 85 $ avec... 7 plats ! À la tête de ce restaurant gastronomique au décor séduisant d'épicerie chic (aussi bar à vins), le chef Laurent Godbout élabore une cuisine contemporaine qui fait le régal des gourmets montréalais et le nôtre. Ayant bien bourlingué avant de jeter l'ancre, il s'inspire aussi bien du terroir québécois que de ses expériences française, espagnole et asiatique. Au hasard de la carte et des saisons, vous pourrez donc tomber sur les crevettes géantes poêlées et leur crépinette d'artichauts au pied de porc et chorizo, ou encore sur le méli-mélo d'ananas et chili une compotée de pommes et de champignons à l'érable... Aïe, aïe, aïe, que c'est bon ! Et vu la présentation, pas étonnant qu'on lui ait attribué l'invention du concept de « divertissement culinaire ». Les palais voyageurs peuvent même acheter les produits du terroir (et d'ailleurs). C'est l'avantage de prendre ses repas dans une épicerie... À noter qu'on peut aussi déjeuner dans le second resto de Laurent Godbout, juste à côté, **L'Autre Version** (295, rue Saint-Paul Est ; ouv mar-ven le midi, mar-sam le soir). Plus que le cadre rustico-branchouille, l'intérêt, c'est la terrasse dans une cour intérieure (sans compter les prix un peu moins élevés).

I●I **Club Chasse et Pêche** (zoom Centre, D4, **110**) : 423, rue Saint-Claude. ☎ 514-861-1112. Ouv lun-ven midi et mar-sam soir. Plats env 20-25 $ le midi, 30-40 $ le soir. Non, ce n'est pas l'antenne locale du mouvement Chasse, Pêche, Nature et Tradition, loin de là, mais le décor a tout de même quelque chose de kitsch et de rustique qui peut surprendre... Une belle table gastronomique dirigée par Claude Pelletier. Au fil des saisons et selon les arrivages, on y pêche la truite de Tasmanie ou on y chasse la pintade accompagnée de racines de persil et tomates au thé vert, entre autres. Quelques détours exotiques de temps à autre (ceviche, quesadillas, risotto...). Pour finir, saliverez-vous pour la galette pêche et bleuets ou pour la tarte au caramel ? Une valeur sûre. Terrasse superbe aux beaux jours, uniquement le midi, installée de l'autre côté de la rue au pied du château Ramezay, et qui domine un charmant jardin.

I●I **The Keg** (zoom Centre, D4-5, **111**) : 25, rue Saint-Paul. ☎ 514-871-9093. Ouv ts les soirs 17h-22h (23h ven-sam). Plats env 25-40 $. Le paradis des viandards : du bœuf à tous les étages,

OÙ MANGER ?

tendre et juteux, à la cuisson savamment maîtrisée. Côtes de bœuf, bavettes, côtes levées... c'est pour elles que la clientèle se presse dans ce décor boisé et cossu, typique des *steak houses*. C'est d'ailleurs étonnant que, au milieu de toute cette chair rouge, quelques plats de poisson aient réussi à se frayer un chemin jusqu'au menu ! Dans tous les cas, l'endroit fait recette, à tel point qu'une réservation est chaudement conseillée, sous peine d'allonger une file d'attente déjà bien fournie.

Dans le centre-ville

Hors business et commerces de chaîne, le gros de l'animation se concentre autour de l'université McGill, avec beaucoup de restos à thème et de snacks pas trop chers.

Bon marché

|●| ➾ Fou d'ici *(zoom Centre, C4, 112)* : 360, rue de Maisonneuve. ☎ 514-600-3424. **Ⓜ** *Place-des-Arts. Lun-ven 8h-20h (21h ven) ; sam-dim 9h (10h dim)-18h. Repas léger env 7-12 $.* Cette épicerie fine comprend un très beau rayon traiteur. Chaque jour, un menu différent est concocté à partir de produits de grande qualité : délicieux sandwichs au rosbif, à la dinde ou au saumon, goûteuses salades, tartares, sushis, etc. Stratégiquement situé près des festivals d'été, l'endroit est bien pratique pour se préparer un pique-nique haut de gamme entre deux spectacles. On peut aussi manger sur place (quelques tables).

|●| Brisket *(zoom Centre, C4, 113)* : 1093, côte du Beaver Hall. ☎ 514-878-3641. **Ⓜ** *Square-Victoria. Lun-sam 6h (10h sam)-20h ; dim (sf en hiver) 10h-15h. Plats 7-16 $.* Une institution montréalaise spécialisée dans la viande fumée, la fameuse *smoked meat*. Un peu l'équivalent du légendaire *Schwartz's*, le décor d'origine en moins... et la file d'attente sur le trottoir en moins aussi ! Mais, osons le dire, nous avons préféré les sandwichs préparés ici. Grandes salles rénovées avec quelques plaques anciennes sur les murs. Dans un joyeux brouhaha,

on déguste un sandwich géant à la viande fumée, la meilleure formule pour bien apprécier le goût et le fumet de la viande. Mais aussi du pied de porc mariné et sa choucroute, ainsi qu'une vingtaine de sortes de poutines et de burgers, notamment (les écolos vont faire la tête) les burgers de cerf, de cheval, de sanglier, d'autruche, de bison ou de caribou... De quoi vous donner envie de revenir encore et encore pour tout tester !

|●| ➾ Dans le paragraphe « Spécial petit déjeuner », plus haut, on vous indique la succursale de **Première Moisson** *(à la gare ferroviaire ; plan d'ensemble, C4)*, boulangerie de qualité où l'on peut se restaurer le midi d'un sandwich ou d'une salade à base de produits sains. La chaîne **Chez Cora** *(plan d'ensemble, C4, 141 ; voir plus haut)* propose aussi salades et assiettes, moins diètes mais très copieuses.

De prix moyens à chic

|●| Le Commensal *(plan d'ensemble, C4, 142)* : 1204, av. McGill-College (angle Sainte-Catherine). ☎ 514-871-1480. **Ⓜ** *McGill. Tlj 11h-22h30 (23h ven-sam et 22h dim-lun). Une autre adresse dans le Quartier latin (voir plus haut). Prix au poids ; repas env 15-20 $ (réduc étudiants).* Même principe que celui du Quartier latin. Accueil cool, jeune et branché dans un cadre neutre, mais pas désagréable et avec terrasse. Brunch végétarien le dimanche.

|●| Le Café du Nouveau Monde *(zoom Centre, D4, 114)* : 84, rue Sainte-Catherine Ouest (angle Saint-Urbain). ☎ 514-866-8669. **Ⓜ** *Saint-Laurent. Lun 11h30-20h, mar-ven 11h30-minuit ; sam 17h-minuit. Résa conseillée. Plats env 12-15 le midi, 16-24 $ le soir.* Dans le hall du *Théâtre du Nouveau Monde*, un sympathique café-resto bondé les soirs de représentation. Servis dans un cadre vaguement Art déco, chaleureux et sobre, ou dans la véranda, un bon choix de salades, sandwichs et petits plats le midi, ainsi qu'une jolie carte de plats d'inspiration française le soir. Belle carte des vins.

|●| M : BRGR *(plan d'ensemble, C4,*

143) : 2025, rue Drummond. ☎ 514-906-2747. *Lun-ven 11h30-23h (minuit ven-sam) ; dim 12h-21h. En moyenne, 15-20 $ le burger-frites.* Voici La Mecque du burger de luxe ! On choisit le type de pain, de bœuf (AAA, bio ou de Kobe), puis on sélectionne l'un des 8 fromages et on pioche parmi une vingtaine d'ingrédients (il y a même des truffes !) pour composer le burger de ses rêves, qui sera accompagné, au choix, de frites normales ou de patates douces. À moins que vous n'optiez simplement pour le burger du mois. Quoi qu'il en soit, les sceptiques changeront peut-être d'opinion sur le burger, pas forcément synonyme de malbouffe... Toujours archi-plein. Fait également bar à cocktails.

🍴 *Guido Angelina (zoom Centre, C4, 132) : 690, rue Sainte-Catherine Ouest.* ☎ 514-393-3808. Ⓜ *McGill. Face au Centre Eaton. Tlj 11h-22h (23h le w-e). Pâtes et pizzas env 11-18 $; viande, poisson et table d'hôtes env 16-35 $.* Une brasserie à l'italienne stylée, heureuse surprise en plein quartier d'affaires. Aux beaux jours, les baies vitrées s'ouvrent grand sur la rue. Tous les classiques italiens, pizzas, pâtes, etc. Beaux desserts qui font sacrément envie ! Plats à emporter également. Succursale au n° 2313 de la même rue (Ⓜ Atwater).

🍴 *House of Jazz – Maison du Jazz (zoom Centre, C4, 115) : 2060, rue Aylmer.* ☎ 514-842-8656. Ⓜ *McGill ou Place-des-Arts. Lun-jeu 11h30-23h30 ; ven 11h30-2h30 ; sam 18h-2h30 ; dim 18h-0h30. Plats env 10-16 $ le midi, 15-30 $ le soir. Les soirs de concert, addition majorée de 5-10 $.* Déco rustico-Tiffany anglaise chargée, avec lustres clinquants, miroirs à gogo. En un mot : classieux. Spécialité de *spare ribs* (travers de porc « style Sud » ou « côtes levées » en québécois), ou combos de poulet rôti. Le midi, c'est plein comme un œuf (employés du coin, yuppies) et bruyant. Le soir, avec le jazz live, l'endroit est tout aussi bondé et encore plus bruyant, surtout les fins de semaine et durant le Festival de jazz (voir « Où boire un verre ?... »). Plutôt cher, mais incontournable pour les fans de jazz !

Sur le Plateau Mont-Royal

L'un de nos quartiers préférés. Officiellement, l'arrondissement du Plateau désigne toute la partie située au nord de la rue Sherbrooke et délimitée à l'ouest par les contreforts du mont Royal. Mais pour les habitants, le quartier du Plateau proprement dit s'articule autour de l'avenue du Mont-Royal, qui concentre la majeure partie des commerces et de l'animation. On trouve dans ce quartier principalement francophone de nombreux restos du monde entier et des bars à l'ambiance décontractée ainsi qu'une multitude de magasins de vêtements, disquaires et autres librairies. Dans les rues adjacentes, du calme, des arbres et de jolies maisons en brique. On peut dire que le quartier, où tente de subsister une vieille population « autochtone », devient bobo mais n'est pas encore totalement embourgeoisé. Il est surtout paisible, esthétique et drôlement créatif, alors tant pis pour ceux qui ont des problèmes d'étiquettes !

Bon marché

🍴 *Santropol (zoom Le Plateau, D3, 116) : 3990, rue Saint-Urbain (angle de Duluth).* ☎ 514-842-3110. Ⓜ *Mont-Royal ou Sherbrooke. Sinon, bus n° 55 à partir du métro Saint-Laurent. Un peu excentré. Tlj 11h30-22h. Sandwichs 8-11 $.* Une de nos adresses chéries dans le coin. Endroit très fréquenté, plutôt *granola* (végétarien en jargon local). Décor rigolo et coloré, ambiance détendue. Cour intérieure bucolique avec des plantes et des petits jeux d'eau. Coin lecture avec bougie. Gros sandwichs, bonnes soupes, salades géantes, succulents gâteaux et cafés issus du commerce équitable et bio torréfiés par la *Brûlerie Santropol (6337, rue Clark ;* ☎ 514-840-1000).* Également des thés et des tisanes maison, de savoureux milkshakes, etc. Précision importante : une partie des bénéfices est reversée à différentes associations caritatives, notamment le *Santrovélo,* le « garage militant » situé à 5 mn de là, où l'on vient réparer soi-même ses bécanes...

|●| *Patati-Patata (zoom Le Plateau, D3, 117)* : *4177, bd Saint-Laurent, au coin avec Rachel.* ☎ 514-844-0216. Ⓜ *Sherbrooke. Tlj 11h-23h. Ts les plats à moins de 6 $.* Une petite institution pour les jeunes affamés du quartier. Dans ce miniresto rapide, on sert des poutines à gogo, du bœuf ou du poisson « bourgeois » et plein d'autres snacks consistants. Depuis des années, la qualité et les prix restent stables, c'est pourquoi les fidèles font souvent la queue devant cette façade peinte à l'arrache, attendant avec fébrilité leur offrande de frites et de fromage. Pour patienter, il n'y a qu'à observer l'animation incessante de ce coin de rue hautement stratégique, en plein cœur du quartier des bars et discothèques. Quelques tables et un comptoir pour manger à l'intérieur. Bons jus pressés et thé glacé maison.

|●| *Schwartz's (zoom Le Plateau, D3, 118)* : *3895, bd Saint-Laurent (et Napoléon).* ☎ 514-842-4813. Ⓜ *Sherbrooke. Tlj 8h-minuit (1h ven, 2h sam). Sandwich 7 $ ou assiettes garnies env 9-18 $. CB refusées.* Une institution de la cuisine juive à Montréal (depuis 1928), réputée dans tout le Québec. Céline Dion, Burt Lancaster, Nana Mouskouri (si, si) et tant d'autres se sont attablés ici. On en fait même tellement un plat qu'il existe un documentaire sur *Schwartz's*. La queue sur le trottoir est presque permanente. Les vitrines croulent sous la *smoked meat* et les bocaux d'énormes poivrons, le sol est graisseux et l'accueil se fait à la chaîne, mais tout le monde s'y précipite. On vient ici, soit pour un sandwich maison à emporter (qui, si délicieuse que soit la viande, n'est guère pratique à manger dans la rue), ou on s'attable pour une assiette de *smoked meat* ou un gros steak cuit sur charbon de bois. Pas d'autre alternative, ni dessert ni alcool, malgré leur slogan : « Ici, on a l'embarras du *Schwartz's*. »

|●| *Rôtisserie Romados (zoom Le Plateau, D3, 119)* : *115, rue Rachel Est (angle Bullion).* ☎ 514-849-1803. Ⓜ *Mont-Royal. Tlj sf dim 11h30-20h (21h jeu-ven). Env 10-12 $.* Une rôtisserie portugaise dont la réputation a fait le tour de Montréal. Selon beaucoup, le meilleur poulet grillé de la ville, d'où souvent un peu d'attente. Également quelques plats (sardines, morue...), du pain de maïs et des tartelettes aux œufs dont les recettes viennent directement du pays. Preuve, s'il en était encore besoin, du formidable brassage ethnique de la ville. Certes, vu le cadre très dépouillé, ce n'est pas l'endroit idéal pour un repas en amoureux... D'ailleurs, la plupart des clients commandent des plats à emporter.

|●| *Beautys (zoom Le Plateau, D2-3, 120)* : *93, av. du Mont-Royal Ouest (angle Saint-Urbain).* ☎ 514-849-8883. Ⓜ *Mont-Royal. Lun-ven 7h-16h ; w-e 8h-17h. Plats et snacks env 8-18 $; brunchs 8-12 $.* Ça ressemble à un *diner*, ça a l'atmosphère d'un *diner*, mais c'est quelque chose de plus encore. Comme un monument historique qui devrait être classé par la ville (mais que fait la police ?). Incroyable comme la foule s'y presse, et ça dure depuis 1942 ! Le dimanche matin, pour le brunch, les fans patientent, faisant pression du regard pour qu'une table se libère. On y vient avant tout pour la cuisine juive, fraîche et appétissante, comme ces bagels nappés de *cream cheese* et de saumon fumé.

|●| *Aux Vivres (zoom Le Plateau, D2, 121)* : *4631, bd Saint-Laurent.* ☎ 514-842-3479. *Tlj 11h (w-e 10h)-23h. Brunch sam-dim 10h-16h. Plats 11-15 $.* Preuve que le Plateau est ouvert à toutes les tendances, voici un resto végétalien au décor propret, très années 1950. Également une cour plaisante à l'arrière. Certes, il faut s'habituer à ce type de cuisine à priori austère : tous les plats sont préparés à base de légumes de saison bio, de tofu ou de *tempeh* (soja fermenté), le tout sans aucun produit animal (ni œuf ni fromage). Salades, soupe du jour, tofu grillé, le fameux *végépâté* (un classique québécois), etc. Une expérience culinaire saine et sympathique que l'inventivité des cuistots et des sauces excellentes parviennent à rendre savoureuse. Il y a même un burger de *tempeh* et des brunchs le week-end car la Végétalie n'est pas un pays triste !

|●| *Frite Alors ! (zoom Centre, D3, 122)* : *3497, bd Saint-Laurent.* ☎ 514-

840-9000. Tlj 11h30-23h (4h ven-sam). Plats env 9-16 $. Hergé a encore frappé dans la métropole québécoise. Cette chaîne de restos sans prétentions (son slogan : « Une friterie belge, quoi ») a au moins le mérite de mettre à l'honneur le sens de l'humour, si cher aux Belges et aux Québécois (et si on s'y remettait un peu, nous aussi ?). Dans un décor tintinophilesque, on se rassasie donc de hamburgers, de sandwichs et de... quoi déjà ? Ben, de frites, alors ! Seules les poutines ne sont pas accompagnées de frites... parce que ce sont déjà des frites. Bon, rien de très bon pour votre ligne (surtout si on arrose le repas d'une *Bachi-bouzouk*, l'excellente bière maison !) mais c'est une formule rigolote pour toute la famille. Et pratique, car plein d'adresses en ville : *1710, Saint-Denis ; 1562, Laurier ; 433, Rachel ; au marché Jean-Talon, etc.*

|●| **Saint-Viateur Bagel & Café** *(zoom Le Plateau, D2, **123**) : 1127, av. du Mont-Royal Est.* ☎ *514-528-6361. Tlj 5h30-23h. Env 5-10 $.* L'adresse originale du *Saint-Viateur Bagel* est au 263, rue Saint-Viateur, dans le Mile-End. C'est une des institutions juives du quartier : depuis 1957, on y cuit 24h/24 des rangées entières de bagels dans le beau four à bois. La boutique du Mile-End n'est cependant que la boulangerie. Pour déguster les bagels « garnis », il faut se rendre à la succursale sur l'avenue du Mont-Royal Est. Préférez ceux au sésame et choisissez la garniture. Le « traditionnel » est simple et excellent : crème, saumon, câpres et citron. Celui au poulet cuit au feu de bois n'est pas mal non plus. Plus original, le bagel « omertà », à l'italienne évidemment. Également tartinades, soupes, salades et gâteaux.

|●| **La Binerie Mont-Royal** *(zoom Le Plateau, D2, **124**) : 367, av. du Mont-Royal Est.* ☎ *514-285-9078.* Ⓜ *Mont-Royal. Lun-ven 6h-20h ; w-e 7h30-15h ; service continu. Env 10-13 $.* Pour 10 à 13 pièces (dollars, quoi !), accoudé au comptoir, vous pourrez expérimenter le déjeuner québécois traditionnel : soupe aux pois, haricots (fèves au lard) et l'« assiette maison » – tourtière, boulettes de viande, « patates pilées » et pouding chômeur. C'est copieux et très typique, à défaut d'être diététique et

raffiné. N'hésitez pas à arroser le tout d'une bière d'épinette *Marco,* fameuse boisson gazeuse à l'ancienne avec un arrière-goût de pin. Un lieu minuscule et intact depuis son ouverture en 1938, que l'on vous indique pour le folklore et qui ravira nos lecteurs dotés d'un estomac solide.

|●| **L'Avenue** *(zoom Le Plateau, D3, **94**) : 922, av. du Mont-Royal Est (entre Mentana et Saint-André).* ☎ *514-523-8780.* Ⓜ *Mont-Royal. Lun-ven 7h-23h, 8h-23h sam, 8h-22h dim. Brunchs, tlj 7h-16h, env 7-13 $ (voir plus haut « Spécial petit déjeuner ») ; burgers, salades et pâtes 10-15 $.* Décor branché sans complexe, avec banquettes en alcôve, mur de brique graffité, Harley-Davidson au plafond et chute d'eau. Le tout en musique, *high level* évidemment. Les portions généreuses en font un rendez-vous idéal pour les petits budgets et les affamés. Un bon plan, du moins quand on arrive à avoir une table ! Beaucoup de monde en particulier le week-end, à l'heure du brunch.

|●| 👓 **Bistro Grain de Folie** *(zoom Le Plateau, D3, **92**) :* voir plus haut « Spécial petit déjeuner ».

Prix moyens

|●| **Robin des Bois** *(zoom Le Plateau, D2, **125**) : 4653, bd Saint-Laurent.* ☎ *514-288-1010.* Ⓜ *Mont-Royal. Tlj 11h30-22h sf sam midi et dim (horaires réduits en été). Menus à midi 12-20 $; plats 13-20 $.* La salle aérée et rustico-contemporaine a quelque chose de gentiment branché, et la cuisine soignée des parfums d'ici et d'ailleurs... Mais on ne vient pas uniquement pour les plats savoureux, mijotés avec des produits de saison et principalement bio. Car cette adresse est gérée en majorité par des bénévoles, et reverse ses profits à des organismes caritatifs. Pour une fois, la gourmandise n'est pas un péché !

|●| **Jano** *(zoom Le Plateau, D3, **118**) : 3883, bd Saint-Laurent.* ☎ *514-849-0646.* Ⓜ *Sherbrooke. Lun-mer 16h-minuit, jeu-dim 11h-minuit. Repas env 20-30 $.* Pour une fois, pas une

rôtisserie mais un bon resto portugais, avec des spécialités du Ribatejo en rafales, du lapin grillé aux *spare ribs* en passant par la saucisse portugaise, le poisson sur charbon de bois ou le *caldo verde*. Copieux à défaut d'être très bon marché, et servi sans tralala dans un décor sans prétentions.

I●I *Cafétéria Kitchen-Bar (zoom Centre, D3, 126)* : *3581, bd Saint-Laurent.* ☎ 514-849-3855. Ⓜ *Sherbrooke. Lun 18h-3h, mar-ven 10h-3h, sam 9h-3h, dim 9h-17h. Petit déj 10h-11h30 en sem, 9h-15h w-e et j. fériés. Snack env 10 $; plats 15-30 $.* Ce resto-bar, où les jeunes Montréalais bien nés viennent prendre des forces avant de sortir en boîte, n'a rien à voir avec une cafétéria. Le nom évoque plutôt la carte italianisante (lasagnes et pâtes savoureuses, bons hamburgers). Quant à la déco, tout comme la musique, elle est clairement *lounge* et branchée.

I●I 🚲 *Bistro culturel – Espace La Fontaine (zoom Le Plateau, D3, 127)* : *3933, av. du Parc-La-Fontaine, au beau milieu du parc.* ☎ 514-280-2525. Ⓜ *Mont-Royal ou Sherbrooke. Tlj de 11h (10h le w-e) à la tombée du jour. Brunchs 8-13 $; plats 10-20 $.* Ce centre à but non lucratif, installé dans un bâtiment aux allures de piscine municipale, organise des activités culturelles toute l'année : un bon moyen de découvrir la vibrante vie artistique montréalaise (danse, chant, expos...). Mais c'est aussi un bon petit restaurant qui sert des plats frais et bien troussés : moules, tartares, canard confit et bonnes salades composées. Une halte très reposante au cœur de ce vaste et beau parc, à quelques encablures de l'animation du Plateau. Sur place, une agréable terrasse ou une salle moderne avec un long comptoir et des œuvres exposées. Ils vendent aussi des sandwichs à emporter, qu'on peut aller déguster sur la pelouse.

I●I *Le Jardin de Panos (zoom Le Plateau, D3, 128)* : *521, rue Duluth Est.* ☎ 514-521-4206. Ⓜ *Mont-Royal ou Sherbrooke. Tlj 11h30-23h30. Plats 14-25 $; spécial « souper tôt » 15h-17h (16h le w-e) 19 $. On peut apporter son vin.* On vous emmène dans une taverne grecque (communauté non négligeable à Montréal) qui sert des spécialités vrai-

ment bonnes et copieuses. Bel assortiment d'entrées suffisant pour 2, puis *souvlaki,* grillades marinées bien juteuses et savoureuses. Si vous cherchez le jardin, en été, il est au fond. Accueil correct, mais tout dépend de l'affluence. Si c'est complet, le restaurant d'en face (au n° 506), **Khyber Pass,** propose de très bonnes spécialités afghanes.

I●I *L'Express (zoom Le Plateau, D3, 129)* : *3927, rue Saint-Denis.* ☎ 514-845-533. Ⓜ *Sherbrooke. Tlj 8h-2h. Plats 15-26 $.* Cette brasserie à la parisienne est une institution. Pour ses plats classiques et vraiment bien ficelés (tartare de bœuf, cailles farcies, foie gras...), mais aussi pour ses horaires étendus. Un vrai plus en fin de soirée ! Il n'est pas rare d'y croiser de nombreux artistes après les représentations. Atmosphère animée et décontractée, entretenue par une bonne carte des vins servie au besoin à la ficelle.

I●I *Le Nil Bleu (zoom Centre, D3, 130)* : *3706, rue Saint-Denis.* ☎ 514-285-4628. Ⓜ *Sherbrooke. Tlj midi et soir. Ingera (assortiment) 33-35 $ pour 2 pers ou plats env 13-19 $.* Au *Nil Bleu,* on déguste de délicieuses spécialités éthiopiennes dans un cadre classe. L'idéal est d'y aller à plusieurs, car le principe est on ne peut plus convivial : chacun choisit une spécialité différente (poulet, agneau... cuits dans des sauces plus ou moins épicées), et on mange à l'aide de légères crêpes roulées. Ni assiettes ni couverts. Les assortiments sont les plus recommandables, car ils permettent de goûter à tout. Le service du café est plus cérémonieux, et ça le mérite : l'Éthiopie, faut-il le rappeler, est le pays du moka. Fait aussi hôtel chic.

I●I *Maamm Bolduc (plan d'ensemble, E3, 145)* : *4351, rue de Lorimier (angle Marie-Anne).* ☎ 514-527-3884. Ⓜ *Mont-Royal. Un peu excentré. Tlj 7h (9h w-e)-22h. Plats env 6-12 $; menu env 10 $.* Un resto-snack de quartier, idéal pour manger des en-cas frais et copieux dans une atmosphère animée, colorée et populaire. Goûtez l'une des très réputées poutines de la maison (la régulière, la costaude, la dingue, la bourguignonne, etc.), du moins si vous aimez ça ! Sinon, plein d'autres plats québécois comme le pâté chinois, le macaroni à la viande ou le ragoût de boulettes, et des burgers variés et originaux (au poisson, au filet mignon...). Pour compléter la très longue carte, quelques plats végétariens, des brunchs et d'excellents gâteaux. Petite terrasse en bord de rue. L'établissement fait également *Gîte du Passant*.

Chic

|●| *Le Pied de cochon* (zoom Le Plateau, D3, **131**) : 536, rue Duluth Est. ☎ 514-281-1114. Tlj sf lun 17h-minuit. Plats env 15-36 $; menus à partir de 39 $. Un joli bistrot qui ne désemplit pas, tant ce *Pied de cochon* est connu et reconnu. Tant et si bien qu'il n'a même pas pris la peine de mettre une enseigne ! Excellente atmosphère dans un brouhaha permanent. Sa cuisine typiquement québécoise s'est élevée au rang de gastronomie. C'est l'un des rares restos où vous pourrez manger une poutine au foie gras ! Et bien d'autres plats alléchants et savoureux : langue de bison, tête de cochon, foie gras et boudin maison...

Dans Mile-End

C'est le quartier qui monte ! Mile-End, qui occupe la partie nord-ouest du Plateau, concentre restos, bars et boîtes de nuit envahis par une clientèle très diverse. Autrefois faubourg ouvrier, puis lieu d'accueil des immigrants juifs, portugais et grecs, il est devenu dans les années 1980 un véritable repaire d'artistes. Depuis, son esprit alternatif laisse peu à peu la place à une certaine branchitude. N'empêche, on s'y promène avec un certain plaisir. La portion piétonne de la rue du Prince-Arthur aligne comme à la parade les restos du monde entier (italien, polonais, portugais, mexicain, vietnamien, afghan, et on en oublie un paquet). Un tour d'horizon culinaire complet dans un mouchoir de poche !

|●| *L'Assommoir* (plan d'ensemble, C-D2, **146**) : 112, rue Bernard Ouest (angle Saint-Urbain), Mile-End. ☎ 514-272-0777. Ⓜ Rosemond. Lun-ven 11h-1h (3h jeu-ven) ; w-e 10h-3h. Plats 15-28 $. Une belle salle tout en longueur, à la lumière tamisée, où vieux carrelage et bois dominent. Soupes, salades, tartares (viande ou poisson), tapas et autres plats, ainsi qu'une looongue liste de cocktails. Plats individuels ou à partager, il y a le choix. Les classiques sont volontiers revisités par le chef, comme le *ceviche* au sésame et sirop d'érable ou le hamburger au fois gras. Bref, une cuisine de brasserie fine mais pas radine, goûteuse et joliment présentée. Des soirées à thème également. Comme très souvent, musique très présente en soirée. Une adresse plus destinée à repas entre amis ou amoureux qu'en famille avec des petits. Si vous tombez sous le charme de cet endroit créé par le fils du chanteur Robert Charlebois, sachez qu'il a fait un petit dans le Vieux-Montréal (211, rue Notre-Dame Ouest).

OÙ MANGER UNE BONNE PÂTISSERIE OU UNE PETITE DOUCEUR ?

🍴 🍞 *Boulangerie M. Pinchot* (zoom Le Plateau, D3, **160**) : 4354, rue de Brébeuf. ☎ 514-522-7192. Ⓜ Mont-Royal. Tlj 6h30-20h (19h30 w-e). Sieur Pinchot est peut-être la preuve vivante qu'un nom peut influer sur un destin. Excellentes viennoiseries (pains au chocolat, croissants, carrés aux dattes, etc.), pains spéciaux, sandwichs, bons fromages au lait cru, vente de sirop et de tire d'érable, crèmes glacées, etc.

Que ça sent bon là-dedans !

🍞 *Boulangerie Les Co'Pains d'abord* (plan d'ensemble, E3, **170**) : 1965, av. du Mont-Royal Est. ☎ 514-522-1994. Ⓜ Mont-Royal ou bus n° 97. Fermé 2 sem en juil. Lun-mer et sam 7h-19h ; jeu-ven 7h-21h ; dim 8h-18h. Une boulangerie tenue par un Breton, qui fait l'unanimité dans le quartier. Magnifiques croissants, macarons, éclairs, gâteaux au chocolat, tartes et quelques gâteaux

OÙ MANGER ?

bretons. Également des sandwichs, pizzas, tartinades et des pains spéciaux en fin de semaine tels que le pain cacao-noisette-canneberge ! Quelques tables pour boire un bon café équitable.

🍴 *Pasticceria Alati-Caserta (plan d'ensemble, D1, 171) :* 277, rue Dante (angle av. Saint-Julien). ☎ 514-271-3013. Ⓜ Jean-Talon. Lun 10h-17h ; mar-mer 8h-18h ; jeu-ven 8h-19h ; sam 8h-17h30 ; dim 9h-17h. Dans la Petite Italie et à proximité du marché Jean-Talon, une authentique pâtisserie italienne située face à une église où Mussolini est encore représenté à cheval dans l'autel ! La vraie pâtisserie sans fioritures (et parfois sans le sourire), mais les babas au rhum et les *cannoli siciliani* y sont à se damner !

🍴 *Juliette et Chocolat (zoom Centre, D3, 161) :* 3600, bd Saint-Laurent. ☎ 438-380-1090. Tlj 11h-23h (minuit ven-sam). « Du chocolat dans tous ses états », comme le dit la devanture (et pas donné, mais ça, c'est pas affiché !) : chaud, froid ou onctueux, sous forme de mousse ou de crème dans de délicieuses verrines, de gâteaux, de chocolats à croquer... Le tout servi dans une grande salle chic et élégante. Deux autres adresses : *au 1615, rue Saint-Denis (zoom Centre, D4, 161) et au 377, Laurier Ouest (plan d'ensemble, C2, 172).*

🍴 *D Liche (zoom Le Plateau, D3, 162) :* 3964, rue Saint-Denis. ☎ 514-500-2505. Mar-sam 10h (12h sam)-21h ; dim 12h-17h. Une nouvelle adresse appréciée de nos lecteurs pour déguster des *cupcakes,* ces petits gâteaux moelleux recouverts d'un glaçage coloré et sucré. Tous les jours, selon la saison, 8 saveurs différentes sont proposées : les classiques vanille, chocolat et red velvet mais aussi des alliances plus osées et locales comme l'érable-bacon ou le pomme-cheddar ! À consommer avec thé ou café.

OÙ DÉGUSTER UNE BONNE GLACE ?

🍴 *Le Patio (zoom Le Plateau, D3, 163) :* 836, av. du Mont-Royal. ☎ 514-524-0792. Ⓜ Mont-Royal. De mi-mai à mi-sept, tlj 11h30 jusqu'à affluence... Comme on dit ici, voici un charmant petit « bar laitier » avec une terrasse de poche au cœur du Plateau. Crèmes molles et dures, lait fouetté et près de 50 parfums : aux fruits (bleuet/myrtille, cerise, etc.), à la tire d'érable, érable et noix, etc.

🍴 *Ripples (zoom Le Plateau, D3, 164) :* 3880, bd Saint-Laurent. ☎ 514-842-1697. Ouv aux beaux jours. Crèmes glacées artisanales. Également du yaourt glacé et des sorbets. Des dizaines de saveurs différentes, du thé vert au *kulfi* (pistache à l'indienne) en passant par le capuccino.

🍴 *Le Bilboquet (plan d'ensemble, C2, 173) :* 1311, av. Bernard. ☎ 514-276-0414. Ⓜ Outremont. De mars à mi-mai, tlj 11h-21h ; de mi-mai à mi-sept, tlj 11h-minuit ; de mi-sept à déc, tlj 11h-20h. Pour une pause fraîcheur, allez donc lécher une glace chez ce glacier, ouvert depuis 1983 et considéré comme l'un des meilleurs de Montréal. Délicieuses crèmes glacées artisanales et une bonne cinquantaine de parfums : à la tire d'érable, miel-lavande, abricot, pamplemousse, etc. Face au succès, plusieurs annexes ont vu le jour : *1600 Laurier Est (plan d'ensemble, E2, 173)* et, l'été, une autre sur les quais du Vieux-Port *(plan Centre, D5, 165).*

OÙ BOIRE UN VERRE ? OÙ S'ÉCLATER EN MUSIQUE ? OÙ DANSER ? OU LES TROIS EN MÊME TEMPS...

La vie nocturne à Montréal risque de vous laisser sur les rotules au bout de quelques nuits si vous n'êtes pas préparé physiquement. Dire qu'elle est riche et intense ne suffit pas, c'est aussi l'une des moins friquées du monde occidental, au sens qu'il n'y flotte pas l'atmosphère viciée du profit maximum, ni le climat oppressant des lieux élitistes où l'on se sent de trop. Vous serez surpris par la vitalité des cafés, bars et boîtes. Montréal est une ville cosmopolite qui bouge très fort, dans un bouillonnement culturel permanent francophone-anglophone. Il y en a pour tous les goûts, tous les fantasmes. Les modes évoluent vite, des réputations se défont d'une année sur l'autre, les centres d'intérêt se déplacent. Malgré notre soin à n'indiquer que des valeurs sûres, nous n'excluons pas que certaines de nos adresses puissent se dévaluer le temps que le bouquin sorte.

Les boîtes anglophones à la mode de la rue Crescent exigent un *cover charge* (droit d'entrée) qui peut dépasser 10 ou 15 $. Si vous voulez entrer, venez accompagné de trois mannequins, ou bien pointez-vous avant minuit. Côté francophone, ce sont plutôt les terrasses qui se développent comme des champignons, le temps d'un (trop) court été. Mais rassurez-vous, si ces terrasses se font plus discrètes l'hiver, les bars eux-mêmes n'en sont pas moins actifs. D'ailleurs, ça commence souvent par un « 5 à 7 » dans un bar autour d'un pichet de bière ou de sangria.

Pour les spectacles, concerts et boîtes, se reporter aux hebdos culturels gratuits : *Voir* (● voir.ca ●) pour les francophones et *Hour* (● hour.ca ●) pour les anglophones. On les trouve un peu partout (grands hôtels, restos, dépanneurs, cafés, librairies, etc.).

Nous avons classé les lieux par secteurs, et, à l'intérieur de chaque secteur, pour chaque adresse, nous indiquons si l'on y vient plutôt pour boire un verre, danser, écouter de la musique ou les trois à la fois. Rappelons qu'au Canada ces différentes activités ne sont pas toujours distinctes.

En ce qui concerne le jazz, Montréal occupe une place importante, comme en témoignent les nombreux lieux qui s'y consacrent. Le jeune jazz montréalais a beaucoup d'avenir et révèle des musiciens talentueux. Vous aurez l'occasion de le découvrir encore plus aisément si vous êtes à Montréal pendant le *Festival international de jazz* (se reporter à la rubrique « Fêtes et festivals » dans « Montréal utile. Fêtes et jours fériés »).

Enfin, il est interdit de fumer dans tous les lieux publics, y compris les bars et les boîtes. Seules exceptions : les terrasses (mais pas toutes !).

Dans le Quartier latin

♥ ♪ ♫ **Les Foufounes électriques** (*zoom Centre, D4, 180*) : 87, rue Sainte-Catherine Est. ☎ 514-844-5539. ● foufounes.qc.ca ● Ⓜ Saint-Laurent. Tlj 15h-3h (21h-3h à l'étage). Entrée payante pour les concerts (3-30 $) ; 8 $ pour la boîte de nuit. Bière bon marché. Grand bar-boîte grunge aménagé dans une ancienne usine, qui reste année après année un haut lieu des nuits montréalaises alternatives. *Les Foufounes* (mot qu'emploient les enfants pour désigner les fesses) attirent une meute gothique, punk, métalleuse, mais aussi des habitués propres sur eux, sans doute plus déjantés à l'intérieur qu'à l'extérieur. Terrasses devant et derrière, billard, baby-foot... Sur la piste, on alterne métal, rock, punk... Un must !

♥ ♪ **Coopérative du Café Chaos** (*zoom Centre, D3, 181*) : 2031, rue Saint-Denis. ☎ 514-844-1301. ● cafe chaos.qc.ca ● Ⓜ Berri-Uqam. Tlj 15h (lun-mer 17h)-3h. Concerts ts les soirs vers 21h-22h, souvent gratuits, parfois payants (moins de 10 $). Une coopérative plutôt cool qui fonctionne depuis une quinzaine d'années, ayant pour objectif de promouvoir de jeunes artistes. Cadre assez *punk and destroy*, un peu sombre, avec toutefois une petite salle vitrée bien agréable surplombant la rue. Endroit parfait pour ceux qui veulent rencontrer les étudiants montréalais dans une ambiance décontractée et sans prétentions. Tous les styles de musique ont droit dè cité, mais on y écoute surtout du rock, de l'électro et du métal bien pêchu.

♥ **Abreuvoir** (*zoom Centre, D3, 182*) : 403, rue Ontario Est. ☎ 514-843-5469. Ⓜ Berri-Uqam. Tlj 15h-3h. Soirées humour mer-jeu : 7-10 $. Un bar toujours animé, qui vit au rythme d'une fidèle clientèle estudiantine attirée par la grande variété de bières de qualité

OÙ BOIRE UN VERRE ? OÙ SORTIR ?

à prix raisonnables (vendues aussi au gallon, soit près de 4 litres !). Autre atout, la terrasse située à l'arrière, ouverte à l'année car elle est chauffée en hiver. Les dimanches après-midi d'été, c'est le barbecue qui chauffe : chacun apporte ses grillades et trinque en célébrant les beaux jours. Petits concerts et DJ de temps à autre.

♩ *Le Saint-Sulpice (zoom Centre, D4, 183)* : 1680, rue Saint-Denis. ☎ 514-844-9458. Ⓜ *Berri-Uqam. Tlj 11h-3h.* Boîte-café dans une chouette maison particulière avec terrasses partout et jardin bourré de tables en été. Assez B.C.B.G., avec sa clientèle d'étudiants de bonne famille. Plusieurs ambiances musicales (6 salles sur 3 niveaux). Piste de danse au sous-sol. À l'étage, 5 bars et 2 billards. La grande terrasse derrière fait figure d'institution à Montréal. Possibilité de casser la croûte. Ne manquez pas, au dernier étage, auquel vous accéderez par une porte dérobée, *Le Cabaret* : une petite scène, une quinzaine de tables, un bar, et des spectacles d'humoristes et de chansonniers quasiment tous les mercredis (entrée souvent payante : environ 10 $) et parfois du théâtre d'improvisation (gratuit).

♩ *Le Bistro à Jojo (zoom Centre, D4, 184)* : 1627, rue Saint-Denis. ☎ 514-843-5015. Tlj 12h-3h. Concerts tlj vers 19h (gratuit) et 22h (payant). Un vieux bar à blues comme on les aime, bas de plafond et dont les murs de brique sont décorés d'instruments de musique et de photos en noir et blanc. On y donne des concerts chaque soir, dans une ambiance franchement sympa et décontractée.

♩ *L'Escalier (zoom Centre, D4, 185)* : 552, rue Sainte-Catherine Est. ☎ 514-670-5812. Ⓜ *Berri-Uqam, sortie Sainte-Catherine. Au-dessus de la Maison de la presse internationale. Tlj 11h-3h. Spectacles gratuits (musiques et shows variés) tlj vers 21h.* Bar de quartier alternatif, sympathiquement bordélique, engagé, coloré, assez intime grâce à ses multiples petites salles. Fait aussi resto végétarien et bio (salades, pizzas, *nachos*, etc.). À vrai dire, pour boire de l'alcool, il faut au minimum commander des olives car le bar n'a pas la licence ! Bières pres-

sion, jus frais, cafés et thés équitables. Spectacles ou petits concerts chaque soir.

♩ ♩ *Jello Bar (zoom Centre, D4, 186)* : 151, rue Ontario Est. ☎ 514-285-2009. Ⓜ *Saint-Laurent. Mar-sam 17h-3h. Entrée : 6-10 $. Tenue correcte exigée.* Dans un coin plutôt désert, un peu à l'écart du Quartier latin, un bar où l'on peut écouter de l'excellente musique et des groupes live presque tous les soirs : R & B, jazz, funk, house, groove, soul, salsa... Déco tendance kitsch, avec lampes lava et peaux de léopard, atmosphère tamisée et tons chauds. Piste de danse. Pour se désaltérer, le lieu est un *Martini Bar*.

♩ *La Distillerie (zoom Centre, D4, 95)* : 300, rue Ontario Est. ☎ 514-288-7915. Lun-ven 16h-2h ; w-e 19h-3h. Très réputé pour ses innombrables cocktails et ses bières artisanales. Ambiance jazz. Face au succès, une autre *Distillerie* s'est ouverte au 2047, av. du Mont-Royal (angle Lorimier)...

♩ *Le Metropolis (zoom Centre, D4, 187)* : 59, rue Sainte-Catherine Est. ☎ 514-844-3500. Ⓜ *Saint-Laurent.* ● montrealmetropolis.ca ● *Concerts payants.* Une des salles de concerts les plus connues de Montréal, où se sont produits notamment David Bowie, les Rita Mitsouko, Björk, ou encore le Québécois Jean Leloup (qui possède le record de représentations). Salle de 2 300 places. Programmation sur Internet ou dans les gratuits.

Dans le centre-ville

Comme il se doit, ce quartier d'affaires est presque déserté le soir. Il y a bien, si l'on aime le côté m'as-tu-vu, quelques bars et boîtes à la mode dans les élégantes rues Crescent, Bishop et Stanley. Rien à voir avec l'ambiance bon enfant du Quartier latin ou du Village.

♩ *House of Jazz – Maison du Jazz (zoom Centre, C4, 115)* : voir « Où manger ? ». ● houseofjazz.ca ● *Groupe de jazz ts les soirs dès 20h env (18h30 ven-sam, car il y a 2 groupes). Droit d'entrée : 5-10 $.* Chouette rendez-vous, plus pour l'oreille que pour le ventre puisqu'on déguste ici un jazz de qualité. Un incontournable dans le genre.

La Salsathèque *(plan d'ensemble, C4, **210**) : 1220, rue Peel, au 3ᵉ étage.* ☎ *514-875-0016.* • *club salsatheque.com* • Ⓜ *Peel. Mer-dim 21h-3h. Entrée : env 10 $ ven-sam (concerts) ; gratuit le reste de la sem.* Rythmes latinos, déhanchements sensuels et robes ultra-moulantes de rigueur. Déco clinquante. Salsa, *baie-nato,* merengue, mambo, lambada et dance. La clientèle est cubaine, brésilienne et colombienne. Pas B.C.B.G. pour un sou.

Cock and Bull *(plan d'ensemble, B4, **211**) : 1944, rue Sainte-Catherine Ouest.* ☎ *514-933-4556.* Ⓜ *Guy-Concordia. Tlj 11h (12h dim)-3h.* Un pub irlandais typique avec concert de blues du jeudi au samedi. Le dimanche, c'est plutôt rock. Fléchettes, billards, machines à sous. Bières délicieuses, petite restauration à prix modiques. Bonne ambiance.

Dans le Vieux-Montréal

Terrasse de l'Auberge du Vieux-Port *(zoom Centre, D5, **188**) : 97, rue de la Commune Est.* ☎ *514-392-1649.* Ⓜ *Champ-de-Mars ou Place-d'Armes. Terrasse accessible 11h-22h mai-sept slt.* On entre dans le hall de l'*Auberge du Vieux-Port,* on prend l'ascenseur jusqu'au dernier étage ; à droite, prendre la 1ʳᵉ porte, puis l'escalier qui mène au toit. Installez-vous et contemplez : le port de Montréal, le dôme de la Biosphère, le Saint-Laurent, les bateaux... la plus belle vue sur le port. Une pause appréciable dans le Vieux-Montréal. On peut y manger un morceau, mais c'est hors de prix.

Le Jardin Nelson *(zoom Centre, D4, **189**) : 407, pl. Jacques-Cartier.* ☎ *514-861-5731.* Ⓜ *Champ-de-Mars. Tlj 11h30-22h (23h w-e). Fermé nov-mars.* Situé sur la place principale du Vieux-Montréal, ce bar-resto ultra touristique est bien connu pour son immense terrasse ombragée intérieure. On y écoute des sessions de jazz tous les midis et tous les soirs, toute la journée en haute saison. C'est l'endroit idéal pour boire un verre en fin d'après-midi (spécialité de sangria). Pousse

néanmoins un peu à la conso... Fait aussi resto à prix moyens.

Les Deux Pierrots *(zoom Centre, D5, **190**) : 104, rue Saint-Paul Est.* ☎ *514-861-1270. Programmation sur* • *lespierrots.com* • Ⓜ *Champ-de-Mars. Ven-sam et veille de fête 20h30-3h pour le spectacle. Entrée : env 7 $.* C'est une « boîte à chansons » doublée d'un bar, d'un resto et d'une terrasse avec vue sur le port. Atmosphère chaleureuse et décontractée. Chansons populaires dans le ronronnement des gens qui « jasent » de tout, de rien... Spectacle quasi permanent et show d'ambiance. Éminemment touristique mais sympa. Un classique du Vieux-Montréal.

Sur le Plateau Mont-Royal

De nombreux bars-boîtes pour faire la fête, particulièrement dans le sud-ouest du quartier, au croisement entre l'avenue Saint-Laurent et la rue Prince-Arthur. Les bars y sont à deux pas les uns des autres et se font une concurrence d'enfer. On y croise plus d'anglophones que dans le Quartier latin. Dans cet univers de paillettes et de « t'as-vu-Machine-elle-a-les-mêmes-*shoes*-que-la-semaine-dernière », voici quelques endroits recommandables :

Le Gogo Lounge *(zoom Centre, D3, **191**) : 3682, bd Saint-Laurent.* ☎ *514-286-0882. Tlj 17h (19h w-e)-3h.* Un bar qu'on aime beaucoup pour son décor psychédélique. Mobilier rétro des années 1960-1970, lumière aussi rouge que dans un labo photo, fauteuils en forme de mains géantes, liste des cocktails gravée sur des vinyles *(Yellow Submarine, Kriptonite, Dirty Harry...)* et musique ad hoc. Très bonne atmosphère. Le revival à son meilleur !

Le Bifteck *(zoom Centre, D3, **191**) : 3702, bd Saint-Laurent.* ☎ *514-844-6211. Tlj 14h-3h.* Un genre de bar-taverne où on ne se la joue pas. La clientèle décontractée apprécie l'endroit pour ses nombreuses bières pas trop chères. Ici, il est d'usage de la commander au pichet. Ambiance assez sombre, billard, TV pour les retransmissions de matchs et musique rock souvent pêchue. Pas mal d'anglophones.

OÙ BOIRE UN VERRE ? OÙ SORTIR ?

Pour les intellos, la librairie *Gallimard* de Montréal se trouve juste à côté...

♟ ♪ Le Divan Orange *(zoom Le Plateau, D3, 192) : 4234, bd Saint-Laurent.* ☎ *514-840-9090.* ● *divanorange.org* ● *Tlj sf lun 16h-3h. Droit d'entrée lors des concerts : 5-10 $.* Ce café-concert, réputé pour son excellente programmation, permet de découvrir des groupes en devenir ou déjà confirmés. L'endroit est tenu par une jeune équipe dynamique qui a souhaité offrir une scène aux groupes locaux. Pari réussi, puisque le *Divan* est devenu une référence de la scène musicale émergente. Ça joue presque tous les soirs, plutôt du rock en général, mais aussi de l'électro, du folk... Agréable salle avec son long comptoir de bois et son vieux plancher usé. Sympa aussi pour boire un verre en fin d'après-midi.

♟ ♪ Café Campus *(zoom Centre, D3, 193) : 57, rue du Prince-Arthur Est.* ☎ *514-844-1010. Pour connaître la programmation :* ● *cafecampus.com* ● *Tlj 20h-3h. Entrée : env 7 $ pour la boîte, 5-25 $ pour les concerts (certains sont gratuits).* Un établissement assez atypique pour le quartier. Il s'agit en fait d'un bar-boîte géré par l'ensemble du personnel, et ce depuis plus de 25 ans ! Un objectif simple : donner une scène aux jeunes groupes québécois et faire découvrir de nouveaux talents indépendants des majors. Parfois des groupes connus, cela dit. Nombreuses soirées DJ : rétro le mardi, gros hits le jeudi, XL les vendredi et samedi, années 1980 le 1er samedi du mois et francophone le dimanche. Il y a même du théâtre d'impro. Beaucoup d'étudiants. Un endroit sympa.

♟ ♪♪ Tokyo Bar *(zoom Centre, D3, 194) : 3709, bd Saint-Laurent.* ☎ *514-842-6838.* Ⓜ *Sherbrooke. Mar-sam 22h-3h. Entrée : 7-10 $.* Super boîte au cadre ultramoderne sur plusieurs étages. Grande salle envahie de jeunes de toutes origines qui dansent sur de la funk, house, *old school*, R & B, soul. Canapés « jacuzzi » étonnants. DJ tous les soirs et concerts du jeudi au dimanche. Toit-terrasse pour humer Montréal *by night*.

♟ ♪ Le Saphir *(zoom Centre, D3, 194) : 3699, bd Saint-Laurent.* ☎ *514-507-1104.* Ⓜ *Sherbrooke. Juste à côté du* Tokyo Bar, *à l'étage. Mer-sam 22h-*

3h. Entrée : env 5 $ sf mer (gratuit) ; plus cher pour certains concerts. Une adresse incontournable pour les routards amateurs de métal, de gothique, de cold-wave et de brit pop. Déco moyen-orientale (tentures au plafond, palmiers...), rouge et zébrée à l'étage, et noire avec des fauteuils-mains rouges au 2e étage. Fréquentation assez jeune. Soirées à thème, billard.

♟ ♪ Dieu du Ciel *(zoom Le Plateau, D2, 212) : 29, rue Laurier Ouest.* ☎ *514-490-9555. Tlj 15h (w-e 13h)-3h.* Une microbrasserie renommée où les aficionados de bonne mousse se pressent en masse ! On y déguste une vingtaine de délicieuses bières artisanales (observez les cuves en vitrine) affublées de noms mystiques : la Païenne, la Corpus Christi, la Corne du Diable... Toutes ont un goût marqué et inédit. L'intense brouhaha qui résonne dans la salle fait qu'on s'entend à peine ! C'est plus calme en terrasse. Ambiance sympa.

♟ ♪ La Casa del Popolo et La Sala Rossa *(zoom Le Plateau, D2, 38) : respectivement aux 4873 et 4848, bd Saint-Laurent.* ☎ *514-284-3804 ou 0122 (bureau).* ● *casadelpopolo.com* ● Ⓜ *Mont-Royal ou Laurier. À la frontière du Plateau et du Mile-End. Tlj 12h-3h.* On vous conseille d'abord d'aller faire un tour à *La Casa del Popolo,* la « maison du peuple », pour boire un verre et vous mettre dans l'ambiance. C'est un bar qui attire une faune bigarrée, turbulente et décontractée. Petite scène pour les concerts (payants). Soirées DJ presque tous les jours (entrée gratuite). Courette fermée à l'arrière. On peut aussi s'y restaurer (plats et sandwichs végétariens), et même dormir au-dessus du bar à condition de supporter l'animation nocturne (voir « Où dormir ? »). Une fois chauffé à blanc, passez donc à la « salle rouge », presque en face dans le *Centro Social Español.* Bar à tapas au rez-de-chaussée (ouvre à 17h) et salle de concerts à l'étage (fermé lundi ; entrée payante). Jolie salle de spectacle rouge comme le plaisir où se produisent de bons petits *bands* de toutes sortes (underground, country, rock, etc.).

♟ ♪ Bílý Kün *(zoom Le Plateau, D3, 195) : 354, av. du Mont-Royal Est.*

☎ *514-845-5392. Tlj 15h-3h.* Un joli bar qui ne désemplit pas, sans doute à cause de son élégante atmosphère, peut-être aussi grâce à son nom mystérieux (qui veut dire « cheval blanc » en tchèque, suite au voyage du patron à Loket, dans un bar tchèque que Goethe fréquenta...) ; ou encore à cause de tous ces curieux cous d'autruches empaillés sur les murs (les écolos l'auront en travers de la gorge !). Petits concerts de jazz, blues et même du classique, soirées DJ. Grand choix de « boissons » : bières en fût, vins de tous les horizons et alcools bien forts. Également quelques recettes de boissons tchèques à base de plantes (*Absinth Hills, Becherovka* ou *Slivovice*) ! Petite restauration et terrasse sur le trottoir. Au-dessus du bar, le même proprio gère *O Patro Vys,* une salle vouée aux manifestations culturelles les plus variées : musique, théâtre, expos...

🍸 *La Quincaillerie (zoom Le Plateau, D3, 196) :* 980, Rachel Est. ☎ *514-524-3000. Tlj sf dim 17h-3h.* Un superbe décor issu de l'ancienne vocation des lieux (une vraie quincaillerie), tout en longueur, avec de beaux vestiges de son métallique passé. Sombre comme il faut pour bricoler dans les coins et suffisamment branché pour tenter quelques soudures... aidé par l'un des 100 cocktails proposés. Un très joli bar d'ambiance.

🍸 *Le Plan B (zoom Le Plateau, D2, 197) :* 327, av. du Mont-Royal Est. ☎ *514-845-6060. Tlj 15h-3h.* Le plan B, on l'attend toujours en ce qui concerne la Constitution européenne mais ici, tout le monde s'en fiche puisqu'on vient siroter et bavarder à voix haute pendant des heures sur fond de bonne musique. Joli comptoir et courette à l'arrière, le tout noir de monde à l'heure de l'apéro et dans la soirée. Mais au fait, qu'a-t-il de spécial ce bar ? À vrai dire, rien. C'est un plan B, on vous dit !

🍸 🎵 *Le Belmont sur le Boulevard (zoom Le Plateau, D3, 198) :* 4483, bd Saint-Laurent (angle de Mont-Royal). ☎ *514-845-8443.* Ⓜ *Mont-Royal. Ven-sam 17h (21h sam)-3h et soirées spéciales mer. Entrée : 5-15 $.* En fin de semaine, toutes les sortes de musiques (techno, house, hip-hop, hits...) ont

droit de cité, de même que tous les styles vestimentaires. Organise également des soirées d'improvisation théâtrale ou des séances de *speed-dating* ! *Le Belmont* propose à la fois un pub très anglais (table de billard, baby-foot, écrans vidéo et collection de pichets et plateaux anciens), une boîte et une salle de spectacle. Clientèle plutôt jeune.

🍸 🎵 🎵 *Au Diable vert (zoom Le Plateau, D2, 199) :* 4557, rue Saint-Denis. ☎ *514-849-5888.* Ⓜ *Mont-Royal. Mar-sam 21h-3h. Entrée gratuite ven-sam avt 22h. Spectacles : env 5-12 $.* Dans cet agréable bar à la façade rouge vif, installé à la place de l'ancien *Théâtre du Rideau vert,* laissez-vous aller au son du jazz, de la techno ou autres. En fait, la musique est assez éclectique, comme la clientèle, plutôt jeune dans l'ensemble. Pas de casting à l'entrée. Très québécois, peu d'anglophones. Déco soignée dans les tons infernaux (rouge et noir) et lumière diffuse. Plein de *shooters* à siroter ou à avaler cul sec ! À partir de 23h, ça commence à guincher. Un lieu convivial et chaleureux.

🍸 *Edgar Hypertaverne (plan d'ensemble, E3, 213) :* 1562, av. du Mont-Royal (angle de Fabre). ☎ *514-521-4661.* Ⓜ *Mont-Royal. Tlj 15h-3h.* Excellent camp de base pour explorer l'animation du Plateau Mont-Royal. Le concept ici a été de réactualiser une taverne québécoise typique. Décor sobre et design avec une petite touche des années 1970. La clientèle – surtout 25-35 ans – est cool et relax. On boit, on grignote, dans une atmosphère assez sage. Le choix de bières québécoises à la pression comprend les bons et rares produits de la brasserie *McAuslan.* Petits concerts, animations par des DJ et « 5 à 7 » réguliers.

🍸 *Le Massilia (zoom Le Plateau, C2-3, 214) :* 4543, av. du Parc. ☎ 514-678-1862. Ⓜ *Mont-Royal. Tlj .11h30-3h.* Hugues, à la fois marseillais et montréalais d'adoption, ne ferme que quand l'ultime client a vidé le dernier pour la route. Dans son bar jaune pétant et bleu (ça ne rappellerait pas un peu une marque de pastis ?), il a décidé de recréer l'ambiance de la cité phocéenne : au bar, retransmission des matchs de l'OM autour de l'incontournable Ricard, et dans l'arrière-salle, un billard... et un terrain de pétanque ! On organise même des barbecues sur la terrasse. Super convivial.

Dans le Village

C'est le quartier gay de Montréal, qui s'étend le long de la rue Sainte-Catherine Est, depuis la rue Saint-Hubert jusqu'à la rue Papineau ; cette portion est rendue piétonne en été. Impossible de la rater... vu la concentration de *rainbow flags* qui flottent devant chacune des devantures. On y a même vu, comble de surprise, une église *gay friendly* ! Début juillet, pendant 3 jours, de nombreux artistes envahissent la rue lors du Festival des arts du Village. Ce n'est rien comparé à l'affluence de début août, au moment de *Divers/Cité*, le festival gay et lesbien. Voici quelques adresses, mais, pour en savoir plus, consulter le mensuel gratuit *Fugues* ou le guide annuel *GQ*, que l'on trouve partout.

♦ ♫ *Complexe Sky* (zoom Centre, E4, **200**) : 1478, rue Sainte-Catherine Est. ☎ 514-529-6969. ● complexesky. com ● Ⓜ Beaudry. Tlj 16h-3h (1h lunmar). Fait également boîte ven-sam 22h-3h ; entrée : env 5 $. L'un des bars les plus anciens du quartier, et donc un incontournable du parcours gay. Bar au rez-de-chaussée. *Hip-hop room* au 2e étage. En principe, soirées électropop les vendredi et samedi au *Sky Club* du 3e étage. L'été, de 12h à 3h, sur le toit de cette grosse bâtisse de brique rouge, chouette terrasse avec piscine et jacuzzi. Idéal pour parfaire son bronzage ou exhiber ses beaux pectoraux ! En fait, il se passe souvent quelque chose au *Sky* : soirée pop stars le jeudi, *sky show* le vendredi, *latino beat* le samedi, etc.

♫ *Le Parking* (zoom Centre, D4, **201**) : 1296, rue Amherst. ☎ 514-282-1199. Ⓜ Beaudry. Jeu-dim 22h-3h. Filles tolérées le jeu. Gratuit sf pdt certains événements (généralement 6-10 $). L'une des boîtes les plus fréquentées du quartier gay. Tous âges et toutes tendances confondus. Il faut dire qu'il y a 3 salles aux ambiances bien différentes. L'une est consacrée à la house, électro, techno-dance (du classique quoi...), une autre à la musique des années 1980. La 3e est spécialisée dans les trips « cuir et fétichistes ». Le *Tunnel*, au sous-sol, est assez chaud et réservé aux hommes...

♫ *Le Unity* (zoom Centre, E4, **202**) : 1171, rue Sainte-Catherine Est (angle Montcalm). ☎ 514-523-2777. Ⓜ Beaudry. Mer-dim 22h-3h. Entrée : env 10 $. 3 salles et une terrasse sur le toit. Clientèle jeune et branchée.

ACHATS

Outre les adresses que l'on vous indique ici, on vous conseille de « magasiner » dans le quartier du Plateau Mont-Royal, certes un peu bobo mais très agréable pour la variété et l'originalité de ses boutiques : fripes, disquaires, librairies, médecine chinoise, etc. Bonne atmosphère.

♦ *Fou d'ici* (zoom Centre, C4, **112**) : 360, bd de Maisonneuve. ☎ 514-600-3424. Ⓜ Place-des-Arts. Lun-ven 8h-20h (21h ven) ; sam-dim 9h (10h dim)-18h. Une épicerie fine qui réunit tous les meilleurs produits de la province. Grosse sélection de fromages et de charcuterie de qualité, biscuits, vinaigres artisanaux, sirop d'érable bio, thé du Labrador... De quoi rapporter plein de petits délices à la maison. Fait aussi traiteur (voir « Où manger ? »).

♦ *HMV Mégastore* (plan d'ensemble, C4, **230**) : 1020, rue Sainte-Catherine Ouest. ☎ 514-875-0765. Ⓜ Peel. Lun-ven 10h-21h ; sam 9h-18h ; dim 11h-18h. CD innombrables à prix intéressants.

♦ *La Librairie du Square* (zoom Centre, D3, **220**) : 3453, rue Saint-Denis. ☎ 514-845-7617. Lun-ven 9h-18h (21h jeu-ven) ; sam-dim 10h (12h dim)-17h. Une petite librairie indépendante où demander conseil pour constituer sa bibliothèque de voyage québécoise (et pas que...). Au moins, il y a un choix personnel derrière les ouvrages présentés.

☸ *La Bouquinerie du Plateau (zoom Le Plateau, D2, 90) :* 799, av. du Mont-Royal Est (angle Saint-Hubert). ☎ 514-523-5628. Ⓜ Mont-Royal. Tlj 10h-22h. Grand choix de bouquins d'occasion. Beaux rayons histoire et B.D. notamment. Également un rayon disques.

☸ *Archambault (zoom Centre, D4, 221) :* 200, rue Sainte-Catherine Est. ☎ 514-849-6201. Lun-ven 9h30-21h ; sam 9h-17h ; dim 10h-17h. Ⓜ Berri-Uqam. Vaste librairie dotée d'un solide choix dans tous les domaines, livres comme CD. Au rez-de-chaussée, section touristique très bien fournie, et tous les principaux romans québécois pour agrémenter votre séjour.

☸ *Complexe Les Ailes, Centre Eaton et Place Montréal Trust (zoom Centre, C4, 223) :* rue Sainte-Catherine Ouest, entre McGill College et University. ☎ 514-288-3759. Ⓜ McGill. 3 centres commerciaux luxueux reliés entre eux, pour ceux qui veulent magasiner à l'aise à la montréalaise.

☸ *Atelier-magasin Kanuk (zoom Le Plateau, D3, 222) :* 485, rue Rachel Est. ☎ 514-284-4494 ou 1-877-284-4494. ● kanuk.com ● Lun-ven 9h-18h (21h jeu-ven) ; sam-dim 10h (12h dim)-17h. Le Québec est bien sûr un bon endroit pour acheter des vêtements d'hiver. D'abord, ils sont habituellement moins chers qu'en Europe. Ensuite et surtout, la marque *Kanuk* est conçue et fabri-

quée au Québec depuis une trentaine d'années par des gens qui se sont déjà « gelé les fesses » comme ils disent !

☸ Plusieurs *marchés publics* à Montréal, les 2 plus grands sont ouverts toute l'année.

– *Le marché Jean-Talon (plan d'ensemble, D1) :* situé dans le quartier de Petite Italie au nord du centre-ville, au 7075, av. Casgrain. ☎ 514-277-1588. Ⓜ De Castelnau. Bus n° 55. Tlj 7h-18h (20h jeu-ven, 17h dim). C'est le plus ethnique de Montréal. Coloré, bonne ambiance et pas cher. Si vous aimez faire des découvertes culinaires, allez-y absolument. Plein de petits stands avec des tables pour grignoter sur place, notamment une boulangerie *Première Moisson,* un resto de la chaîne *Frite Alors !* et une crêperie à la française (*La Crêperie du marché*), entre autres...

– *Le marché Atwater (plan d'ensemble, A-B5) :* 138, av. Atwater (au sud de la rue Notre-Dame). ☎ 514-937-7754. Ⓜ Lionel-Groulx. Tlj 7h-18h (19h jeu, 20h ven, 17h w-e). Un peu plus cher et moins « vie populaire » que le marché Jean-Talon. On peut y accéder par la piste cyclable du canal Lachine. Endroit agréable pour un pique-nique en été, le long de l'eau et de la voie de chemin de fer. Location de vélos et de bateaux sur place. Marché plutôt B.C.B.G., favori des gourmets du Tout-Montréal. Fromages, fruits et légumes. Beaucoup de produits à base de sirop d'érable en mars et avril. C'est aussi un grand marché aux fleurs.

À VOIR. À FAIRE

À VOIR. À FAIRE

– Malgré son statut de métropole internationale, Montréal ne brille pas particulièrement par la magnificence de ses musées. Certains sont très agréables et instructifs, tandis que d'autres, plus petits et spécialisés, nous ont paru un peu « légers ». Nous indiquons ceux que nous trouvons les plus intéressants.

– *Attention !* La plupart des musées sont fermés le lundi, sauf si c'est un jour férié. À noter que le dernier dimanche de mai, tous les musées de la ville sont gratuits.

– Si vous avez l'intention de visiter beaucoup de sites et musées, vous pouvez vous procurer la *carte Musées Montréal,* qui donne accès à 38 musées pour 60 $ sur 3 jours au choix dans une période de 3 semaines. Pour 65 $, vous devez l'utiliser sur 3 jours consécutifs, mais elle inclut également les transports en commun. On peut l'acheter dans la plupart des musées, au *Centre Infotouriste (plan d'ensemble, C4, 1)* ou au *Bureau d'accueil du Vieux-Montréal (zoom Centre, D4, 5).*

– Essayez de prendre au moins une fois le bus n° 55 (du sud vers le nord de préférence, car l'itinéraire est différent dans l'autre sens). Oh ! on ne vous promet rien d'extraordinaire, mais cette ligne qui remonte tout le boulevard Saint-Laurent permet de faire un survol rapide du cœur de la ville et de ses communautés, en traversant le Vieux-Montréal, les quartiers chinois, juif, latino, italien et le Mile-End (voir dans « Où manger ? Sur le Plateau Mont-Royal »). La partie la plus intéressante de l'itinéraire se trouve entre le boulevard Maisonneuve au sud et la rue Jean-Talon au nord. Ce sera l'occasion de

DES ÉGLISES À UN JET DE PIERRE

Vous remarquerez vite le nombre étonnant d'églises à Montréal. Il y en aurait environ 260. Il y a près de 1 siècle, l'écrivain américain Mark Twain notait déjà qu'il était impossible de lancer une brique dans les rues de la ville sans briser un vitrail ! L'explication de cette profusion est très simple : la religion a longtemps servi de fondement à la société canadienne mais, les deux communautés principales (anglaise et française) n'ayant pas le même culte, les lieux de prière se voyaient du même coup multipliés par deux...

remarquer un petit détail : à chaque fois qu'on change de quartier, les lampadaires changent aussi de modèle ! Pour un petit circuit en boucle à partir de l'office de tourisme (arrêt Peel, sur Peel Avenue), vous pouvez aussi prendre le n° 515 qui rejoint le Vieux-Montréal.

LE VIEUX-MONTRÉAL *(zoom Centre)*

🚶🚶🚶 C'est là que tout a commencé. Ce quartier de 2 km² est délimité par les rues Saint-Antoine, Berri, de La Commune et McGill. C'est autour de la place Jacques-Cartier que l'on trouve les maisons les plus anciennes. Cependant, même si la rue Saint-Paul conserve une belle homogénéité dans l'ensemble, n'allez pas imaginer une « vieille ville » à l'européenne, avec ses rues étroites et ses maisons anciennes. Les fortifications, devenues inutiles, furent rasées en 1817 afin de gagner un peu de place. Ici, tout est très disparate, les vieilles maisons sont dispersées au milieu des entrepôts réhabilités, des banques et bâtiments administratifs prirent leur place au XIXe s, mais aussi d'inévitables boutiques de fringues, d'antiquités et autres lieux de consommation de la NPBU (Nouvelle petite bourgeoisie urbaine). Le Vieux-Montréal s'est payé une grande cure de revitalisation. Très touristique et vivant, il dégage néanmoins un certain charme et une joyeuse animation avec ses cafés et ses restos où les touristes se pressent en nombre durant la belle saison. En revanche, le long hiver, particulièrement inhospitalier dans ces rues de pierre, est l'ennemi mortel des commerces touristiques. C'est pourquoi, souvent, des boîtes populaires l'été « ne passent pas l'hiver »...

🚶🚶 **Le Château Ramezay, Musée et Site historique de Montréal** *(zoom Centre, D4)* : 280, rue Notre-Dame Est. ☎ 514-861-3708. ● *chateauramezay.qc.ca* ● *En été, tlj 10h-18h ; oct-mai, mar-dim 10h-16h30. Entrée : 10 $; réduc ; gratuit jusqu'à 4 ans. Juil-sept, visites guidées gratuites en français tlj à 13h30 et à 15h30.* Ce château, construit en 1705 par Claude de Ramezay (alors gouverneur de Montréal), devint tour à tour la résidence des gouverneurs de Montréal, le bureau de la *Compagnie des Indes* (à partir de 1745), puis la résidence des gouverneurs britanniques. Au XIXe s, il accueillit des bureaux de fonctionnaires et diverses institutions (l'École normale, la faculté de médecine, ou encore la cour des magistrats), puis la ville souhaita le détruire, mais la Société d'archéologie et de numismatique de Montréal lutta pour qu'il devienne un musée (en 1895). Premier bâtiment classé Monument historique au Québec (en 1929), il abrite aujourd'hui un musée.

Dans de jolies pièces, dont une tout ornée de remarquables boiseries anciennes (celles-ci ne sont pas d'origine mais furent importées de Nantes à l'occasion de l'Exposition universelle de 1967 puis achetées par le château), une petite collection retrace l'histoire du Québec et de Montréal depuis les Amérindiens jusqu'au début du XXe s : documents, costumes, tableaux, mais également de vraies reliques, comme la cloche d'origine de Louisbourg. Tout au long de la visite, à des bornes multimédias, vous pourrez écouter les anecdotes ou témoignages de personnages ayant vécu, travaillé ou étant passé au château. La cave voûtée renferme l'expo Vivre à Montréal au XVIIIe s, avec meubles traditionnels de cette époque et la reconstitution d'un intérieur typique de la Nouvelle-France. Également des expos temporaires. Voir aussi le jardin du Gouverneur.

☂☂ *Le musée Sir-George-Étienne-Cartier* *(zoom Centre, D4) :* *458, rue Notre-Dame Est.* ☎ *514-283-2282 ou 1-888-773-8888.* ● *pc.gc.ca* ● *De mai à mi-juin, mer-dim 10h-17h ; de mi-juin à août, tlj 10h-17h ; sept-début oct, ven-dim 10h-17h ; nov-déc, w-e 10h-17h. Fermé janv-avr. Entrée : 4 $; réduc.* C'est l'ancienne maison du père de la Confédération, Sir George-Étienne Cartier (1814-1873), et l'une des rares maisons victoriennes (1860) ouvertes au public à Montréal. Un très bel exemple d'intérieur bourgeois du milieu du XIXe s, dont l'ambiance a été bien recréée : mobilier d'origine, repas servi sur la table, produits de toilette dans la salle de bains... Une excursion pédagogique dans la vie de ce personnage qui fut le moteur de la création du Canada.

➤ ☂ La visite du Vieux-Montréal se poursuit avec la **Maison Papineau** (1785 ; *zoom Centre, D4),* 440, rue Bonsecours, où habita Louis-Joseph Papineau, dirigeant de l'insurrection nationaliste de 1837. On ne peut pas y entrer. *Rue Saint-Louis (zoom Centre, D4),* découvrez, au n° 446, une très belle maison à « logements » (1890) en brique rouge, avec corniche victorienne, lucarnes moulurées et deux escaliers sinueux grimpant sur les côtés.

➤ ☂ Plus loin, au 445, rue Saint-Paul Est, la **Maison Dumas** (1800 ; *zoom Centre, D4).* À deux pas, la **Maison Brossard** (1827) et la **Maison du Calvet** (1770 ; *zoom Centre, D4),* 401, rue Bonsecours, à l'angle de la rue Saint-Paul Est. Aujourd'hui transformée en un hôtel de charme très cher...

☂ En prolongeant la rue Saint-Paul, vous remarquerez le **marché Bonsecours** *(zoom Centre, D4) :* *350, rue Saint-Paul Est.* ☎ *514-872-7730. Fin juin-début sept, tlj 10h-21h ; début mai-fin juin, tlj 10h-18h (21h ven-sam) ; début sept-oct, tlj 10h-18h (21h jeu-ven et 19h sam) ; nov-avr, tlj 10h-18h.* Le site fut d'abord occupé par l'hôtel particulier de certains colons français avant d'être revendu à John Molson, pionnier de la navigation à vapeur, qui érigea successivement deux hôtels, tous deux victimes d'incendies. Enfin, on y bâtit le Théâtre royal où se produisit notamment la troupe de Charles Dickens. Les vestiges de ce théâtre sont enterrés sous les fondations du marché actuel, un bel édifice à dôme achevé en 1847, devenu ensuite le grand marché public de la ville (admirablement bien éclairé la nuit). Aujourd'hui, une galerie marchande haut de gamme : boutiques de créateurs, designers, maroquiniers, bijoutiers... le tout, plutôt cher. Également un café, le *Café des Arts,* pour faire une pause en regardant une petite expo.

➤ ☂ Plus à l'ouest, au 429, rue Saint-Vincent, la **Maison Beaudoin** (1780 ; *zoom Centre, D4),* en piteux état.

➤ Autre centre historique, la **place d'Armes** *(zoom Centre, D4)* où s'élève, à gauche de la cathédrale, le **premier gratte-ciel de la ville** et un autre qui rappelle, en beaucoup plus petit, la silhouette de l'Empire State Building. À droite de la cathédrale, le **Vieux Séminaire** (1684 ; *zoom Centre, D4)* à l'architecture élégante. C'est le plus ancien bâtiment de Montréal ; hélas, il n'est pas ouvert aux touristes. Notez au passage le joli clocheton et son horloge (si la restauration le permet).

À VOIR. À FAIRE

🎥🎥 **La basilique Notre-Dame** (zoom Centre, D4) : 110, rue Notre-Dame Ouest. ☎ 514-842-2925. ● basiliquenddm.org ● Lun-ven 8h-16h30, sam 8h-16h, dim 12h30-16h. Entrée : 5 $, visite guidée incluse, ttes les 30 mn ; réduc ; gratuit jusqu'à 6 ans. En dehors de ces horaires, accès libre. Messe le dim à 11h (permet d'entendre des chants et l'orgue remarquable). Concerts d'orgue dim à 19h.

La version actuelle de cette basilique de style néogothique et bâtie en pierre grise, date de 1829. Les tours ont été ajoutées en 1841 et 1843. Comme son austérité extérieure ne le laisse absolument pas présager, l'intérieur de la basilique surprend par la richesse et la chaleur de son décor néogothique, exécuté par Victor Bourgeau, célèbre architecte de la région. Première surprise, la largeur de l'édifice l'emporte sur le sentiment d'élévation habituel à ce type de construction. Ensuite, une impression de chaleur se dégage de ce décor de bois richement sculpté, peint et doré à la feuille. Impression renforcée par la chaleur des couleurs, notamment la lumière bleutée. Bref, le froid à l'extérieur, le chaud à l'intérieur... Les vitraux retracent l'histoire religieuse de Montréal et les principales étapes de la fondation de la ville. Notez le gigantesque retable représentant des scènes du Nouveau Testament, la chaire abondamment sculptée, l'orgue (17 000 tuyaux !), mais surtout le sol en pente, l'architecte ayant conservé l'inclinaison naturelle du terrain (vers le Saint-Laurent). La basilique a vu défiler pas mal de célébrités : Céline Dion y a célébré son mariage avec René, et Pavarotti y a réalisé un enregistrement public... Passez à droite du chœur pour vous rendre à la chapelle du Sacré-Cœur surnommée « chapelle des mariages ». Le plafond et un côté de la chapelle ont brûlé en partie dans un incendie en 1978. Seule une partie a conservé l'authentique décor néogothique. À noter également : le grand retable en bronze de Charles Daudelin (artiste local) représentant l'« Arbre de vie ». Propose un **spectacle son et lumière** (en été, mar-ven à 18h, 19h30 et 21h, sam à 19h et 20h30 ; l'hiver, mar-jeu à 18h30, ven à 18h30 et 20h30, sam à 19h et 20h30. ☎ 514-790-1245 ou 1-800-361-4595 ; ● lalumierefut.ca ● ; tarif : 10 $, réduc).

➢ Le reste de la place d'Armes aligne les immeubles commerciaux du XIXe s. Le plus remarquable est celui de la **Banque de Montréal** (zoom Centre, D4), directement en face de la basilique Notre-Dame. L'extérieur classique impressionne, mais c'est l'intérieur qui vous stupéfiera. Le plafond haut de 25 m s'appuie sur 32 colonnes corinthiennes. L'effet de grandeur et de puissance est très réussi. Et c'est gratuit, tout comme le **musée de la Banque** (ouv lun-ven 10h-16h) qui se trouve dans le hall. Numismates et billetophiles pourront faire un crochet par cette mini-expo retraçant l'évolution de la monnaie canadienne.

En descendant vers le Saint-Laurent, jetez un œil à l'**ancienne Bourse,** au 453, rue Saint-François-Xavier. On n'y joue plus de l'argent, mais des pièces... de théâtre ! En effet, derrière son porche à colonnes corinthiennes officie, depuis plus de 40 ans, le théâtre Centaure.

🎥 Plus bas, la **place d'Youville** (zoom Centre, C5) mérite une visite. On y découvre de vieux bâtiments (1694-1765) très bien restaurés, comme l'ancien **hôpital général des Sœurs grises**, aujourd'hui appelé la **Maison de Mère d'Youville** (zoom Centre, C5 ; 138, rue Saint-Pierre ; ☎ 514-842-9411 ; fermé lun ; visite sur résa ; gratuit, mais donations appréciées). Abrite un petit musée consacré à l'histoire de la maison, à Marguerite d'Youville (fondatrice des Sœurs grises) et aux frères Charon, qui ont fait

SŒURS GRISES... OU GRISÉES ?

Vous devez sans doute penser que le nom de « sœurs grises » fait référence à la couleur de leur habit. Eh non ! À l'époque, on soupçonnait ces nonnes de soigner leurs patients à grand renfort d'alcool. La fondatrice de l'ordre, Marguerite d'Youville, avait hérité d'une affaire de contrebande d'eau-de-vie après la mort de son peu vertueux mari. La gouaille populaire les surnomma alors les sœurs « grisées », c'est-à-dire ivres... Que les gens sont méchants !

édifier en 1693 cette maison de charité devenue ensuite l'hôpital général. Non loin de là, les **écuries d'Youville** (1827 ; *zoom Centre, C5*), bel ensemble massif, trapu, aux fenêtres peu nombreuses. Pénétrez dans les jardins intérieurs au calme étonnant.

🚶🚶 🐾 *Le Centre d'Histoire de Montréal* (*zoom Centre, C5*) : *335, pl. d'You-ville.* ☎ *514-872-3207.* ● *ville.montreal.qc.ca/chm* ● Ⓜ *Square-Victoria. Mar-dim 10h-17h. Entrée : 6 $; réduc ; gratuit moins de 6 ans.* Cette ancienne caserne de pompiers abrite un petit musée chaleureux animé par une équipe dynamique et passionnée. L'exposition raconte de manière drôle et vivante les événements majeurs des grandes époques de l'histoire de Montréal en cinq étapes, de 1535 à nos jours. Panneaux, vidéos, vieux objets, voix off et parcours enfants. Expos temporaires incluses dans le tarif d'entrée, tout comme les visites guidées thématiques extérieures en été (il y en a une très intéressante sur les quelques vestiges amérindiens de la ville). N'hésitez pas à demander à l'accueil des infos sur le Vieux-Montréal, ils en connaissent un bout !

🚶🚶 *Pointe-à-Callière, le musée d'Archéologie et d'Histoire de Montréal* (*zoom Centre, D5*) : *350, pl. Royale.* ☎ *514-872-9150.* ● *pacmusee.qc.ca* ● Ⓜ *Place-d'Armes. En été, tlj 10h (11h w-e)-18h ; le reste de l'année, tlj sf lun jus-qu'à 17h. Entrée : 18 $ (!) ; réduc ; gratuit jusqu'à 5 ans. Minivisites guidées à thème (« capsules d'animation historique ») en français tte l'année.* Cette visite, de moins en moins donnée, permet d'en apprendre un peu plus sur l'histoire du Québec en général et de Montréal en particulier. C'est à cet endroit précis que fut fondée la ville en 1642 par le Champenois Paul Chomedey de Maisonneuve. Composé de deux édifices, l'ancienne douane et une construction ultramoderne, ce musée abrite un ensemble de fouilles archéologiques bien mises en valeur.

La visite débute par une séance multimédia présentant l'histoire de la ville dans une salle hyper moderne. Puis on visite les fondations au sous-sol. Pour la petite histoire, sachez que ces vestiges ont été découverts par hasard lors de la construction du musée ! Heureux hasard qui a forcé les architectes et muséographes à revoir leurs plans. Même si les fondations ne sont guère spectaculaires, la mise en scène interactive est très bien faite. On y observe les restes d'un ancien cimetière (le premier cimetière catholique de la ville), le lit d'une rivière et des vestiges amérindiens.

Au 2e étage, expo originale « Les amours de Montréal » qui donne la parole aux hommes et aux femmes qui ont choisi Montréal pour faire rimer « amour » avec « toujours ». Enfin, le musée accueille deux expos temporaires de qualité chaque année. Au printemps 2013 devraient ouvrir « Les Beatles à Montréal – 50 ans après » et « Les Routes du thé – 2 000 ans de culture ».

🍴 ●◗ Au dernier étage, le café-resto *L'Arrivage* (*lun-dim 11h30-16h (14h lun)* offre une belle vue sur le port. On peut y accéder sans payer l'entrée du musée.

🚶🚶 *Le Vieux-Port* (*zoom Centre, D5*) : dominé par la silhouette fantomatique du gigantesque *silo n° 5,* qui attend patiemment sa reconversion. Tout comme le Vieux-Montréal, les bords du Saint-Laurent ont eu droit à une réhabilitation en bonne et due forme. Les Montréalais ont volontiers adopté ce quartier *new look,* notamment pour y faire leur jogging, du vélo au bord de l'eau et des pique-niques sur l'herbe. En saison estivale, le port devient une vaste scène où l'on peut voir des spectacles, écouter des concerts, profiter de diverses animations et même aller à la plage. Un parcours piéton agrémenté de panneaux explicatifs permet aux touristes d'en apprendre un peu plus sur l'histoire portuaire de la ville.

Juste à côté de l'écluse, en face du silo n° 5, admirez le premier *spa flottant* du monde : le *Bota-Bota* (● *botabota.ca* ●) est un ancien bac traversier joliment reconverti. On peut y prendre un bain à remous ou se faire masser en admirant le panorama. Plus loin, passé le *Centre des sciences de Montréal* (voir plus bas), qui

À VOIR. À FAIRE

est bordé de rigolotes boutiques logées dans des containers, voilà l'*île Bonsecours,* accessible par une passerelle piétonne et qui accueille souvent des expos intéressantes. Le bassin se transforme en patinoire l'hiver. L'été, il accueille, près de la tour de l'horloge, une *plage* de sable fin donnant sur le fleuve (*zoom Centre, D5* ; voir plus haut « Loisirs » dans « Adresses utiles »). Le reste de l'année, il y a de nombreuses autres manières de découvrir le quartier : excursions en bateau-mouche, en *jet boat,* en bus amphibie, etc. Se renseigner auprès du kiosque d'info du Vieux-Port ou sur ● *vieuxportdemontreal.com* ●

🚶‍♀️🚶 🧍 **Le Centre des Sciences de Montréal** (*zoom Centre, D5*) **:** quai King-Edward, sur les quais du Vieux-Port. ☎ 514-496-4724 ou 1-877-496-4724. ● *centredessien cesdemontreal.com* ● Ⓜ *Place-d'Armes.* ♿ *Horaires des expos : en été, tlj 10h-18h (jeu-sam 21h) ; le reste de l'année, lun-ven 9h-16h, w-e 10h-17h. Tarifs : expos ou 1 film* Imax *, 11,50 $; réduc. Billet combiné expos + 1 film* Imax *: 19 $ adulte ; réduc.* Grand complexe scientifique dont le principal objectif est de faire réfléchir aux enjeux de notre planète tout en s'amusant. Prévoir un peu de temps pour profiter des différentes activités.

Expositions scientifiques thématiques
– **Mission Gala :** un grand jeu coopératif basé sur le multimédia dont le but est de « sauver l'humanité ». Il permet de prendre conscience de l'impact de nos comportements quotidiens et de nos habitudes de consommation sur l'avenir de la Terre...
– **IdTV :** l'occasion de devenir pour un instant un journaliste scientifique, de créer son propre reportage (seul ou en équipe) à partir d'une banque de données et de l'enregistrer devant une caméra. N'oubliez pas de l'envoyer à votre adresse e-mail pour le souvenir !
– **Science 26 :** 26 îlots, 26 lettres de l'alphabet pour expérimenter la science de A à Z. Derrière chaque lettre, une notion-clé expliquée par diverses activités ludiques et expériences. Ou, par exemple, lettre W : comment utiliser les watts de la lumière pour déplacer un avion ?
– **Cargo :** exposition consacrée au port de Montréal, principalement sa logistique et l'organisation du transit des marchandises. Le Centre des sciences est en effet entreposé dans un ancien hanger maritime.
– D'autres **expos, temporaires** cette fois, et des **ciné-jeux interactifs** qui changent régulièrement.
– **Un cinéma Imax** avec une programmation de grande qualité.
🍽 Possibilité de se restaurer sur place pour pas trop cher.

🧍 **La fondation DHC/Art** (*zoom Centre, C5*) **:** 451 et 465, rue Saint-Jean. ☎ 514-849-3742. ● *dhc-art.org* ● *Mer-ven 12h-19h ; w-e 11h-18h. Entrée libre.* Fondation privée dédiée à l'art contemporain. Dans la même rue, deux espaces d'expos temporaires, l'un sur 4 étages et l'autre, plus petit, uniquement au rez-de-chaussée. Un lieu qui met les moyens et la manière, tant au niveau de la muséographie que de la pédagogie, pour exposer au mieux ses œuvres : photos, installations, sculptures, etc.

🧍 **Les Fantômes du Vieux-Montréal** (*zoom Centre, D5*) **:** 360, rue Saint-François-Xavier. ☎ 514-844-4021. ● *fantommontreal.com* ● *Billetterie ouv 1h avt le spectacle. Départ à 20h30. Balades « Légendes et histoires » côté est du Vieux-Montréal : juil-août, mer et sam ; de sept à mi-oct, un sam sur deux. Balades côté ouest : juil-août, jeu et dim ; de sept à mi-oct, un sam sur deux. Balades « Chasses aux fantômes » : juil-août, ven. Résa indispensable. Tarif : 24 $; réduc.* Une troupe d'acteurs et de conteurs vous fait découvrir de manière originale les légendes, les crimes et les fantômes qui hantent les coins de rue du Vieux-Montréal. Simple balade ou véritable jeu de piste muni d'un plan et d'une lanterne à la main. Très emblématique de la frénésie des Québécois pour les reconstitutions interactives, mais aussi de l'émergence d'une nouvelle génération de conteurs, dont certains, très populaires, font désormais profession. La même association propose des tours guidés à vélo (voir *Guidatour* dans les « Adresses utiles »).

LE QUARTIER LATIN ET LE VILLAGE (zoom Centre)

🏃 La colonne vertébrale du Quartier latin est la rue Saint-Denis dans sa portion comprise entre les rues Sherbrooke et Sainte-Catherine. Dans ce haut lieu de la vie nocturne, carrefour des étudiants francophones, des touristes et des marginaux, l'animation ne cesse pratiquement jamais. Les cafés-terrasses, restos et boîtes sont à touche-touche et ne désemplissent pas, de jour comme de nuit. On doit notamment cette hyperactivité à la présence voisine de l'UQAM (Université du Québec à Montréal). Aux beaux jours, c'est vraiment la fête, tout le monde squatte bancs et terrasses et les artistes de rue s'en donnent à cœur joie, notamment sur la place Émilie-Gamelin, près du métro Berri-Uqam. Encore plus d'animation en période de festival, c'est-à-dire pratiquement tous les jours en juillet-août !

Quant au Village, quartier gay de Montréal, il s'articule le long de la rue Sainte-Catherine, entre Saint-Hubert et Papineau. Tout l'été, cette portion de « la Catherine » est entièrement rendue aux piétons et abrite une foule bigarrée de fêtards attirés par une animation intense et une ambiance très tolérante.

🏃 *La Cinémathèque québécoise (zoom Centre, D4) :* 335, bd de Maisonneuve Est (pas loin de l'angle avec Saint-Denis). ☎ 514-842-9763. ● cinematheque. qc.ca ● Ⓜ *Berri-Uqam (sortie « Saint-Denis »). Séance de film : 8 $; réduc. Expos gratuites sur le cinéma (mar-ven 12h-18h).* Grand centre de documentation cinématographique. La cinémathèque est réputée pour sa belle collection de films d'animation, l'une des plus importantes au monde. Deux salles de projection : appeler ou consulter le site web pour les horaires.

🏃 *L'écomusée du Fier-Monde (zoom Centre, D3) :* 2050, rue Amherst. ☎ 514-528-8444. ● ecomusee.qc.ca ● Ⓜ *Berri-Uqam. Mer 11h-20h ; jeu-ven 9h30-16h ; w-e 10h30-17h. Entrée : 8 $; réduc ; gratuit jusqu'à 6 ans.* Un minimusée à deux pas du Village, auquel il appartient « dans l'esprit ». C'est d'abord son nom qui attire l'attention, puis son architecture, celle de l'ancien Bain Généreux de 1927 (du nom du généreux donateur), où l'on venait se laver en l'absence de salles de bains dans les logements ouvriers. Du bain réhabilité aux coursives qui le surplombent, l'expo retrace à travers photos et témoignages la dure condition ouvrière à la fin du XIXe s et au début du XXe s, notamment à l'usine de tabac *W.C. MacDonald Incorporated.* Dans le Nouveau Monde aussi, la misère était réelle... Juste en face, un marché de 1932 tout en brique et toujours actif.

🏃 *Le quartier chinois (zoom Centre, D4) :* circonscrit dans le minuscule quadrilatère René-Lévesque, Saint-Laurent, Viger et Bleury. L'épine dorsale en est la rue piétonne La Gauchetière. Petit quartier très animé et plein de commerces typiques où l'on vend de tout et de rien. Le quartier survit en quelque sorte, après avoir subi les outrages de la construction d'une autoroute et de grands développements urbains.

LE PLATEAU MONT-ROYAL (zoom Le Plateau)

🏃🏃 Restées longtemps populaires, les rues du Plateau sont devenues un quartier résidentiel et commerçant où se mélangent tous les âges et toutes les classes sociales. La population, majoritairement francophone, habite ces jolies maisons sagement alignées le long de rues arborées et tranquilles. Elles sont dotées d'escaliers extérieurs métalliques, souvent en colimaçon. Les adeptes de lèche-vitrine,

> **QUESTION POUR UN CHAMPION**
>
> *D'après vous, dans un pays aux hivers si rigoureux, pourquoi les escaliers des vieilles maisons sont-ils si souvent construits à l'extérieur ? Au XIXe s, l'urbanisme exigeait l'installation d'un petit jardin, côté rue. Cette surface habitable perdue était alors récupérée en construisant l'escalier... dehors.*

À VOIR, À FAIRE

que les escaliers laissent peut-être de marbre, seront plus intéressés par la longue avenue du Mont-Royal : boutiques de mode à tous les prix, disques et livres neufs et d'occasion, artisanat original, objets farfelus et insolites... Nombreux cafés décontractés pour un brunch ou une pause dans la journée. Le soir, c'est au tour des bars, boîtes et salles de concert en tout genre de prendre le relais. Bref, c'est à la fois populaire et chic, Montréal sous son meilleur jour. Pendant quelques jours, début juin, le long de l'avenue du Mont-Royal, se déroule *Nuits blanches sur Tableau noir* (● tableaunoir.com ●). De nombreux artistes peignent des fresques à même l'asphalte. Quelques spectacles de rue souvent improvisés, concerts, etc.

LE CENTRE-VILLE
(plan d'ensemble, B-C4-5 et zoom Centre, C3-5)

🛉 À l'ouest du boulevard Saint-Laurent, au sud de la rue Sainte-Catherine, s'étend le centre-ville à proprement parler. Downtown américain pur jus, on se fraie ici un passage entre les *golden boys* et les cohortes de jeunes branchés assoiffés de grandes marques internationales. Mais si l'on prend la peine de marcher en levant le nez en l'air, on trouvera bien quelques surprises. Les tours de verre ne donnent pas que dans le luxe prétentieux et derrière l'apparente géométrie se bousculent d'innombrables facéties architecturales. Rapidement l'œil s'habitue au chaos et s'amuse à organiser les blocs d'un puzzle formé au fil des décennies, finalement beaucoup plus surprenant que la monotonie haussmannienne. Plus on descend vers Atwater, plus le quartier affirme son identité anglophone... Tandis qu'en revenant vers le boulevard Saint-Laurent, côté place des Arts, le feeling devient un peu plus européen.

🛉🛉 **La « Catherine »** *(plan d'ensemble, B-C-D4) :* la rue Sainte-Catherine, entre la rue Atwater et la rue Saint-Hubert. Ce sont les « Grands Boulevards » du coin revus par les urbanistes américains. Mélange de populaire et de démesuré. Grands magasins, boutiques de mode, cinoches, trottoirs « chauds » à l'intersection de la rue Saint-Laurent... La parcourir à pied, pour mieux juger de la mutation de Montréal. Sur votre chemin, à la hauteur de Jeanne-Mance, vous croiserez la *place des Arts,* symbole de l'émergence culturelle du Québec des années 1960, avec son immense temple culturel comprenant de multiples salles de théâtre, de cinéma et de concert, ainsi que le musée d'Art contemporain. Ce secteur est le cœur de la *place des Festivals* (... de jazz, de l'humour, Francofolies, etc.). Il a été grandement rénové, histoire de redonner un peu de lustre à ce quartier jadis laissé à l'abandon. La portion de la rue Sainte-Catherine située entre Jeanne-Mance et Saint-Dominique est désormais piétonne.

🛉🛉🛉 **Le musée des Beaux-Arts** *(plan d'ensemble, C4) :* 1379-1380, rue Sherbrooke Ouest. ☎ 514-285-2000. ● mbam.qc.ca ● Ⓜ *Guy-Concordia ou Peel ; bus n° 24 (arrêt « Rue Bishop »). Mar-ven 11h-17h (21h mer pour les expos temporaires) ; w-e 10h-17h. Entrée libre pour la collection permanente. Expos temporaires prestigieuses : 15-20 $; réduc mer à partir de 17h ; gratuit jusqu'à 12 ans.* Fondé en 1860, le musée des Beaux-Arts est composé de deux édifices de part et d'autre de la rue, reliés par un souterrain. Le premier est du XIXe s, ce qui en fait le plus ancien musée québécois, l'autre est tout récent et ultramoderne. Ce double musée abrite un vaste résumé de l'art mondial à travers les siècles. La collection permanente permet de parcourir les aspects les plus divers de la créativité artistique : de la verrerie romaine aux textiles précolombiens, de la peinture gothique au contemporain Jean-Paul Riopelle, des coiffures *haidas* aux objets de design sophistiqués du *streamline,* ce musée touche véritablement à tout. Parmi les peintres que l'on peut admirer, citons en vrac El Greco, Lorrain, Gainsborough, Ribera, Basquiat, Richter... Le musée organise aussi jusqu'à trois expositions temporaires annuelles.

🎭 **Le musée McCord** (plan d'ensemble, C4) : 690, rue Sherbrooke Ouest. ☎ 514-398-7100. • musee-mccord.qc.ca • Ⓜ McGill. ⛄ Tlj 10h-18h (21h mer, 17h w-e). Ouv aussi les lun fériés 10h-18h. Entrée : 14 $; réduc ; gratuit jusqu'à 12 ans et pour ts le mer à partir de 17h et le 1er sam de chaque mois. Dans ce musée consacré à l'histoire canadienne, l'expo permanente met en lumière les Premières Nations du Canada. Au XIXe s, David Ross McCord, un notable érudit d'origine irlandaise, rassemble et fait don d'une collection de 15 000 objets en provenance de toute la colonie. Un fonds largement enrichi puisque le musée possède aujourd'hui plus de

LA MUSIQUE DE CHAMBRE DE JOHN ET YOKO

Le mythique hôtel Fairmont Queen Elisabeth, situé au 900, bd René-Lévesque, a vu passer du beau monde : la reine d'Angleterre, Charles de Gaulle, Mandela, Gorbatchev... Mais deux clients firent un passage encore plus mémorable : John Lennon et Yoko Ono. Refoulés des États-Unis où ils comptaient tenir un « bed-in » contre la guerre du Vietnam, les jeunes mariés choisirent Montréal pour se mettre au lit pendant une semaine. Cette grasse matinée s'avéra productive, puisque c'est dans la chambre 1742 qu'ils enregistrèrent la magnifique chanson Give Peace a Chance.

1 million d'objets dans ses réserves ! Cela dit, seule une petite quantité est visible. Costumes, coiffures, peintures, estampes, mobilier, vaisselle, photos anciennes, etc. La vie et les aventures incroyables des riches marchands anglais (ils devaient prouver leur valeur par des expéditions de chasse) sont bien détaillées. À l'étage, expositions temporaires sur des thèmes aussi variés que l'orfèvrerie québécoise, les costumes canadiens ou les archives photographiques sur les autochtones.

🎭 **Le musée d'Art contemporain** (zoom Centre, C4) : pl. des Arts, 185, rue Sainte-Catherine Ouest (angle Jeanne-Mance). ☎ 514-847-6226. • macm.org • Ⓜ Place-des-Arts. Mar-dim 11h-18h (21h mer et le 1er ven du mois). Fermé lun. Entrée : 12 $; réduc ; gratuit jusqu'à 12 ans et pour ts le mer dès 17h. Visites commentées. Juste à côté du complexe culturel de la place des Arts, ce temple de l'art lumineux et spacieux présente des expos temporaires d'artistes canadiens, parfois québécois. Une partie du musée est dédiée aux collections permanentes de 1939 à nos jours. Au total, un fonds de quelque 5 000 œuvres, dont seule une infime partie est exposée : d'où le sentiment d'une visite parfois un peu trop rapide.

🎭 **Le Centre canadien d'Architecture** (plan d'ensemble, B4) : 1920, rue Baile. ☎ 514-939-7026. • cca.qc.ca • Ⓜ Guy-Concordia (sortie « Saint-Mathieu »). ⛄ Mer-dim 11h-18h (21h jeu). Entrée : 10 $; réduc ; gratuit enfants et étudiants, ainsi que pour ts le jeu dès 17h30. Possibilité de visites guidées du bâtiment ou des expos en cours. Bâti autour d'une ancienne maison victorienne, voici un édifice d'une modernité et d'un équilibre remarquables. Les expositions temporaires sur l'architecture moderne ou ancienne sont généralement d'une très grande qualité. Études, plans, dessins, maquettes, etc. Beaux jardins dépouillés et superbe librairie spécialisée, très fournie. Dans son genre, un lieu rare.

🎭 **Le Centre Bell** (plan d'ensemble, C4) : 1260, rue La Gauchetière Ouest. ☎ 514-790-1245. • centrebell.ca • Ⓜ Bonaventure ou Lucien-L'Allier. Stade de 21 273 places, le plus grand de la Ligue nationale de hockey, où jouent les fameux, incontournables et mythiques Canadiens de Montréal. La saison régulière de hockey s'étend d'octobre à avril. Mais si l'équipe carbure bien, la saison peut se prolonger jusqu'en juin, avec les play-off (phases finales). Le jour même du match, 2 000 billets sont en vente. Cela laisse une petite chance de se procurer de bonnes places plutôt chères (environ 100 $). D'autres moins bien placées mais plus abordables (environ 40 $). Pour être sûr de trouver de la place, mieux vaut réserver le plus tôt possible ! Un **musée** (le Temple de la Renommée) permet de

À VOIR, À FAIRE

découvrir l'histoire des *Canadiens* à travers des photos, vidéos, équipements et objets personnels. ☎ 514-925-7777. *Ouv mar-sam 10h-18h ; dim 12h-17h. Entrée : 11 $ pour le musée seul, 17 $ avec la visite guidée de la patinoire, des loges et vestiaires ; réduc ; gratuit jusqu'à 4 ans.*

🎿🏃 **Le parc du Mont-Royal** *(plan d'ensemble, A-B-C2-3) :* à ne pas confondre avec le Plateau Mont-Royal, quartier à l'est du mont Royal (voir plus haut). Il faut monter jusqu'au belvédère pour le panorama sur Montréal. Le mieux est peut-être d'y aller à pied depuis l'avenue du Mont-Royal (compter une bonne heure de grimpette) et de faire le retour en bus n° 11 depuis le lac des Castors jusqu'au métro Mont-Royal. Ou alors l'inverse... La colline fait 233 m de haut et vit une longue amitié avec un parc de 200 ha, lieu de pique-nique traditionnel des familles. Ce parc, inauguré en 1876, est l'œuvre de F. L. Olmsted, qui a aussi dessiné Central Park à New York (les deux parcs n'ont cependant rien de comparable !). Beau point de vue sur la ville depuis l'observatoire. Vous noterez que les toits des maisons sont le plus souvent plats car, en hiver, la neige s'avère être un bon isolant. Sachez aussi que le *lac des Castors* (qui n'a sans doute jamais vu de castors) se transforme en patinoire à cette période. En été, le parc Jeanne-Mance *(plan d'ensemble, C3 ; près du croisement entre l'av. du Parc et l'av. du Mont-Royal)* accueille chaque dimanche après-midi ensoleillé un rassemblement spontané de percussionnistes et autres artistes de rue : **les Tam-tams du mont Royal** s'accompagnent de danses, jongleries, et parfois même de joutes médiévales, le tout dans une ambiance fraternelle et endiablée.

🏃 Au pied du mont, sur son versant nord, l'**oratoire Saint-Joseph** *(plan d'ensemble, A3) : entrée par le 3800, chemin Queen-Mary.* ☎ 514-733-8211. ● *saint-joseph.org* ● Ⓜ *Côte-des-Neiges. Bus n°s 165 ou 166.* 🦽 *(ascenseur). Parking payant sf pour les pèlerins. Tlj 7h45-21h. Concert d'orgues dim à 15h30.* La basilique, qui rappelle le *duomo* de Florence, frappe par son immensité et son austérité. Lieu de pèlerinage très fréquenté, cet oratoire roman domine tout le nord de Montréal par son énorme dôme, le deuxième plus grand dôme au monde, dit-on, après celui de Saint-Pierre-de-Rome. L'oratoire Saint-Joseph témoigne de la foi catholique exceptionnelle des Canadiens francophones dans la première moitié du XXe s. Il en est encore certains pour monter l'escalier gris, que vous voyez au centre, à genoux. Plus prosaïque, la bénédiction des motos qui a lieu chaque année à l'oratoire le dernier dimanche de mai !

Autre témoin du quartier, l'immense **cimetière Notre-Dame-des-Neiges** qui s'étend sur l'autre versant, à côté du tout aussi impressionnant **cimetière Mont-Royal**. À l'origine, le premier était réservé aux catholiques, le second aux protestants. Depuis 1975, cette distinction n'existe plus, mais les styles respectifs restent perceptibles. Sachez que le cimetière Mont-Royal est, après celui d'Halifax, celui où repose le plus grand nombre de victimes du *Titanic* (une douzaine). Parmi elles, vous trouverez la tombe de Charles Melville Hays, président du Chemin de fer Grand Tronc, dont le corps ne fut identifié que grâce à sa montre en or, gravée à son nom. Minutieusement entretenus, ces énormes espaces verts ne sont pas que des lieux de sépultures, ils sont devenus d'étonnantes pépinières d'espèces végétales et un refuge pour les oiseaux migrateurs.

🎿🏃 **Les quartiers résidentiels de Westmount et Outremont :** si vous avez le mollet alerte (ou un véhicule) et que vous aimez les belles maisons victoriennes, le quartier de Westmount *(plan d'ensemble, A-B3-4)*, à l'ouest du mont Royal, devrait vous plaire. Quartier verdoyant, très chic, voire tape-à-l'œil, c'est le quartier résidentiel anglophone. Maisons victoriennes entourées de pelouses tondues avec précision, mais aussi villas modernes avec des touches Art déco, néogothiques... Se balader notamment sur Summit Circle. Quant à Outremont *(plan d'ensemble, B-C1-2)*, au nord du mont Royal, c'est le quartier bourgeois francophone. Les maisons y sont plus sobres, mais d'une belle élégance quand même. Voir notamment le *parc Saint-Viateur*, sur Bloomfield (angle Bernard), avec son plan d'eau... et ses danseurs de tango le dimanche. Vous seriez d'ailleurs étonné de voir à quel point les Montréalais aiment le tango (beaucoup de cours collectifs dans les parcs aux beaux jours).

🍦 Pour une pause glace, allez donc au *Bilboquet* (plan d'ensemble, C2, *173*) : *1311, av. Bernard.* Voir plus haut, rubrique « Où manger une bonne glace ? ».

🍴 *La ville souterraine et son cœur, la place Ville-Marie* (plan d'ensemble, C4) : le plus grand réseau souterrain au monde ! Une gigantesque toile d'araignée de 12 km², avec plus de 30 km de galeries qui suivent peu ou prou le tracé des lignes de métro 1 et 2. Ce réseau relie entre eux près de 1 500 commerces, dont 300 restos et bars, une dizaine d'hôtels, ainsi que des universités (McGill, UQAM...), des cinémas, théâtres, le tout desservi par une dizaine de stations de métro. On peut errer des journées entières sans voir le jour, et l'hiver, faire son « magasinage » sans craindre le froid mordant ! Pas moins de 500 000 personnes y circulent chaque jour.

Il existe près de 200 entrées pour accéder au Montréal souterrain, désormais appelé « RÉSO ». Son cœur historique – et aussi le segment le plus fréquenté – part de la place Ville-Marie (dessinée par l'architecte Pei, avec son gratte-ciel en croix qui a longtemps symbolisé le Montréal moderne). Mais on y entre aussi par les grands centres commerciaux de la rue Sainte-Catherine (*centre Eaton, Place Montréal Trust...*), par la gare ferroviaire ou encore les stations de métro Square-Victoria, Bonaventure, Place-d'Armes et Place-des-Arts. Consulter le plan de métro (gratuit) qui indique toutes les entrées possibles, repérables grâce au logo RÉSO (avec une flèche vers le bas dans le O).

– Signalons l'existence du festival *Art Souterrain* (● artsouterrain.ca ●), qui se tient chaque année de fin février à mi-mars : les couloirs du RÉSO se transforment alors en galeries d'exposition pour des dizaines d'artistes contemporains. Ce rendez-vous grandit d'année en année (7 km de parcours artistique lors de l'édition 2012).

DANS LE PARC JEAN-DRAPEAU
(plan d'ensemble, D-E5)

🍴🚶 *Le parc Jean-Drapeau :* ☎ 514-872-6120. ● parcjeandrapeau.com ● *Accès en voiture à l'île Notre-Dame par le pont de la Concorde (parking obligatoire et cher, env 16 $/j., min de 6 $/h). Accès à l'île Sainte-Hélène par le pont Jacques-Cartier (* Ⓜ *Jean-Drapeau) ou bus nᵒ 169 du métro Papineau (quand la Ronde est ouv). Au départ du métro Jean-Drapeau, le bus nᵒ 167 offre une visite agréable (dessert notamment la Ronde et la plage des îles). De mi-juin à mi-sept, pour piétons et cyclistes, accès par la navette fluviale, 7,50 $, du quai Jacques-Cartier dans le Vieux-Port (*☎ *514-281-8000 ; départs ttes les heures). À vélo ou à rollers, prendre la piste cyclable du canal Lachine près du Vieux-Port et suivre les indications vers la cité du Havre puis l'île Notre-Dame. Depuis la rive sud, emprunter le lien du pont Victoria qui mène à l'île.*

Nommé d'après celui qui fut maire de Montréal pendant 30 ans, le parc Jean-Drapeau regroupe les îles Sainte-Hélène et Notre-Dame, formant ainsi un espace vert d'environ 1 km² dédié au divertissement et au sport. De l'Exposition universelle qui s'y tint en 1967, il ne reste que des jardins et quelques pavillons, dont celui de la France et du Québec, absolument magnifique, transformé en casino (entrée gratuite, pertes payantes !), et celui des États-Unis, qui est devenu la Biosphère. Le casino comprend 120 tables de jeu, 3 200 gobe-sous, de bons restaurants et une salle de spectacle. Bon à savoir : une navette-bus gratuite (départs toutes les heures 10h-19h, slt en été) mène les flambeurs du *Centre Infotouriste* (zoom Centre, C4, *1*) au casino.

Ce parc paisible, cerné par le Saint-Laurent et presque exempt de circulation, fait l'objet d'une balade très agréable, surtout sur l'*île Sainte-Hélène* qui rassemble en fait la majorité des choses à voir. L'*île Notre-Dame* est, pour sa part, plutôt réservée aux activités sportives : vélo, « patins à roues alignées » (rollers), embarcations à pédales, canots et planches à voile. On y trouve également une jolie plage pour pique-niquer et se baigner dans l'eau – filtrée – du Saint-Laurent *(plan d'ensemble, D6 ; ouv tlj de mi-juin à fin août 10h-19h ; entrée payante)*. C'est aussi là qu'on trouve le circuit Gilles-Villeneuve qui accueille le Grand Prix du Canada vers la mi-juin. Par bonheur, on peut librement faire du roller ou du vélo sur le bitume destiné aux courses de Formule 1.

🏃 *L'Homme* (plan d'ensemble, E5) : à la pointe ouest du parc, l'une des plus grosses sculptures *(stabiles)* de Calder, située sur un promontoire. On embrasse de là une vue surprenante sur la ville. La puissance sauvage du fleuve impressionne. Les dimanche d'été (de 14h à 21h), beaucoup d'ambiance lors des *Piknic electronik* qui attirent une foule hété-

> **BIDONNAGE**
>
> *Sur chaque sommet du pont Jacques-Cartier, on peut déceler une petite tour Eiffel (de 6 tonnes quand même !). On prétend qu'elles devaient servir à l'érection d'une grande tour Eiffel. Rien n'est plus faux car ces embouts étaient prévus sur les plans originaux.*

roclite venue pique-niquer au son d'une musique live (● piknicelectronik.com ●).

🏃🏃 *Le musée Stewart* (plan d'ensemble, E5) : dans le dépôt fortifié britannique de l'île Sainte-Hélène, 20, chemin du Tour-de-L'Isle. ☎ 514-861-6701. ● stewart-museum.org ● Ⓜ Jean-Drapeau, puis env 10 mn de marche. Mer-dim 11h-17h. Entrée : 13 $; réduc ; gratuit jusqu'à 6 ans. Visite guidée gratuite (mais horaires variables).
Une moitié de ce bâtiment tout en longueur construit en 1822 accueille des expos temporaires, et l'autre, l'expo permanente *Histoire et mémoire* qui retrace l'exploration et l'histoire du Canada du XVe s à aujourd'hui. À l'extérieur du bâtiment, en son centre, une tour en verre (vue sur la ville assez jolie du sommet) dessert les différents espaces d'expo. Au cours de la visite, qui commence au 2e étage et se termine au rez-de-chaussée, vous pourrez admirer de nombreuses cartes anciennes où l'on peut voir l'évolution de la conception du monde au fil du temps. La plus ancienne (1528) est un portulan du cartographe Visconte de Maggiolo ; son état de conservation (les couleurs notamment) est étonnant. La vie en Nouvelle-France est aussi abordée sous différents angles (la place de la religion et de l'Église, les divertissements, l'hygiène, la mode), avec quelques objets pour illustrer le propos. Également une magnifique maquette interactive de Montréal en 1760. Bref, l'endroit idéal pour revoir (ou voir) son histoire du Canada et de Québec.

🏃🏃🏃 *La Biosphère d'Environnement Canada* (plan d'ensemble, E5) : 160, chemin du Tour-de-L'Isle. ☎ 514-283-5000 ou 1-855-773-8200. ● biosphere.ec.gc.ca ● Ⓜ Jean-Drapeau. ♿ Accès possible par la navette fluviale en été. Juin-oct, tlj 10h-18h ; nov-mai, tlj sf lun 10h-17h. Fermé 24 déc-2 janv. Entrée : 12 $; réduc ; gratuit jusqu'à 17 ans. **Attention, la biosphère devrait fermer ses portes au public en décembre 2013.** Renseignez-vous donc avant de vous y rendre.
Édifiée par l'architecte visionnaire américain Buckminster Fuller pour le pavillon américain de l'Expo de 1967, puis offerte à la ville de Montréal, la sphère demeure un symbole architectural de la ville et reste l'édifice de ce type le plus important au monde. Cette grosse boule, qui reproduit plus de 75 % de la sphère terrestre, se compose de milliers de tétraèdres, mesure près de 63 m de haut pour un diamètre de 76 m et pèse environ 600 t. D'abord utilisée comme une oasis florale doublée d'une volière, la « peau » en acrylique de la sphère brûla en 1976 à l'occasion des travaux de réfection... C'est en 1995 que le projet de Biosphère voit le jour. Géré par le ministère canadien de l'Environnement, il s'agit d'un centre d'éducation à l'environnement qui traite des grands enjeux environnementaux liés à l'eau, à l'air,

aux changements climatiques, à la biodiversité et au développement durable. Elle est d'ailleurs dotée de deux éoliennes et d'une maison solaire. Également des activités pour petits et grands, un peu comme à la *Cité des sciences de la Villette*, à Paris, pour ceux qui connaissent. En raison d'une sévère coupe budgétaire, la Biosphère devrait malheureusement définitivement fermer ses portes au public en décembre 2013.

🐾 🚶 **La Ronde** *(plan d'ensemble, E-F4-5)* **:** *22, chemin MacDonald.* ☎ *514-397-2000.* ● *laronde.com* ● Ⓜ *Jean-Drapeau. Bus nᵒˢ 167 ou 169. Sur la pointe est de l'île Sainte-Hélène. De mi-mai à fin mai et sept-oct, slt le w-e ; l'été, tlj (en principe, 11h-21h). Horaires très variables (disponibles sur Internet). Fermé de nov à mi-mai. Entrée : env 45 $; réduc (notamment via Internet ou après 17h). Plus cher les jours de feu d'artifice (47-57 $ selon la place).* Grand parc d'amusement avec montagnes russes (le *Goliath*, parmi les plus hautes d'Amérique du Nord), cabaret, spectacles pour enfants, resto, etc. Chaque année, de nouvelles attractions et animations voient le jour. Affluence bien répartie qui limite l'attente aux diverses attractions. Spectacles de bonne qualité. En juin et juillet, grand concours de feux d'artifice. Pour y assister, on peut aussi se placer gratuitement sur le pont Jacques-Cartier, fermé à ces occasions.

L'ESPACE POUR LA VIE ET LE PARC OLYMPIQUE
(plan d'ensemble, G2)

Derrière son nom un peu naïf, l'*Espace pour la vie* regroupe au sein du parc Maisonneuve (l'ancien Parc olympique des Jeux de 1976) 4 sites consacrés à la nature et aux grands défis écologiques de l'humanité. Une vaste esplanade piétonne relie l'ensemble, au centre duquel trône l'emblématique Tour de Montréal, la tour penchée la plus haute du monde.

🐾🐾🐾 🚶 **Le Biodôme** *(plan d'ensemble, G2)* **:** *juste à côté de la tour du Stade olympique, 4777, av. Pierre-de-Coubertin.* ☎ *514-868-3000.* ● *biodome.qc.ca* ● Ⓜ *Viau.* ♿ *En été, tlj 9h-18h ; mars-fin juin, tlj 9h-17h ; le reste de l'année, tlj sf lun 9h-17h. Prévoir au moins 1h30 pour la visite. Entrée : 18 $; 9 $ 5-17 ans. Billet couplé avec le Jardin botanique et l'Insectarium, ou avec la Tour olympique (voir plus bas) : env 30 $. Audioguide.* À ne pas confondre avec la Biosphère du parc Jean-Drapeau. Le Biodôme est un vaste site de 7 000 m², recouvert, comme son nom l'indique, d'un grand dôme. Il a été créé dans l'enceinte de l'ancien vélodrome des Jeux olympiques de Montréal de 1976, en réutilisant notamment l'ancienne piste de compétition inclinée à 45°. À l'intérieur, sont reconstitués cinq écosystèmes d'Amérique : la forêt tropicale, la forêt laurentienne, le Saint-Laurent marin, l'Arctique et l'Antarctique. Environ 5 000 animaux, dont certains en semi-liberté. Un ensemble impressionnant recréé avec intelligence et pédagogie, surtout pour les deux forêts. Mention spéciale au bassin du Saint-Laurent (2,5 millions de litres d'eau salée !) assez étonnant. Bref, un pari difficile mais réussi.

🐾🐾 🚶 **Le Jardin botanique et l'Insectarium** *(plan d'ensemble, G2)* **:** *entrée pour les voitures au 4101, rue Sherbrooke Est.* ☎ *514-872-1400.* ● *ville.mon treal.qc.ca/jardin* ● *ville.montreal.qc.ca/insectarium* ● Ⓜ *Pie-IX.* ♿ *Pour ceux qui viennent en métro, entrée à l'angle nord-est de Sherbrooke Est et de Pie-IX. Parking payant(10 $/j.). Navette gratuite entre le Jardin botanique (via l'Insectarium), le Parc olympique (du métro Viau ou du hall touristique, au pied de la tour) et le Biodôme. De mi-mai à début sept, tlj 9h-18h ; sept-oct, tlj 9h-21h ; le reste de l'année, tlj sf lun 9h-17h. Entrée : 18 $; 9 $ 5-17 ans ; respectivement 16 $ et 8 $ en basse saison. Billet couplé avec le Biodôme : 31,50 $; 16 $ 5-17 ans. Billet couplé avec la Tour de Montréal (Stade olympique) mais sans le Biodôme : env 30 $; 15 $ 5-17 ans. Billet couplé avec le Biodôme et la Tour de Montréal : env 41 $; 21 $ 5-17 ans. Possibilité de visites guidées du jardin en hte saison (rens à l'entrée).*

À VOIR. À FAIRE

Ses 22 000 espèces, sa trentaine de jardins thématiques et ses 10 serres réparties sur 73 ha en font le deuxième jardin botanique au monde après celui de Londres. À voir si possible à la belle saison, en prévoyant de passer au moins une demi-journée sur place, car le parc est immense. En été, un petit train gratuit fait le tour du jardin et permet d'avoir un aperçu complet : jardin chinois, jardin japonais et sa remarquable collection de bonsaïs (certains plus que centenaires !), jardin des Premières Nations, jardin alpin, plus d'un millier de variétés d'orchidées, en fleurs de fin janvier à avril, dont certaines très rares...

Ensuite, faites donc un tour à l'*Insectarium,* surtout si vous voyagez avec des enfants. *Cour aux insectes* (à l'extérieur, derrière l'Insectarium), fourmilière et ruche en activité, phasmes, papillons, etc. Le tout didactique et ludique.

|●| *Restaurant du jardin :* près de l'entrée principale et des serres d'exposition. Plat env 10 $. Hamburgers, paninis, pizzas... Pratique après la visite, d'autant que la terrasse est bien agréable.

🦅🦅 🏃 *Le planétarium Rio Tinto Alcan* (plan d'ensemble, G2) : 1000, rue Saint-Jacques, entre le Stade olympique et le Biodôme. ☎ 514-872-4530. ● ville.mon treal.qc.ca/planetarium ● **Ouverture courant 2013.** Se renseigner sur le thème et les horaires des séances. **Entrée payante.** Tout nouveau, tout beau, avec sa toiture végétalisée et ses deux canons braqués vers le ciel. Ses deux théâtres bénéficient des dernières technologies en matière de projections immersives : c'est la promesse d'un voyage bluffant à travers ciel et espace, à destination des apprentis astronomes et des simples curieux.

🦅🦅 🏃 *Le Parc olympique et la Tour de Montréal* (plan d'ensemble, G2) : entrée au 3200, rue Viau. ☎ 514-252-4141 ou 1-877-997-0919. ● parcolympique.qc.ca ● Ⓜ Viau. Navette gratuite entre le Jardin botanique (via l'Insectarium), le Parc olympique (du métro Viau ou du hall touristique, au pied de la Tour) et le Biodôme. Tlj 9h-22h en été (jusqu'à 23h pdt les feux d'artifice) ; mi-saison dim-jeu 9h-17h, ven-sam 9h-22h ; l'hiver, slt le w-e 9h-22h. Fermé de début janv à mi-fév. Entrée (ascension de la tour comprise) : 16 $; 8 $ 5-17 ans. Billets combinés avec le Biodôme, le Jardin botanique et l'Insectarium (voir plus haut). Visite guidée des installations olympiques pour 9 $ (forfait à 22$ pour la visite guidée).

C'est le site des Jeux olympiques de 1976, qui virent le sacre de la jeune gymnaste roumaine Nadia Comaneci. L'architecture audacieuse et, à l'époque, furieusement moderne, est due au Français Roger Taillibert. La structure est étonnante, et la visite retiendra l'attention des sportifs et des amateurs d'architecture. Il a fallu pas moins de 400 000 m³ de béton, 400 000 t d'acier, 225 km de câbles... Impressionnant, certes, mais pas très solide : le toit du stade, qui a déjà été craqué trois fois, va devoir être remplacé d'ici quelques années par une structure plus légère. Or, ce stade a déjà coûté cher aux contribuables québécois, alors la grogne monte... À suivre !

En attendant, ne manquez pas la grimpette en haut de la Tour de Montréal, la plus haute tour inclinée au monde (165 m), sans vouloir vexer les habitants de Pise (néanmoins, Pise garde sans aucun problème la palme de l'élégance et du raffinement !). Un impressionnant ascenseur-funiculaire mène au sommet. Vue exceptionnelle sur la ville et les installations. À noter que le centre sportif (avec ses piscines, où s'entraînent les équipes nationales de sports aquatiques, est ouvert au public. Voir la rubrique « Piscines » dans les « Adresses utiles ».

DANS LA PÉRIPHÉRIE DE MONTRÉAL

🦅🦅 🏃 *Le Cosmodôme, camp spatial du Canada* (hors plan d'ensemble par A1) : 2150, autoroute des Laurentides, Laval. ☎ 514-978-3600 ou 1-800-565-2267. ● cosmodome.org ● Ⓜ Montmorency et bus n°s 61 ou 70. À 30 mn de voiture du centre de Montréal (si tt va bien). Pour y aller, autoroute 15 Nord ; sortie 8, bd Saint-Martin Ouest, puis à droite au 2e feu du bd Pierre-Péladeau et tt droit jusqu'à l'av. du Cosmodôme ; vous ne raterez pas l'entrée : une réplique de la fusée Ariane s'y dresse. En été, tlj 9h-17h ; le reste de l'année, tlj sf lun 10h-17h. Entrée (expo + 1 mission de 60 mn) : 15 $; 12 $ 7-18 ans, sinon forfait famille env 40 $.

Un grand centre vraiment bien conçu, dédié à l'espace et à son exploration. On y rencontre tous les grands hommes qui ont fait avancer l'humanité vers la connaissance de l'Univers. Le décor met tout de suite dans l'ambiance : un système solaire reproduit à l'échelle (enfin presque, sinon Pluton serait à Vancouver !), des répliques de sondes et de satellites, un scaphandre de la mission Apollo... Mais l'accent est surtout mis sur l'interactivité, à travers 3 « missions virtuelles » qui permettent de mieux comprendre l'espace, et un simulateur qui recrée les effets de l'apesanteur. On trouve encore au Cosmodôme une chose rarissime dans les musées de notre vieille planète : une roche lunaire rapportée par les astronautes ! Bref, un musée intelligent où l'on ne s'ennuie pas. Prévoir au moins deux bonnes heures. Pour les 9 à 15 ans, le Cosmodôme organise des camps spatiaux (qui durent de 24h à 6 jours ; réservation obligatoire) avec des simulateurs d'entraînement (presque) comme à la NASA ! Une sacrée aventure, avec des missions à bord d'une réplique d'Endeavour et de nombreuses expériences scientifiques pour ados. De quoi vous faire regretter d'être un adulte !

– **Descente des rapides de Lachine** (hors plan d'ensemble par A4) : Les Excursions rapides de Lachine, 8912, bd Lasalle, à LaSalle. ☎ 514-767-2230 ou 1-800-324-RAFT. ● raftingmontreal.com ● Ⓜ Angrignon, ligne verte et autobus n° 110. À 20 mn du centre-ville, autoroute 20 Ouest, sortie 63 Pont Mercier ; puis sortie 2 Clément, et suivre les indications « rafting sur le Saint-Laurent ». Navette gratuite sur demande (autobus mauves) au Centre Infotouriste, 1001, sq. Dorchester (angle Peel et Sainte-Catherine, dans le centre-ville). Résa obligatoire. Rafting 43 $; jet-boating (gros Zodiac avec lequel on fait des dérapages... sensations garanties) 53 $; réduc et forfaits.

Les rapides du Colorado coûtent cher. Voici donc l'occasion de tenter cette expérience palpitante (assez impressionnante mais sans risque) à un prix abordable. L'excursion de rafting dure 2h15 aller-retour, et celle du jet-boating 1h15. Départs tous les jours de 9h à 18h de mai à septembre, plus ou moins fréquemment selon l'affluence. Choisir de partir l'après-midi car l'eau est plus chaude. Malgré les équipements fournis sur place, on revient totalement trempé, donc prévoir des vêtements de rechange.

– Quelques surfeurs expérimentés se frottent également aux **vagues de rivière** (qu'on appelle « mascarets ») formées au creux des rapides : réservé aux fortiches ! Rens auprès de **KSF (Kayak Sans Frontières)** : 7770, bd Lasalle. ☎ 514-595-7873. ● ksf.ca ●

🦌 À voir également à Lachine, près du canal, le petit **musée du Commerce de la Fourrure** (1255, bd Saint-Joseph ; ☎ 514-637-7433) installé dans un hangar en pierre de 1803. L'expo tient dans une seule pièce, mais on apprend pas mal de choses sur le business de la fourrure et la Compagnie de la Baie d'Hudson. Ouv fin mai-août, tlj 9h30-12h30 et 13h-17h (sf lun-mar fin mai-juin). Entrée : 4 $; réduc.

🦌 Plus haut, le **musée de Lachine** (1, chemin du Musée-de-Lachine ; ☎ 514-634-3478 ; ouv avr-nov, mer-dim 12h-17h et aussi mar en été ; entrée gratuite) est situé dans la maison LeBer-LeMoyne, un ancien poste de traite des fourrures de 1669. On y voit quelques objets amérindiens et coloniaux trouvés pendant les fouilles archéologiques, qui d'ailleurs se poursuivent.

– Une superbe piste cyclable goudronnée aménagée à l'embouchure du canal de Lachine court le long du canal de l'Aqueduc et jusqu'au Vieux-Port. Une autre piste longe le fleuve, la bien nommée « piste des Berges ». Les abords du canal ont été réaménagés dans le but de mettre en valeur cette voie de communication qui fut si importante au XIXe s et au début du XXe s. Voir nos adresses de location de vélos dans « Adresses utiles » pour faire cette balade. Pour le plan des pistes, consulter le site ● poledesrapides.com ● qui propose une carte interactive et de nombreuses infos sur les activités nautiques et les excursions guidées.

Balade pour poètes urbains

Montréal est en train de changer de visage. Les anciens quartiers se métamorphosent, les usines déménagent, beaucoup aujourd'hui se transforment en « condos », luxueux immeubles d'appartements.

Cette évolution est très perceptible dans le quartier de la *Petite Bourgogne (plan d'ensemble, B-C4-5)*, ancien quartier ouvrier et populaire qui s'était greffé autour du canal Lachine et des usines. Délimité au nord par la rue Saint-Antoine, à l'est par la rue de la Montagne, à l'ouest par l'avenue Atwater, au sud par le canal Lachine. Accès par les stations de métro Lucien-L'Allier *(plan d'ensemble, C4)* et Lionel-Groulx *(plan d'ensemble, B4-5)*. C'est aussi la balade à vélo idéale car le trafic est très modéré. Au fond se détache la silhouette massive de la brasserie O'Keefe. Pratiquement toutes les vieilles HLM et maisons ouvrières ont été démolies pour céder la place à de pimpants ensembles de brique rouge. La *rue Notre-Dame* est l'une des plus anciennes de Montréal (tracée en 1660). Au n° 1850, Notre-Dame Ouest, voir la *Banque de Montréal (plan Centre, D4)*, superbe édifice du XIXe s à l'élégant pignon sculpté à la flamande : le grès rouge fut importé d'Écosse. Pousser ensuite par la rue des Seigneurs, jusqu'au *canal Lachine (plan d'ensemble, A-B-C5)*. À l'*écluse n° 3*, tout ce coin a été joliment transformé en pistes cyclables et sentiers piétons. Quelques usines en passe de se muer en appartements de luxe. Le canal Lachine fut construit en 1825 pour contourner les rapides du Saint-Laurent, permettant ainsi l'accès aux Grands Lacs et au Midwest américain. Il fonctionna plus de 130 ans, jusqu'à l'ouverture de la voie maritime, et participa largement à l'expansion économique du pays. Il est toujours navigable aujourd'hui *(croisière patrimoniale de 2h en bateau-mouche sur le canal Lachine pour 11-18 $; réduc ; tlj de mi-mai à mi-oct à 13h et 15h30 ; infos : ☎ 514-283-6054).*

Remonter la rue des Seigneurs, au-delà de la rue Saint-Jacques. L'*îlot Saint-Martin (plan d'ensemble, B5)* se révèle un modèle de rénovation urbaine intelligente. Maisons restaurées, mais ayant conservé leur cachet, se mariant bien avec les constructions modernes. Emprunter la *rue Coursol (plan d'ensemble, B4)*, l'un des derniers paysages urbains typiques de la Petite Bourgogne. Alignement homogène de maisons ouvrières fort bien rénovées et vestiges de l'architecture du XIXe s. Dans le coin, beaucoup de familles noires (héritières de celles qui construisirent le chemin de fer vers 1850) et d'immigrés haïtiens. Dans le prolongement de la rue Coursol, après le boulevard Georges-Vanier, joli alignement de maisons montréalaises typiques et colorées.

Enfin, en descendant l'avenue Atwater, vous parviendrez au *marché Atwater (plan d'ensemble, A-B5)*, de style Art déco (à l'architecture un peu mussolinienne !). C'est le plus apprécié de Montréal, avec celui de Jean-Talon au nord de la ville. Prenez un verre ou allez manger un rôti de bœuf à la *taverne Magnan*, angle Saint-Patrick et Charlevoix. Bière pas chère, immenses salles et terrasses pouvant accueillir plus de 1 000 personnes, sans oublier le Festival du homard en juin...

|●| 🍸 🎵 Au retour, offrez-vous un panorama à couper le souffle sur toute la ville en grimpant au 45e étage de la place Ville-Marie *(plan d'ensemble, C4)*, à *Altitude 737 (altitude en pieds, ça fait 223 m ; ☎ 514-397-0737 ; ouv l'ap-m, club à partir de* 22h). L'endroit est plutôt cher et chicos (attention à votre manière de vous saper !), mais la vue est carrément inoubliable. Sympa pour boire un verre ou manger avec Montréal à ses pieds. Fait aussi des « 5 à 7 » et soirées discothèque.

LES ENVIRONS DE MONTRÉAL

🦌 *Le Centre de la nature du Mont-Saint-Hilaire :* à 20 mn à l'est de Montréal ; prendre l'autoroute 20 Est (sortie 115), puis suivre la 229 Sud. ☎ 450-467-1755. ● centrenature.qc.ca ● Situé dans la vallée du Richelieu (région touristique de la Montérégie). Assez mal indiqué : en traversant Mont-Saint-Hilaire, repérez la station-service Ultramar et tournez dans la montée des Trente ; en haut, prenez à droite et suivez les panneaux « Réserve naturelle Gault ». Parc tlj dès 8h jusqu'à 16h-20h selon saison. Entrée : 5 $; réduc ; gratuit jusqu'à 5 ans.

Une des vieilles montagnes montérégiennes. Un sentier pédestre mène au sommet du « pain de sucre » qui offre, par temps clair, une vue spectaculaire sur la vallée du Richelieu et sur Montréal. Le Centre de la nature du Mont-Saint-Hilaire, classé Réserve de la biosphère par l'Unesco, appartient à l'université McGill (université anglophone de Montréal). Balades au milieu d'arbres centenaires, lac peuplé d'oiseaux aquatiques, loutres, chevreuils, rapaces... Au pied du mont, des vergers et cidreries où les citadins viennent s'adonner aux joies de l'« autocueillette » des pommes. L'hiver, la montée jusqu'au « pain de sucre » à raquettes est une petite aventure bien sympathique.

🦌🦌🦌 *Le fort Chambly :* à *Chambly* (25 mn au sud-est de Montréal par l'autoroute 10 Est). ☎ 450-658-1585. ● pc.gc.ca/fortchambly ● D'avr à mi-mai et de sept à fin oct, mer-dim 10h-17h ; de mi-mai à août, tlj 10h-17h (18h juil-août). Fermé nov-mars. Entrée : env 6 $; réduc.

Cet élégant fortin, tout d'abord bâti en bois (1665), a été reconstruit en pierre (1711) et soigneusement restauré par la suite. Installé au bord d'un magnifique et tumultueux cours d'eau, il servait à défendre Montréal contre les incursions des Iroquois et des Anglais. Sa visite est particulièrement intéressante, car il ne reste presque plus de grands ouvrages militaires français au Canada. Qui plus est, le musée qu'il renferme est à la fois agréable et pédagogique, avec un parcours émaillé de citations, cartes et objets détaillant l'enjeu des guerres qui faisaient rage à la fin du XVIIIe s entre colons et tribus locales, ainsi qu'entre les colons eux-mêmes. On apprend aussi des tas de choses sur le quotidien de la garnison et sur la rude vie des paysans qui trimaient pour le compte des seigneurs. Le staff du musée, adorable et passionné, organise trois types de visites thématiques : archéologie, uniformes et architecture. Le départ de ces visites, irrégulier (selon affluence, en fait), est annoncé au micro. Après avoir vu le fort, baladez-vous un peu dans le parc : le site est superbe et propice à un mémorable pique-nique.

|●| *Les Grillades du Fort :* 1717, av. de Bourgogne, à deux pas du fort. ☎ 450-447-7474. Tlj midi et soir. Table d'hôtes 16-22 $ le midi, 27-33 $ le soir. Plats env 20-25 $. Une jolie maison en bois avec terrasse au bord du fleuve. De quoi pren- dre l'air et profiter d'un panorama apai-sant tout en dégustant la bonne cuisine maison, notamment... les grillades (on s'en serait douté). Également des spécia-lités portugaises et des tapas. L'accueil est excellent et la situation idéale.

🎋 *Les Cantons-de-l'Est* (ou l'Estrie) : *Tourisme Cantons-de-l'Est,* 20, rue Don-Bosco Sud, à **Sherbrooke.** ☎ 819-820-2020 ou 1-800-355-5755. ● can tonsdelest.com ● On traverse cette région quand on descend vers les États-Unis par l'autoroute 10. Une très belle région vallonnée parsemée de lacs tièdes et de villas d'artistes autour de la ville de Magog et de villages environnants. De nombreux Montréalais y ont leur résidence secondaire. Pas mal d'activités sportives ou autres en été, ski à Bromont et au Mont-Orford l'hiver. Avis aux gourmands : la région des Cantons-de-l'Est compte une kyrielle d'auberges et de restaurants gastronomiques. Ceux-ci sont douillettement installés dans de belles maisons victoriennes, vestiges de l'époque des loyalistes, ces fidè-les à la couronne d'Angleterre qui peuplèrent la région après l'indépendance américaine.

VERS LE NORD-OUEST : LES LAURENTIDES

Où dormir dans le coin ?

⚊ Plusieurs *campings rustiques* (résas : ☎ 1-800-665-6527 ou 418-890-6527 hors Amérique du Nord). Un seul avec 3 services, c'est-à-dire électricité-eau-égout (camping *Le Chevreuil* dans le secteur de La Diable). Possibilité également de loger en chalets et forfait prêt-à-camper en tente-roulotte, et même de faire du canot-camping (location de canots avec réservation d'emplacements de camping à certaines étapes de la rivière).

⚊ *Auberge de jeunesse Le Chalet Beaumont :* 1451, rue Beaumont, à **Val-David.** ☎ 819-322-1972. ● chalet beaumont.com ● À 80 km de Montréal, entre Sainte-Adèle et Sainte-Agathe-des-Monts. Bus possible (compagnie Limocar), mais un peu galère. Voiture préférable. Ouv tte l'année. Lit en dortoir 25 $ (20 $ si vous êtes membre). En été, doubles avec sanitaires privés ou communs 65-82 $ (6 $ de moins pour les membres), petit déj en sus ; un peu plus cher en hiver. 🖥 🛜 Ce beau cha-let tout en rondins de bois conviendra particulièrement aux sportifs : nageurs (lac à proximité), randonneurs, grim-peurs, cyclistes, skieurs. Une cinquan-taine de places en chambres simples et agréables ou en dortoirs de 6 à 8 lits. Cuisine équipée à disposition, bar avec billard, terrasse tranquille pour profiter des rayons du soleil. Propose plein d'activités. Location de vélos, etc. Une chouette adresse.

⚊ *Auberge Archambault Inn :* 221, rue Aubin, à 100 m du lac et de sa plage, à **Saint-Donat.** ☎ 819-424-3542 ou 1-888-745-0606. ● auberge-archam-bault.com ● Au cœur d'un petit village, à 15 mn du parc national du Mont-Tremblant. Doubles 65-120 $, petit déj complet inclus. 🛜 Réduc sur le resto et les activités et apéritif offert sur présen-tation de ce guide. Une auberge spa-cieuse tenue par Véronique et Prosper.

Chambres propres, fraîches et dotées, pour la plupart, de salles de bains. *Breakfast* servi au coin du feu l'hiver. Organisent des séjours à la carte suivant la saison (balades en traîneau à chiens, à raquettes, ski, quad, équitation, etc.). L'été, barbecue, piscine. Une halte bienvenue avant de reprendre la route !

🛏 *Auberge du lac Taureau :* 1200, chemin Baie-du-Milieu, à **Saint-Michel-des-Saints.** ☎ 450-833-1919 ou 1-877-822-2623. • lactaureau. com • À 2h30 au nord de Montréal (160 km) par la 40 Nord direction Trois-Rivières, puis la route 31 vers Joliette et enfin la 131 jusqu'au bout ! L'auberge est encore à 15 km après le village (panneau). À partir de 150 $/ pers en ½ pens en chambre et 270 $ pour 2, sans repas, en condo. Gratuit pour les enfants. Petit déj-buffet exceptionnel. Promos intéressantes sur le Web. 🖵 🛜 (dans certaines chambres). Un peu loin de tout, mais franchement, on y va pour ça, et pas que pour une nuit ! L'auberge est plutôt récente (2000), et l'on peine à le croire tant la nature a (déjà !) repris ses droits. Songez que la route d'accès bitumée n'existait même pas ! À ce jour, la plus grande auberge du Québec en bois rond s'intègre étonnamment dans son environnement, et ses larges ouvertures procurent un réel sentiment de communion avec la nature. 100 chambres et 29 condos (appartements équipés) répartis dans 4 bâtiments, reliés entre eux par un astucieux système de passerelles. Pratique en hiver. La majorité des chambres ont vue sur le lac. Cela dit, en hiver, la vue est sans aucun doute plus jolie côté forêt car le lac est vide ! Chambres justes refaites, modernes et avec goût. Mais coup de cœur pour les condos, contemporains, spacieux, parfaitement équipés et particulièrement adaptés aux familles. Dans le village (à 15 km tout de même), un supermarché pour faire le plein et vivre à moindres frais, car le resto de l'auberge reste cher ! Été comme hiver, nombreuses activités proposées sur place. Spa, piscine et plage de sable. Un superbe lieu de villégiature.

À voir. À faire

🍴🚶🚶 *Le parc national du Mont-Tremblant :* à 140 km env au nord de Montréal et 10 km de Saint-Donat ; en voiture, prendre l'autoroute 15 Nord, sortie 89, direction Saint-Donat. Infos : ☎ 819-688-2281. Résas : ☎ 418-890-6527 (à l'extérieur de l'Amérique du Nord) ou 1-800-665-6527. • sepaq.com/pq/mot • De mi-mai à sept, tlj 7h-21h ; d'oct à mi-mai, 9h-16h. Entrée : 6,50 $/j. et par adulte ; réduc ; famille 13 $/j. 3 principaux centres de découvertes et de services : l'un dans le secteur de la Pimbina (accès par Saint-Donat, par la 125 Nord), ☎ 819-424-2954 ; un autre dans le secteur de La Diable, au lac Monroe, ☎ 819-688-2336 (accès par Lac-Supérieur ; poursuivre l'autoroute 15 qui se transforme en route 117 Nord) ; le 3e dans le secteur de l'Assomption (accès par Saint-Côme ; ☎ 418-883-1291). Superbes collines boisées agrémentées de centaines de lacs et de cascades. Compte tenu de sa relative proximité de Montréal, le parc est assez fréquenté, ce qui n'empêche pas que l'on croise de nombreuses biches peu farouches. En dehors des nombreux sentiers de randonnée qui sillonnent le parc, plein d'activités à faire : canot (et même canot-camping avec réservation d'emplacements de camping le long de la rivière), kayak, baignade, pêche, *via ferrata*... Renseignements aux centres de découvertes et de services.
Si vous êtes dans le coin en automne, c'est à ne pas manquer, pour les couleurs fauves et mordorées des arbres. Fantastique ! Et si vous y êtes en hiver, vous pourrez alors aller skier à la station de Tremblant, village chicos complètement « disneylandisé », situé à une quinzaine de kilomètres du parc.

🍴🚶🚶 *Le parc linéaire « Le P'tit Train du Nord » :* sur une ancienne voie ferrée, s'étirant sur 200 km entre Saint-Jérôme et Mont-Laurier, en passant par Val-David, Sainte-Agathe-des-Monts, Mont-Tremblant et Nominingue. Mai-oct pour les randos et le vélo, et déc-avr pour le ski de fond. Tarif (ski de fond) : 10 $. Un parcours absolument superbe (et facile !). Sur certains tronçons, la motoneige est autorisée.

Cette piste récréative est jalonnée par d'anciennes gares dont certaines se sont reconverties en points de service (restaurants, auberges, kiosques d'information, location et réparation de vélos).

VERS LE NORD-EST : LANAUDIÈRE

Bordée à l'ouest par les Laurentides et à l'est par la Mauricie, cette région située aux portes de Montréal a Joliette pour chef-lieu. Agricole et très active, elle est aussi pleine de ressources pour le touriste en mal de grand air : randonnées, sports nautiques, raquettes en hiver ou tout simplement boulimie de nature, par exemple dans le parc des Chutes, superbe en toutes saisons, ou sur les îles du lac Saint-Pierre.

➤ *Pour s'y rendre :* accès direct par l'autoroute 40, en direction de Trois-Rivières.

Adresse utile

🅱 *La Chapelle des Cuthbert :* 461, rue de Bienville (route 158), *Berthierville.* ☎ 450-836-7336. Juin-sept slt, tlj 10h-17h. Le premier temple protestant de Québec abrite aujourd'hui le bureau d'informations touristiques (ainsi que des petites expos temporaires).

Où dormir ?
Où manger ?

⚠ *Camping Sol Air :* 760, 9e rang, *Sainte-Marcelline-de-Kildare.* ☎ 450-883-3400 ou 1-800-883-7157. ● campingsolair.com ● De la 40, sortie 122, direction Joliette. De Joliette, prendre la 343 Nord et tourner à gauche 1 km avt Sainte-Marcelline ; c'est 2 km plus loin (fléché). De mi-mai à mi-sept. Résa conseillée en juil-août. Emplacements 30-35 $ selon services. Un camping familial en pleine nature, dans un bel environnement boisé.

Seuls quelques (beaux) emplacements sont réservés aux tentes, mais l'endroit ne fait pas usine à camping-cars pour autant. Dépanneur avec produits de base, resto, buanderie, jeux et animations pour petits et grands, piscine et lac bordé d'une plage.

🏠 ❙●❙ *Auberge Le Cheval Bleu :* 414, route 343, *Saint-Alphonse-Rodriguez.* ☎ 450-883-3080 ou 1-866-883-3080. ● lechevalbleu.com ● Sur la 40, sortie 122, vers Joliette. De Joliette, prendre la 343 Nord ; à env 5 km avt Saint-Alphonse-Rodriguez, sur la droite. Double avec sdb privée 95 $, petit déj inclus. En ½ pension, env 150 $ par chambre. En saison, resto tlj à partir de 18h ; plats 12-26 $. 🛜 Monique, d'origine belge, est intarissable sur les activités de la région et a tissé un réseau qui vous en ouvrira toutes les portes. Parmi les 5 chambres simples et sympas, une familiale et une assez kitsch (Le « Refuge »). Piscine dans le parc. Au resto, Monique marie les spécialités locales avec son savoir-faire national. Un cas, comme disent affectueusement les Belges...

À voir

🦌 *Le musée Gilles-Villeneuve :* 960, av. Gilles-Villeneuve, *Berthierville.* ☎ 450-836-2714 ou 1-800-639-0103. ● museegillesvilleneuve.com ● Sur la 40, sortie 144. Tlj 9h-17h. Entrée : env 10 $; réduc. Consacré au champion québécois de Formule 1. Originaire de Berthierville, le petit Gilles connut une ascension fulgurante avant de périr en 1982 dans un accident. Outre la projection d'un film sur sa vie, on découvre les souvenirs du pilote, des voitures originales (superbe Ferrari), son camion, des photos, des coupes et trophées, ainsi qu'un simulateur et des jeux vidéo. Un hommage à ce pilote d'exception, dont le fils, Jacques, fut sacré champion du monde de Formule 1 en 1997. Une section est d'ailleurs consacrée au fiston. Pour aficionados.

🎥🎥 *L'archipel du lac Saint-Pierre :* reconnu Réserve de la biosphère par l'Unesco, l'archipel compte 103 îles. Seules trois sont habitées et reliées les unes aux autres par des ponts ; un circuit à vélo, au départ de Berthierville, permet de les découvrir. Si vous faites le circuit dans son intégralité (une boucle de 80 km qui vous amène dans les terres), il vous faudra prendre un petit bac pour regagner la terre ferme.

– Le Biophare : 6, rue Saint-Pierre, **Sorel-Tracy**. ☎ 450-780-5740 ou 1-877-780-5740. ● biophare.com ● Sur la rive droite du Saint-Laurent, on y accède par un traversier (voir plus bas). Juil-août, tlj 10h-17h ; sept-juin, mer-ven 10h-17h, w-e 13h-17h. Entrée : 7,50 $; réduc ; gratuit jusqu'à 6 ans. C'est le centre d'interprétation de la Réserve de la biosphère du lac Saint-Pierre, où vous apprendrez tout sur son histoire, sa faune et sa flore.

– Croisière dans la biosphère du lac Saint-Pierre avec Randonnée Nature : infos et résas au Biophare. ● randonneenature.com ● En juil-août, tlj 9h et 13h30 ; mai, juin et sept, sur résa slt. Prix : 35 $; réduc. Durée : 3h. Pour découvrir les îles de Sorel à bord de petits bateaux.

➤ *Traversier pour rejoindre Sorel-Tracy, sur la rive droite du Saint-Laurent :* embarcadère à env 6 km du centre de Berthierville, à **Saint-Ignace-de-Loyola**. ● traversiers.gouv.qc.ca/traverses/sorel-tracysaint-ignace-de-loyola_8.php ● Tte l'année, 4h30-2h30 (5h30-3h le w-e) de Sorel-Tracy, 5h (6h le w-e)-3h de Saint-Ignace. Traversée : 15 mn. Prix : env 3 $/pers ; 7,50 $/véhicule. Assez impressionnant l'hiver quand il faut briser la glace !

VERS OTTAWA

🎥🎥 🚶 *Le parc national d'Oka :* 2020, chemin Oka, à **Oka**. ☎ 450-479-8365 ; résas : ☎ 1-800-665-6527. ● sepaq.com/pq/oka ● Accès de Montréal par l'autoroute 15 Nord (ou la 13 Nord), puis la 640 Ouest (fermée en hiver) sur env 20 km ; au bout, prendre la 344 Ouest à droite. Centre d'accueil du parc à 1,5 km avt le village d'Oka. Entrée : dès 6,50 $/j. et par adulte ; réduc. À 30 mn de Montréal, une belle forêt pour une journée de balade à agrémenter d'un pique-nique et d'une baignade en été. Bien sûr, vous ne serez pas tout seul... Jolie plage surveillée au bord du lac des Deux-Montagnes (cafétéria et restos sur place). Pour ceux qui s'intéressent à la faune du parc, on y trouve six espèces de chauves-souris et une héronnière. Nombreuses activités à faire selon les saisons : randonnée pédestre (accompagnée ou pas), canoë-kayak, location de vélos, ski de fond nocturne sur sentier éclairé et randonnées à raquettes en hiver... Animations enfants et adultes en saison. Possibilité de camper sur place (voir « Où dormir ? » à Montréal). Enfin, pour ceux qui voudraient traverser la rivière des Outaouais pour se rendre sur la rive d'Hudson, en face, pas besoin de faire des kilomètres (pas de pont), il suffit de prendre l'amusant traversier d'Oka : bac tiré par un petit bateau à moteur toutes les 15 mn en saison (environ 10 $ par véhicule).

LES ENVIRONS DE MONTRÉAL

EN STOP

Ici, on dit : « Je vais sur le pouce à... »

■ **Allo Stop** (zoom Centre, D3, **16**) : 3694, rue Saint-Denis (angle Marie-Anne). ☎ 514-985-3032 ou 1-888-985-3032 (tlj 9h-21h). ● allostop. com ● Ⓜ Sherbrooke. Tlj 9h-18h (19h mer-ven). Ils mettent en relation conducteurs et stoppeurs, mais attention, uniquement pour des trajets à l'intérieur du Québec. Exemples : l'aller Montréal-Québec vaut environ 20 $, l'aller pour Trois-Rivières 14 $. Cotisation annuelle obligatoire de 6 $. Il faut se présenter au bureau avec une pièce d'identité pour s'inscrire (s'y prendre de préférence 1-2 j. à l'avance). En général, ça marche assez bien.

➤ **Vers les Laurentides :** Ⓜ Crémazie et bus n° 100 jusqu'à l'autoroute des Laurentides.
➤ **Vers Trois-Rivières (et Québec par la rive nord du Saint-Laurent) :** Ⓜ Honoré-Beaugrand, puis autobus n° 189 le plus loin possible sur la rue Sherbrooke qui est la route provinciale 138.
➤ **Vers Québec :** Ⓜ Longueuil, puis se placer sur une rampe d'accès de l'autoroute 20.
➤ **Vers Sherbrooke :** Ⓜ Longueuil, puis autobus n° 6 jusqu'à l'autoroute des Cantons-de-l'Est.
➤ **Vers Toronto :** Ⓜ Lionel-Groulx (ligne orange), puis autobus n° 211 jusqu'à la sortie de l'autoroute 20 ; on peut aussi prendre le train de banlieue depuis la station de métro Lucien-L'Allier jusqu'à la gare de Dorval. Dans les deux cas, on fait ensuite du pouce à l'entrée de l'autoroute 20.

➤ **Vers Ottawa et l'Ouest :** Ⓜ Crémazie, puis bus n° 100 Ouest pour rejoindre l'autoroute 40.

EN BUS

Pour beaucoup de destinations, il est préférable soit d'acheter ses billets une semaine à l'avance (surtout vers New York), soit de se renseigner sur les forfaits touristes. Dans les deux cas, il est possible de gagner jusqu'à 40 % de réduc.

🚌 **Station centrale d'autobus de Montréal** (zoom Centre, D4) : 1717, rue Berri. ☎ 514-842-2281. ● stationcentrale.com ● Ⓜ Berri-Uqam. Une gare flambant neuve. Consignes et bureau de change.
Plusieurs compagnies d'autobus grandes lignes :

■ **Orléans Express :** ☎ 514-395-4000 ou 1-888-999-3977. ● orleansexpress. com ●
■ **Transdev Limocar :** ☎ 514-842-2281. ● transdev.ca ●
■ **Intercar :** ☎ 514-842-2281. ● inter car.qc.ca ●
■ **Galland :** ☎ 514-333-9555. ● auto busgalland.com ●
■ **Greyhound :** ☎ 514-842-2281. ● greyhound.ca ●
■ **Megabus :** ☎ 705-748-6411 ou 1-800-461-7661. ● megabus.com ●

➤ **Pour Trois-Rivières et Québec :** nombreux bus quotidiens. Environ 2h de trajet pour Trois-Rivières et 3h15 pour Québec.
➤ **Pour la Gaspésie et le Nouveau-Brunswick :** bus avec Orléans Express. Pour Gaspé, env 15h de trajet en bonne saison, avec changement à Rimouski.

➢ *Pour Val-David et Saint-Donat (vers les Laurentides) :* env 3 bus/j. avec la compagnie *Galland*. Terminus à Mont-Tremblant.

➢ *Pour Ottawa, Hull et Gatineau :* bus ttes les heures 5h15-minuit avec *Greyhound*. Compter 2h30 de route pour Ottawa. Correspondances pour Toronto.

➢ *Pour Toronto :* bus ttes les heures 6h30-minuit avec *Megabus*. Compter env 6h de trajet.

➢ *Pour Sherbrooke et les Cantons-de-l'Est :* avec *Transdev Limocar*, env ttes les heures 6h-22h45. Env 2h-3h30 de trajet.

➢ *Pour New York :* env 10 bus/j. 7h-minuit avec *Greyhound* et *Adirondack*. Prévoir 7h30-9h de route.

➢ *L'épopée Montréal-Vancouver :* 2 départs/j. avec *Greyhound*. Compter 75h de voyage ! Si vous expédiez un vélo, il faut l'emballer, et on ne peut pas le caser dans la soute du bus ; il faut l'envoyer par le service *colis par bus* (prix en fonction du poids), situé au 1701, rue Berry. Il arrivera à Vancouver avant vous. Bref, c'est la grosse expédition, mais il faut bien penser aux fanatiques de *road movies*... Assez cher quand même : plus de 300 $, taxes comprises ; mais slt 150 $ env si on achète son billet 14 j. à l'avance...

EN MINIBUS

➢ *Vers Gaspé : Taxi Fortin et Fils.* ☎ *418-269-3454.* Départs mar, jeu et sam en minibus (11 places). Résa conseillée 2-3 j. à l'avance. Compter env 110 $ pour Gaspé. On vient vous chercher où vous êtes dans Montréal, ce qui est bien pratique. Plus rapide

que le bus (comptez quand même 12-14h pour Gaspé, arrêts pipi et repas inclus) et moins cher pour ceux qui ne bénéficient pas de réduc.

EN TRAIN

🚆 *Gare centrale (plan d'ensemble, C4) :* 935, rue La Gauchetière Ouest ; une autre entrée sur University et Belmont. ☎ *1-800-361-5390 ou 1-888-VIA-RAIL.* ● viarail.ca ● *Pour les États-Unis :* ☎ *1-800-872-7245 (Amtrak). À noter : réduc de 30 % si la résa est faite 10 j. à l'avance et 20 % au moins 5 j. avt le départ (selon disponibilités). Également des tarifs de dernière minute (réduc jusqu'à 50 % !).* Cette gare gère tous les départs vers le reste du Québec et du Canada, ainsi que vers les États-Unis. Consignes *tlj 7h-21h (19h w-e).* On peut laisser ses bagages pendant 24h maximum en présentant un billet de train valide.

➢ *Pour la ville de Québec :* env 4-5 départs/j. en été, 4 le reste de l'année, bien répartis dans la journée. Trajet en 3h.

➢ *Pour Ottawa et Toronto :* 6-7 trains/j. ; compter env 2h de trajet pour Ottawa et 5h pour Toronto.

➢ *Pour la Gaspésie :* 3 départs/sem (par Rimouski, Matapédia, Carleton et Percé, le terminus) à bord du *Chaleur*. Compter 18h pour faire Montréal-Gaspé !

EN AVION

➢ *Pour l'aéroport :* voir la rubrique « Arrivée à Montréal » pour tous les détails.

les ROUTARDS sur la FRANCE 2013-2014

(dates de parution sur • routard.com •)

DÉCOUPAGE de la FRANCE par le ROUTARD

Autres guides nationaux

- Les grands chefs du routard
- Nos meilleures chambres d'hôtes en France
- Nos meilleurs campings en France
- Nos meilleurs hôtels et restos en France
- Nos meilleurs sites pour observer les oiseaux en France (nouveauté)
- Tourisme responsable

Autres guides sur Paris

- Paris
- Paris à vélo
- Paris balades
- Restos et bistrots de Paris
- Le Routard des amoureux à Paris
- Week-ends autour de Paris

Cour pénale internationale :
face aux dictateurs et aux tortionnaires,
la meilleure force de frappe,
c'est le droit.

L'impunité, espèce en voie d'arrestation.

Fédération Internationale des ligues des droits de l'homme.

www.fidh.org

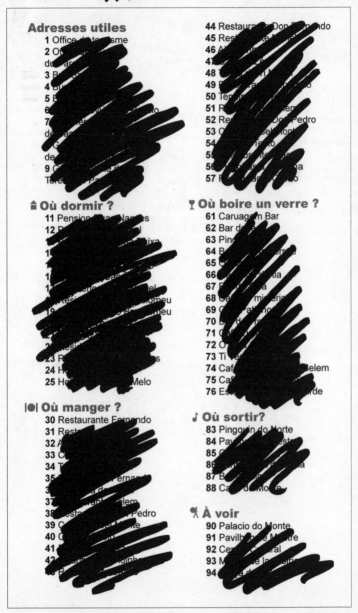

Adresses utiles

1 Office de tourisme
2 On...
du...
3 B...
4 Bu...
5 B...
6 B...
7 ...
de...
...G...
de...
9 G...
Tere...

44 Restaura... Don Fernando
45 Rest...
46 A...
47...
48 T...
49 ...a
50 Ter...
51 R...em...
52 Re... Don Pedro
53 ...Mont...
54 ...exo
55 ...o...
56 ...a
57 ...o

🛏 Où dormir ?

11 Pension ...Nag...s
12 ...
1...
1...
1...
1...
...vest...el
19 ...olomeu
...meu
...
2...
23 R...s
24 H...
25 Ho... Melo

🍷 Où boire un verre ?

61 Caruage m Bar
62 Bar de...
63 Pin...
64 B...
65 C...
66 ...la
67 ...a
68 Ca... mi...eri...
69 C... no...
70 C...
71 C...
72 O...
73 Ti...
74 Caf... ...elem
75 Caf...
76 Es... ...rde

🍴 Où manger ?

30 Restaurante Fernando
31 Rest...
32 A...
33 C...
34 T...
35...
3...Fernando
37...lem
38...Pedro
39 C...te
40 C...
41...
42...
...

♪ Où sortir?

83 Pingouin do Morte
84 Pay...est...
85 C...
86...a
87 B...
88 Ca... do Mo...e

🎥 À voir

90 Palacio do Monte
91 Pavilh... e M...te
92 Ce...ral
93 M... e la...ti...
94 ...

"Qui **sauve un enfant,** sauve le **monde**"

Espace offert par le Guide du Routard

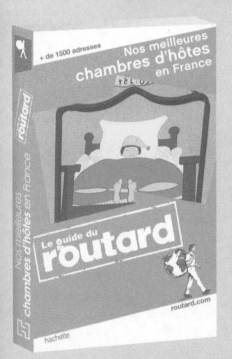

RÉPARER LES VIES

HANDICAP INTERNATIONAL

Pour plus d'informations : Tél. : 01 44 63 51 00*
Fax : 01 42 80 41 57- www.avi-international.com

routard assurance
Voyage de moins de 8 semaines
Monde entier

L'Assurance Voyage

RÉSUMÉ DES GARANTIES*	MONTANT MAXIMUM DES GARANTIES
FRAIS MÉDICAUX MONDE SAUF EUROPE (pharmacie, médecin, hôpital)	300 000 € sans franchise
RÉÉDUCATION / KINÉSITHERAPIE / CHIROPRACTIE	Prescrite par un médecin suite à un accident
FRAIS DENTAIRES D'URGENCE	75 €
FRAIS DE PROTHÈSE DENTAIRE	500 € par dent en cas d'accident caractérisé
FRAIS D'OPTIQUE	400 € en cas d'accident caractérisé
FRAIS DE TRANSPORT	
Rapatriement médical et transport du corps	Frais illimités
Visite d'un parent si l'assuré est hospitalisé plus de 5 jours	2 000 €
CAPITAL DÉCÈS	15 000 €
CAPITAL INVALIDITÉ À LA SUITE D'UN ACCIDENT**	
Permanente totale	75 000 €
Permanente Partielle (application directe du %)	De 1 % à 99 %
BILLET DE RETOUR	
En cas de décès accidentel ou risque de décès d'un parent proche (conjoint, enfant, père, mère, frère, sœur)	Frais nécessaires et raisonnables
ASSURANCE RESPONSABILITÉ CIVILE VIE PRIVÉE	
Dommages corporels garantis à 100 % y compris honoraires d'avocats et assistance juridique accidents	750 000 €
Dommages matériels garantis à 100 % y compris honoraires d'avocats et assistance juridique accidents	450 000 €
Dommages aux biens confiés	1 500 €
AGRESSION (déposer une plainte à la police dans les 24 h)	Inclus dans les frais médicaux
PRÉJUDICE MORAL ESTHÉTIQUE (inclus dans le capital invalidité)	15 000 €
FRAIS DE RECHERCHE ET DE SAUVETAGE	2 000 €
TRANSMISSION DE MESSAGES URGENTS	Mise à disposition
AVANCE D'ARGENT (en cas de vol de vos moyens de paiement)	1 000 €
CAUTION PÉNALE	7 500 €
ASSURANCE BAGAGES	2 000 € (limite par article de 300 €)***

* Nous vous invitons préalablement à souscription à prendre connaissance de l'ensemble des Conditions générales sur www.avi-international.com ou par téléphone au 01 44 63 51 00 (coût d'un appel local).
** 15 000 euros pour les plus de 60 ans.
*** Les objets de valeur, bijoux, appareils électroniques, photo, ciné, radio, cassettes, instruments de musique, jeux et matériel de sport, embarcations sont assurés ensemble jusqu'à 300 €.

PRINCIPALES EXCLUSIONS* (commune à tous les contrats d'assurance voyage)
- Les conséquences d'évènements catastrophiques et d'actes de guerre,
- Les conséquences de faits volontaires d'une personne assurée,
- Les conséquences d'événements antérieurs à l'assurance,
- Les dommages matériels causés par une activité professionnelle,
- Les dommages causés ou subis par les véhicules que vous utilisez,
- Les accidents de travail manuel et de stages en entreprise (sauf avec les Options Sports et Loisirs, Sports et Loisirs Plus),
- L'usage d'un véhicule à moteur à deux roues et les sports dangereux : surf, rafting, escalade, plongée sous-marine (sauf avec les Options Sports et Loisirs, Sports et Loisirs Plus).

Devoir de conseil : AVI International - S.A.S. de courtage d'assurances au capital de 100 000 euros - Siège social : 106-108, rue La Boétie, 75008 Paris - RCS Paris 323 234 575 - N° ORIAS 07 000 002 (www.orias.fr) - Le nom des entreprises avec lesquelles AVI International travaille peut vous être communiqué à votre demande. AVI International est soumise à l'Autorité de Contrôle Prudentiel (ACP) 61 rue Taitbout 75436 Paris Cedex 09. En vue du traitement d'éventuels différends, vous pouvez formuler une réclamation par courrier simple à AVI International et si le conflit persiste auprès de l'ACP.
Vos besoins sont de bénéficier d'une assurance voyage. Nous vous conseillons l'adhésion aux contrats d'assurances collectifs à adhésion facultative n° FR32/332.335 ou n° FR32/335.370 souscrits par l'association ISTEC auprès de ACE EUROPEAN GROUP Direction Générale pour la France de la société de droit anglais - ACE EUROPEAN GROUP LTD - Société au capital de 544 741 144 £ - RCS Nanterre B N°450327374 - Le Colisée - 8 avenue de l'Arche - 92419 Courbevoie Cedex.

Souscrivez en ligne sur www.avi-international.com

INDEX GÉNÉRAL

C

D

E-F

Q

R

S

T

Les **Routards** *parlent aux* **Routards**

Faites-nous part de vos expériences, de vos découvertes, de vos tuyaux.
Indiquez-nous les renseignements périmés. Aidez-nous à remettre l'ouvrage à jour.
Faites profiter les autres de vos adresses nouvelles, combines géniales... On adresse
un exemplaire gratuit de la prochaine édition à ceux qui nous envoient les lettres
les meilleures, pour la qualité et la pertinence des informations. Quelques conseils
cependant :
– Envoyez-nous votre courrier le plus tôt possible afin que l'on puisse insérer vos
tuyaux sur la prochaine édition.
– N'oubliez pas de préciser l'ouvrage que vous désirez recevoir.
– Vérifiez que vos remarques concernent l'édition en cours et notez les pages du
guide concernées par vos observations.
– Quand vous indiquez des hôtels ou des restaurants, pensez à signaler leur
adresse précise et, pour les grandes villes, les moyens de transport pour y aller.
Si vous le pouvez, joignez la carte de visite de l'hôtel ou du resto décrit.
– N'écrivez si possible que d'un côté de la lettre (et non recto verso).
– Bien sûr, on s'arrache moins les yeux sur les lettres dactylographiées ou correc-
tement écrites !
En tout état de cause, merci pour vos nombreuses lettres.

Les Routards parlent aux Routards :
122, rue du Moulin-des-Prés, 75013 Paris

e-mail : • *guide@routard.com* •
Internet : • *routard.com* •

Le Trophée du voyage humanitaire ROUTARD.COM s'associe à VOYAGES-SNCF.COM

Ils ont aidé à la création d'un poste de santé autonome au Sénégal, à la reconstruc-
tion d'un orphelinat à Madagascar... Et vous ?
Envie de soutenir un projet qui favorise la solidarité entre les hommes ? Le Trophée
du Voyage Humanitaire Routard.com est là pour vous ! Que votre projet concerne le
domaine culturel, artisanal, écologique, pédagogique, en France ou à l'étranger, le
Routard et Voyages-sncf.com soutiennent vos initiatives et vous aident à les réaliser !
Si vous aussi vous voulez faire avancer le monde, inscrivez-vous sur • *routard.com/*
trophee ou sur • *tropheesdutourismeresponsable.com* •

Routard Assurance *2013*

Routard Assurance et Routard Assurance Famille, c'est l'Assurance Voyage Inté-
grale. Dépenses de santé et frais d'hôpital pris en charge directement sans franchise
jusqu'à 300 000 € + caution + défense pénale + responsabilité civile + tous risques
bagages et photos. Assurance personnelle accidents : 75 000 €. Très complet ! Tarif à
la semaine pour plus de souplesse. Tableau des garanties et bulletin d'inscription à la
fin de chaque *Routard* étranger. Pour les départs en famille (4 à 7 personnes), demandez le bulletin d'inscription famille. Pour les longs séjours, contrat Plan Marco Polo
« spécial famille » à partir de 4 personnes. Pour un voyage éclair de 3 à 8 jours dans
une ville de l'Union européenne, bulletin d'inscription adapté dans les quelques villes
avec des garanties allégées et un tarif « light ». Également un nouveau contrat Seniors
pour les courts et longs séjours. Si votre départ est très proche, vous pouvez vous
assurer via Internet • *avi-international.com* • ou par fax : 01-42-80-41-57, en indiquant
le numéro de votre carte de paiement. Pour en savoir plus : ☎ 01-44-63-51-00.

Édité par Hachette Livre (43, quai de Grenelle, 75905 Paris Cedex 15, France)
Photocomposé par Jouve (45770 Saran, France)
Imprimé par Lego SPA Plant Lavis (via Galileo Galilei, 11, 38015, Lavis, Italie)
Achevé d'imprimer le 25 février 2013
Collection n° 13 - Édition n° 01
24/0861/5
I.S.B.N. 978-2-01-240861-6
Dépôt légal : février 2013

PAPIER À BASE DE
FIBRES CERTIFIÉES

Ⓗ hachette s'engage pour
l'environnement en réduisant
l'empreinte carbone de ses livres.
Celle de cet exemplaire est de :
300 g éq. CO₂
Rendez-vous sur
www.hachette-durable.fr

U-V

W-Z

OÙ TROUVER LES CARTES ET LES PLANS ?